A INCRÍVEL VIAGEM DE SHACKLETON

ALFRED LANSING

A INCRÍVEL VIAGEM DE SHACKLETON

A MAIS EXTRAORDINÁRIA AVENTURA
DE TODOS OS TEMPOS

SEXTANTE

Título original: *Endurance: Shackleton's Incredible Voyage*
Copyright © 1959 por Alfred Lansing
Copyright da tradução © 2004 por GMT Editores Ltda.

Todos os direitos reservados. Nenhuma parte deste livro pode ser reproduzida ou transmitida sob quaisquer meios existentes sem a autorização por escrito dos editores.

tradução: Sérgio Flaksman

revisão: Clara Diament, Jean Marcel Montassier, Luíza Côrtes e Sérgio Bellinello Soares

projeto gráfico e diagramação: Ana Paula Daudt Brandão

capa: Angelo Bottino

imagem de capa: Scott Polar Research Institute, University of Cambridge / Hulton Archive / Getty Images

impressão e acabamento: Lis Gráfica e Editora Ltda.

CIP-BRASIL. CATALOGAÇÃO NA PUBLICAÇÃO
SINDICATO NACIONAL DOS EDITORES DE LIVROS, RJ

L283i

Lansing, Alfred
    A incrível viagem de Shackleton / Alfred Lansing ; tradução Sérgio Flaksman. - 1. ed. - Rio de Janeiro : Sextante, 2022.
    320 p. ; 23 cm.

Tradução de: Endurance : Shackleton's incredible voyage
ISBN 978-65-5564-255-1

1. Shackleton, Ernest Henry, Sir, 1874-1922 - Viagens. 2. Endurance (Navio). 3. Imperial Trans-Antarctic Expedition (1914-1917). 4. Antártida - Descobertas e explorações. I. Flaksman, Sérgio. II. Título.

21-73309   CDD: 919.89
                                                   CDU: 910.4(99)

Meri Gleice Rodrigues de Souza - Bibliotecária - CRB-7/6439

Todos os direitos reservados, no Brasil, por
GMT Editores Ltda.
Rua Voluntários da Pátria, 45 – 14.º andar – Botafogo
22270-000 – Rio de Janeiro – RJ
Tel.: (21) 2538-4100
E-mail: atendimento@sextante.com.br
www.sextante.com.br

Sumário

Prefácio — 9
Membros da Expedição Imperial Transantártica — 11

PARTE I — 13
PARTE II — 79
PARTE III — 121
PARTE IV — 167
PARTE V — 207
PARTE VI — 251
PARTE VII — 291

Epílogo — 311
Agradecimentos — 317

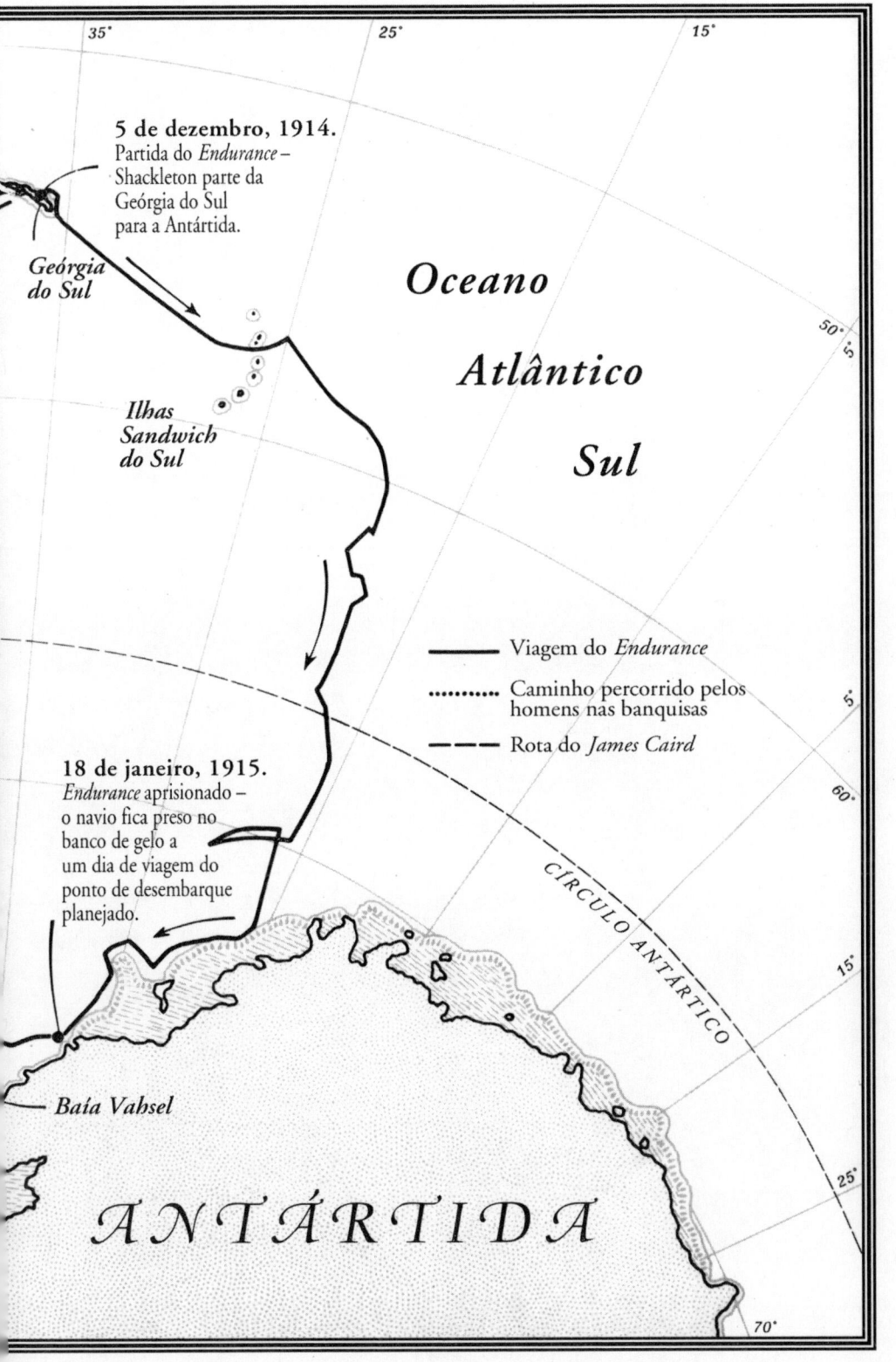

Prefácio

A história que se segue é verdadeira.
Todo esforço foi feito para retratar os fatos exatamente como ocorreram e para registrar com o máximo de precisão as reações dos homens que os viveram.

Para isso, uma enorme quantidade de material foi generosamente posta à minha disposição, sobretudo os diários extremamente detalhados de quase todos os membros da expedição que mantinham diários. É incrível como esses materiais são completos, levando-se em consideração as condições em que foram escritos. Na verdade, eles contêm uma quantidade muito maior de informações do que eu poderia incluir neste livro.

Esses registros são uma variedade maravilhosamente estranha de documentos, manchados com a fuligem de óleo de gordura animal, enrugados por terem ficado encharcados e depois sido postos para secar. Alguns foram escritos em livros de contabilidade numa letra devidamente grande. Outros em cadernos bem pequenos numa caligrafia diminuta. Em todos os casos, porém, foram conservadas no original a linguagem, a grafia e a pontuação utilizadas por seus autores.

Além de colocarem esses diários à minha disposição, quase todos os membros sobreviventes da expedição submeteram-se a longas horas, até mesmo dias, de entrevistas, com uma cortesia e uma cooperação pelas quais meu reconhecimento e minha gratidão não chegam a ser um pagamento adequado. A mesma boa vontade paciente marcou as inúmeras cartas em que esses homens responderam às muitas perguntas que surgiram.

Assim, muitos participantes dessa aventura espantosa colaboraram comigo, com extrema gentileza e um notável grau de objetividade, para recriar nas páginas que se seguem o retrato mais fiel possível dos fatos que, coletivamente, seríamos capazes de produzir. Sinto-me profundamente orgulhoso por nossa interação.

No entanto, eles não têm qualquer responsabilidade pelo texto que se segue. Se quaisquer imprecisões ou interpretações incorretas tiverem se insinuado na narrativa, são minhas e não devem ser de modo algum atribuídas aos homens que participaram da expedição.

Os nomes dessas pessoas que ajudaram a tornar este livro possível aparecem no final do livro.

ALFRED LANSING

Membros da Expedição Imperial Transantártica

Sir Ernest Shackleton	Chefe
Frank Wild	Subcomandante
Frank Worsley	Comandante
Lionel Greenstreet	Primeiro-piloto
Hubert T. Hudson	Navegador
Thomas Crean	Segundo-piloto
Alfred Cheetham	Terceiro-piloto
Louis Rickenson	Primeiro-maquinista
A. J. Kerr	Segundo-maquinista
Dr. Alexander H. Macklin	Médico
Dr. James A. McIlroy	Médico
James M. Wordie	Geólogo
Leonard D. A. Hussey	Meteorologista
Reginald W. James	Físico
Robert S. Clark	Biólogo
James Francis (Frank) Hurley	Fotógrafo oficial
George E. Marston	Desenhista oficial
Thomas H. Orde-Lees	Especialista em motores (depois almoxarife)
Harry McNeish	Carpinteiro

Charles J. Green	*Cozinheiro*
Walter How	*Marinheiro qualificado*
William Bakewell	*Marinheiro qualificado*
Timothy McCarthy	*Marinheiro qualificado*
Thomas McLeod	*Marinheiro qualificado*
John Vincent	*Marinheiro qualificado*
Ernest Holness	*Foguista*
William Stevenson	*Foguista*
Perce Blackboro	*Passageiro clandestino (depois taifeiro)*

PARTE I

I

A ordem de abandonar o navio foi dada às cinco da tarde. Para a maioria dos homens, porém, a ordem era desnecessária, porque àquela altura todos sabiam que o navio estava condenado e que já era hora de desistir de tentar salvá-lo. Não houve nenhuma demonstração de medo nem de apreensão. Lutaram incessantemente por três dias e haviam sido batidos. Aceitaram sua derrota quase apáticos. Estavam simplesmente cansados demais para se incomodar.

Frank Wild, subcomandante da expedição, avançou pelo convés inclinado até os alojamentos da tripulação. Lá, dois marinheiros, Walter How e William Bakewell, estavam deitados nas camas inferiores dos beliches. Os dois estavam esgotados depois de passar cerca de três dias nas bombas; ainda assim, não conseguiam dormir, por causa dos sons que o navio fazia.

Ele estava sendo esmagado. Não instantaneamente, mas devagar, aos poucos. A pressão de dez milhões de toneladas de gelo vinha apertando seus costados, e, moribundo, o navio gritava de agonia. Seu cavername e seu tabuado, suas vigas imensas, muitas delas com quase 30 centímetros de espessura, urravam à medida que aumentava a pressão mortífera. E, quando não aguentavam mais o esforço, partiam-se com um estrondo de peças de artilharia.

A maioria das vigas transversais do castelo de proa já fora destruída no início do dia. O convés ficara numa posição inclinada e mudava lentamente de posição, subindo e descendo, à medida que a pressão aumentava ou diminuía.

Wild enfiou a cabeça no alojamento da tripulação e disse em voz baixa:
– Está acabado, rapazes. Acho que está na hora de desembarcar.

How e Bakewell se levantaram de suas camas, pegaram as duas fronhas em que haviam guardado alguns pertences pessoais e saíram para o convés acompanhando Wild.

Depois, Wild desceu até a pequena sala de máquinas. Kerr, o segundo-maquinista, estava de pé junto à escada, esperando. Com ele, Rickenson, o maquinista-chefe. Estavam lá havia quase 72 horas, mantendo as caldeiras acesas a fim de produzir vapor para operar as bombas da casa das máquinas. Durante aquele tempo, embora não tivessem condições de ver com os próprios olhos o gelo em movimento, de qualquer forma percebiam o que o gelo estava fazendo com o navio. Periodicamente, os lados do casco – embora tivessem 60 centímetros de espessura em quase toda a extensão – sofriam um abaulamento de até 15 centímetros para dentro por efeito da pressão. Ao mesmo tempo, as placas de aço do piso se entrechocavam, rangendo, enquanto suas bordas faziam força umas contra as outras, subindo juntas, e de repente soltavam-se com um forte estalo metálico, ficando encavaladas.

Wild não perdeu muito tempo.

– Podem deixar o fogo apagar – disse. – Está acabado.

Kerr fez um ar de alívio.

Wild dirigiu-se à popa, para o compartimento do eixo da hélice. Lá, McNeish, o velho carpinteiro de bordo, e McLeod, um marinheiro, estavam ocupados calafetando, com pedaços de cobertor, uma câmara estanque que McNeish construíra na véspera. Fora improvisada numa tentativa de conter o fluxo de água que entrava no navio pelos pontos onde o leme e o cadaste da popa haviam sido arrancados pelo gelo. Mas a água já tinha quase chegado à altura das placas de metal do piso, vinha subindo mais depressa do que a câmara estanque conseguia contê-la e mais depressa do que as bombas conseguiam esgotá-la. Sempre que a pressão cedia por um instante, ouvia-se o som da água correndo e enchendo o porão.

Wild fez um sinal para os dois homens, dizendo-lhes que desistissem. Depois subiu a escada de volta para o convés principal.

Clark, Hussey, James e Wordie estavam nas bombas, mas haviam abandonado a tarefa por conta própria, percebendo a inutilidade do que faziam. Estavam sentados em caixas de mantimentos no convés e se apoiavam na amurada. O rosto deles denunciava o cansaço extremo depois de três dias de trabalho incessante nas bombas.

Mais à frente, os condutores das juntas de cães de trenó haviam prendido um grande pedaço de lona à amurada de bombordo, formando uma espécie de escorregador que descia até o gelo. Tiraram os 49 huskies do canil e fizeram cada um deles deslizar pela lona; outros homens os esperavam embaixo. Geralmente, uma atividade desse tipo teria deixado os cães enlouquecidos de nervosismo e excitação, mas de alguma forma eles pareceram perceber que alguma coisa extraordinária estava acontecendo. Não houve uma briga sequer entre toda a matilha e nenhum deles tentou fugir.

Era, talvez, a atitude dos homens. Trabalhavam com uma urgência deliberada, mal falando entre si. No entanto, não havia qualquer manifestação de alarme. Na verdade, além do movimento do gelo e dos sons produzidos pelo navio, a cena era de relativa calma. A temperatura era de 22,5 graus abaixo de zero e soprava um vento leve do sul. No alto, o céu crepuscular estava sem nuvens.

Mas em algum lugar do sul, bem distante, ventos muito fortes sopravam em direção a eles. Embora provavelmente só fossem atingir a posição em que se encontravam dentro de uns dois dias, sua aproximação era denunciada pelo movimento do gelo, que se estendia até onde a vista alcançava e por mais centenas de quilômetros além do horizonte. O banco de gelo era tão imenso e tão compacto que, embora os ventos ainda estivessem muito distantes, a pressão que exerciam de longe já provocava fortes entrechoques das banquisas.

Toda a superfície do gelo era um caos de movimento. Parecia um imenso quebra-cabeça cujas peças se estendiam até o infinito e eram embaralhadas e trituradas por alguma força invisível, mas irresistível. A impressão causada por esse poder titânico era aumentada pelo caráter lento, mas deliberado, de todo o movimento. Sempre que duas banquisas mais espessas se entrechocavam, suas margens colidiam e se entremoíam por algum tempo. Depois, quando nenhuma das duas dava sinal de ceder caminho, elas se erguiam, lentamente, e muitas vezes estremecendo, impelidas pelo poder implacável que se exerce sobre elas. Às vezes paravam abruptamente, e parecia que a força invisível que afetava o gelo perdera misteriosamente o interesse por seu destino. Na maioria dos casos, porém, as duas banquisas – muitas vezes com três metros ou até mais de espessura – continuavam a se erguer, uma apoiada na outra, formando uma espécie de telhado, até que uma delas se partia e desmoronava, criando uma crista de pressão.

E havia os sons do banco de gelo em movimento – os ruídos básicos, os grunhidos e os lamentos das banquisas, e mais um estrondo surdo ocasional cada vez que um bloco mais pesado desabava. Mas, além disso, o vasto campo de gelo sob o efeito da pressão parecia ter um repertório quase ilimitado de outros sons, muitos dos quais, estranhamente, pareciam não ter qualquer relação com os sons produzidos pelo gelo ao ser pressionado. Às vezes ouvia-se um som que lembrava um trem gigantesco que, com os eixos rangendo, estivesse sendo manobrado e trocado de linha com muitos solavancos e entrechoques de peças móveis de metal. Ao mesmo tempo escutava-se o som do apito de um navio imenso, misturado ao canto de galos, ao rumor distante de ondas arrebentando, à pulsação abafada de um motor muito distante e aos gemidos inconsoláveis e chorosos de uma velha. Nos raros períodos de calma, quando o movimento do campo de gelo cessava por algum tempo, o ar era tomado pelo rufar abafado de tambores.

Nesse universo de gelo, o movimento era maior e a pressão mais intensa justamente nas banquisas que estavam atacando o navio, cuja posição não poderia ser pior. Uma banquisa estava solidamente aferrada em sua proa, a estibordo, e outra o prendia do mesmo lado, pela popa. Uma terceira banquisa, do outro lado, atravessara totalmente seu costado de bombordo. Desse modo, o gelo estava tentando partir o navio ao meio, diretamente a meia-nau. Em muitas ocasiões, o navio se inclinava para estibordo em toda a sua extensão.

Avante, onde se concentravam os piores estragos, o gelo estava inundando o navio. Formava pilhas cada vez mais altas dos dois lados da proa à medida que o navio repelia o ataque de cada nova onda, até que, pouco a pouco, chegou até as amuradas e depois irrompeu no convés, que partiu com a sua força, sobrecarregando o navio com um peso esmagador que fez sua proa afundar ainda mais. Subjugado dessa maneira, o navio estava mais do que nunca à mercê das banquisas, que exerciam forte pressão contra os seus flancos.

O navio reagia a cada nova onda de pressão de maneira diferente. Às vezes se limitava a estremecer ligeiramente, como um ser humano que respondesse a uma pontada isolada de dor. Em outras ocasiões, porém, retorcia-se numa série de repelões convulsivos, acompanhados de gritos de agonia. Nesses momentos, seus três mastros cortavam o ar violentamente de um lado para o outro, enquanto o cordame ficava tão esticado quanto o encordoamento de uma harpa. No entanto, o que mais deixava os homens angustiados eram os momentos em que o navio lhes lembrava uma imensa criatura que estivesse sendo sufocada, esforçando-se por respirar, os flancos arquejando sob o efeito da pressão que a estrangulava.

Mais que qualquer outra impressão isolada nessas horas finais, o que chocou a todos, deixando-os quase horrorizados, foi a maneira como o navio se comportava, lembrando um animal gigantesco nos estertores da morte.

Em torno de sete da noite, todos os equipamentos essenciais já haviam sido transferidos para uma espécie de acampamento que fora instalado numa banquisa sólida a certa distância a estibordo. Os barcos salva-vidas haviam sido baixados na noite anterior. Enquanto descia pelos costados do navio para o gelo, a maioria dos homens sentia um imenso alívio por se afastar do navio condenado e poucos deles, ou mesmo nenhum, teriam voltado a bordo por sua própria vontade.

No entanto, algumas almas infelizes foram mandadas de volta ao navio a fim de recuperar artigos diversos. Um deles foi Alexander Macklin, um jovem médico robusto, que era também um dos condutores das juntas de cães. Acabara de acorrentar seus cães no acampamento quando recebeu a ordem de ir com Wild buscar algumas tábuas no porão de vante do navio.

Os dois homens puseram-se a caminho e tinham acabado de chegar junto do navio quando um grande grito se elevou do acampamento. A banquisa em que as tendas haviam sido armadas também estava rachando. Wild e Macklin correram de volta. As juntas de cães foram presas aos arreios, e as barracas, os depósitos e todos os equipamentos foram transferidos às pressas para outra banquisa, 100 metros mais afastada do navio.

Quando a mudança acabou, o navio parecia estar a ponto de afundar, de modo que os dois homens se apressaram em subir a bordo. Subiram abrindo caminho por entre os blocos de gelo que se empilhavam tomando o castelo da proa, depois abriram uma escotilha que dava para a caverna de vante. A escada fora arrancada de seu suporte e caíra de lado. Para descer, tiveram que baixar sustentando-se nas mãos e depois deixando-se cair em meio à escuridão.

O barulho no interior do navio era indescritível. O compartimento meio vazio funcionava como uma gigantesca câmara de ressonância, amplificando cada estalido de tábua e o som de cada viga que se partia. Estavam apenas a poucos metros de distância dos costados do navio e podiam ouvir os golpes que o gelo assestava contra o lado externo do casco, tentando abrir caminho à força.

Esperaram um pouco até seus olhos se acostumarem com a escuridão, e o que viram então foi assustador. As vigas verticais estavam inclinadas, a ponto de tombar, e parecia que as travessas do convés acima da cabeça deles iam ceder a qualquer momento. A impressão era de que um torno gigantesco aprisionara o navio e o apertava aos poucos, até que ele não resistisse mais à pressão.

As tábuas que tinham ido buscar estavam armazenadas nos recessos mais escuros das cavernas laterais da proa do navio. Para chegar até lá, precisavam se arrastar através de uma antepara transversal do navio, e podiam ver que a própria antepara estava abaulada, como se pudesse partir-se a qualquer momento, o que faria todo o castelo da proa desabar em cima deles.

Macklin hesitou um momento, e Wild, percebendo o medo do companheiro, gritou-lhe por cima do barulho do navio que ficasse onde estava. Então Wild mergulhou pela abertura e alguns minutos depois começou a passar as tábuas para Macklin.

Os dois homens trabalhavam com uma pressa febril, mas ainda assim a tarefa parecia interminável. Macklin estava convencido de que nunca conseguiriam retirar a última tábua a tempo. Mas finalmente a cabeça de Wild reapareceu na abertura. Içaram as tábuas para o convés, saíram e ficaram parados por muito tempo, sem dizer nada, saboreando o precioso sentimento de segurança. Mais tarde, na privacidade de seu diário, Macklin confessaria: "Acho que nunca tive uma sensação tão horrível de medo quanto a que senti no porão daquele navio destruído."

Uma hora depois que o último homem deixara o navio, o gelo partiu seus costados. Pontas agudas de gelo foram as primeiras a atravessá-los, deixando abertas feridas por onde entraram blocos inteiros de gelo e grandes fragmentos de banquisas. Da meia-nau para a frente, tudo estava submerso. Todo o lado de estibordo da superestrutura fora esmagado pelo gelo com tamanha força que alguns latões de gasolina vazios empilhados no convés foram atirados através da parede da superestrutura, chegando até quase o outro lado, carregando com eles um grande quadro emoldurado que antes ficava pendurado na parede. De alguma forma, o vidro que o protegia não se quebrou.

Mais tarde, depois que tudo foi arrumado no acampamento, alguns homens voltaram para contemplar os restos do que havia sido seu navio. Mas não muitos. A maioria ficou encolhida em suas barracas, com extremo frio e cansaço, por enquanto totalmente indiferentes ao destino que os aguardava.

O sentimento geral de alívio por terem saído do navio só não era compartilhado por um homem – pelo menos não no sentido mais amplo. Era um indivíduo forte, com rosto e nariz largos, que falava com vestígios de sotaque irlandês. Durante as horas necessárias para abandonarem o navio, permanecera mais ou menos à parte enquanto os homens, os cães e os equipamentos eram desembarcados.

Seu nome era Sir Ernest Shackleton, e os 27 homens cujo desembarque tão inglório de seu navio condenado acompanhara eram os membros da Expedição Imperial Transantártica que ele mesmo organizara.

A data era 27 de outubro de 1915. O nome do navio era *Endurance* (Resistência). A posição em que se encontrava era 69º5' Sul, 51º30' Oeste – bem no centro da vastidão gelada do traiçoeiro mar de Weddell, na Antártida, a meio caminho entre o polo sul e o posto avançado mais próximo que se conhecia da humanidade, a cerca de 1.900 quilômetros de distância.

Poucas pessoas já suportaram a responsabilidade que Shackleton tinha naquele momento. Embora certamente tivesse consciência de que sua situação era desesperadora, não poderia ter imaginado, àquela altura, as provações físicas e emocionais que seus homens teriam que suportar nos meses seguintes, os rigores que precisariam aguentar, os sofrimentos a que seriam submetidos.

Para todos os efeitos, estavam isolados em meio ao gelo que cobria o oceano Antártico. Fazia quase um ano que haviam tido o último contato com a civilização. Ninguém no mundo exterior sabia que estavam em dificuldades, muito menos onde se encontravam. Eles não tinham um transmissor de rádio com o qual pudessem pedir socorro a possíveis salvadores, e de qualquer modo era altamente improvável que um grupo de resgate fosse capaz de chegar até o local onde estavam, mesmo que tivessem condições de transmitir um SOS. O ano era 1915 e não havia helicópteros, veículos a motor capazes de se deslocar sobre o gelo e a neve ou aviões que conseguissem voar naquelas condições.

Assim, a situação daquele grupo de homens era tão simples quanto aterrorizante: se pretendiam de algum modo sair dali, teria que ser por conta própria.

Shackleton avaliava que a plataforma de gelo permanente ao largo da península de Palmer – a extensão de terra firme mais próxima que se conhecia – ficava cerca de 290 quilômetros a oeste-sudoeste da posição em que se encontravam. Mas a terra firme propriamente dita ficava a quase 340 quilômetros de distância, não era habitada nem por homens nem por animais e não oferecia nenhum tipo de condições de ajuda ou de resgate.

O lugar mais próximo conhecido onde poderiam pelo menos encontrar alimento e abrigo era a pequena ilha Paulet, com menos de dois quilômetros e meio de diâmetro, a mais de 550 quilômetros de distância, ao final de uma travessia no rumo noroeste através do instável banco de gelo. Em 1903, 12 anos antes, a tripulação de um navio sueco passara lá o inverno depois que seu navio, o *Antarctic*, fora destruído pelo gelo do mar de Weddell. O navio que finalmente resgatara a tripulação deixara todos os seus suprimentos na ilha Paulet para que pudessem ser usados por outros náufragos que viessem a precisar deles. Ironicamente, fora o próprio Shackleton o encarregado naquela ocasião de adquirir aqueles suprimentos – e agora, 12 anos depois, era ele quem deles necessitava.

2

Ao mesmo tempo que assinalava o início da maior de todas as aventuras antárticas, a ordem de abandonar o navio dada por Shackleton também selava o destino de uma das mais ambiciosas expedições antárticas. A meta da Expedição Imperial Transantártica, como seu nome dava a entender, era cruzar o continente antártico, por terra, de oeste para leste.

A prova da dificuldade desse intento é o fato de que, depois do fracasso de Shackleton, a travessia do continente só voltou a ser tentada 43 anos depois – em 1957-58, quando o dr. Vivian E. Fuchs comandou a Expedição Internacional Transantártica, um empreendimento independente levado a cabo durante o Ano Internacional Geofísico. E até mesmo Fuchs – embora seu grupo estivesse equipado com veículos aquecidos sobre lagartas e rádios poderosos e fosse apoiado por aviões de reconhecimento e trenós puxados por cães – foi insistentemente instado a desistir. Só depois de uma viagem tortuosa, que durou quase quatro meses, Fuchs efetivamente conseguiu realizar o que Shackleton se propusera a fazer em 1915.

Aquela era a terceira expedição de Shackleton à Antártida. Da primeira vez, em 1901, participara da Expedição Nacional Antártica chefiada por Robert F. Scott, o famoso explorador inglês que chegou até a latitude 82º15' Sul, a 1.198 quilômetros do polo – a penetração mais profunda no continente registrada até aquela data.

Depois, em 1907, Shackleton chefiou a primeira expedição que efetivamente declarou ter como objetivo atingir o polo. Com mais três companheiros, Shackleton chegou a 156 quilômetros de seu destino, mas se viu obrigado a voltar devido à escassez de alimentos. A viagem de volta foi uma corrida desesperada contra a morte. Mas o grupo finalmente conseguiu, e Shackleton voltou à Inglaterra transformado em herói do Império. Era tratado como uma celebridade em todos os lugares aonde ia, recebeu do rei o título de cavaleiro e foi condecorado por todos os países mais importantes do mundo.

Escreveu um livro e realizou um circuito de conferências que percorreu todas as Ilhas Britânicas, os Estados Unidos, o Canadá e boa parte da Europa. Antes mesmo de acabar essa viagem, porém, seus pensamentos novamente voltaram-se para a Antártida.

Chegara a apenas 156 quilômetros do polo e sabia melhor que ninguém que era apenas uma questão de tempo até que alguma expedição atingisse o objetivo que não conseguira alcançar. Já em março de 1911, escreveu para sua mulher, Emily, de Berlim, onde estava cumprindo sua turnê de conferencista: "Acho que outra expedição, a menos que atravesse o continente, não será grande coisa."

Enquanto isso, uma expedição americana comandada por Robert E. Peary chegara ao polo norte em 1909. Depois, Scott, em sua segunda expedição, em final de 1911 e início de 1912, travou uma corrida rumo ao polo sul com o norueguês Roald Amundsen – e perdeu por pouco mais de um mês. Era decepcionante fracassar. Mas, no final, tudo poderia ter sido apenas uma questão de falta de sorte na disputa – se Scott e seus três companheiros não tivessem morrido enquanto lutavam, enfraquecidos pelo escorbuto, para retornar à sua base.

Quando a notícia do feito de Scott e das circunstâncias trágicas de sua morte chegaram à Inglaterra, toda a nação ficou triste. À sensação de perda acrescentava-se a decepção pelo fato de os ingleses, cujas façanhas como exploradores não tinham paralelo entre as demais nações da Terra, terem sido obrigados a satisfazer-se com um humilhante segundo lugar, atrás da Noruega.

Ao longo de todo esse tempo, os planos de Shackleton com vistas à montagem de uma expedição transantártica vinham se desenvolvendo rapidamente. Num dos primeiros prospectos escritos com a finalidade de angariar fundos para o empreendimento, Shackleton frisava enfaticamente essa questão de prestígio, transformando-a no principal argumento favorável à sua expedição. Escreveu:

> Do ponto de vista sentimental, é a última grande expedição polar que ainda resta por fazer. Percorrerá um trajeto maior que o de uma viagem de ida e volta ao polo, e acredito que cabe à nação britânica realizá-la, já que fomos superados na conquista do polo norte e superados na primeira conquista do polo sul. Agora, resta a maior e a mais notável de todas as expedições – a travessia do continente.

O plano de Shackleton era levar um navio até o mar de Weddell e desembarcar uma expedição em trenós composta de seis homens e 70 cães perto da baía de Vahsel, a cerca de 78º Sul, 36º Oeste. Mais ou menos ao mesmo tempo, um segundo navio chegaria ao estreito de McMurdo, no mar de Ross, num ponto quase oposto à base do mar de Weddell, do outro lado do continente. O grupo do mar de Ross deixaria uma série de reabastecimento de mantimentos entre sua base e um ponto relativamente próximo ao polo. Enquanto isso, o grupo do mar de Weddell partiria em seus trenós rumo ao polo, utilizando os víveres que eles próprios transportariam. Do polo, seguiriam para as proximidades da grande geleira Beardmore, onde se reabasteceriam no depósito mais ao sul deixado pelo grupo do mar de Ross. Outros depósitos de mantimentos ao longo do caminho os deixariam abastecidos até chegarem à base do estreito de McMurdo.

Esse era o plano no papel, e era típico de Shackleton – objetivo, ousado e simples. Ele não tinha a menor dúvida de que a expedição chegaria à sua meta.

Em alguns círculos, o empreendimento sofreu críticas por ser excessivamente "audacioso". E talvez fosse. No entanto, se não fosse audacioso, não teria agradado a Shackleton. Ele era, antes de mais nada, um explorador nos moldes clássicos – com uma autoconfiança absoluta, romântico e um tanto fanfarrão.

Tinha 40 anos, altura mediana e um pescoço grosso, com ombros largos e fortes um pouco curvados, e cabelos castanho-escuros repartidos ao meio. Sua boca era larga, sensual mas expressiva, e tanto podia se curvar em sorrisos quanto, com a mesma facilidade, estreitar-se de contrariedade até ficar reduzida a uma linha delgada e imóvel. Seu maxilar parecia feito de ferro. Seus olhos cinza-azulados, assim como a boca, tanto podiam se iluminar de alegria quanto ficar ameaçadoramente sombrios, fixados num olhar metálico e assustador. Seu rosto era agradável, embora muitas vezes tivesse uma expressão taciturna – como se seus pensamentos estivessem em outra parte –, o que lhe dava às vezes uma espécie de ar sombrio. Tinha mãos pequenas, mas fortes e confiantes. Falava baixo e um tanto devagar, com uma voz que se aproximava do timbre de barítono, com um traço de sotaque que se devia ao fato de ter nascido no Condado de Kildare, na Irlanda do Sul.

No entanto, fosse qual fosse sua disposição do momento – alegre e bem-disposta ou enfurecida –, Shackleton tinha uma característica dominante: era um homem persistente.

Os cínicos podem afirmar, com alguma razão, que o objetivo fundamental de Shackleton ao empreender sua expedição era simplesmente cobrir de glória o nome de Ernest Shackleton – e receber as recompensas financeiras que certamente caberiam ao chefe de uma expedição de tamanho alcance e que terminasse coroada de sucesso. Sem dúvida, essas motivações ocupavam um espaço considerável no espírito de Shackleton, um homem extremamente preocupado com a posição social e consciente do papel que o dinheiro podia desempenhar. Na verdade, o sonho predominante (e irrealista) de sua vida – pelo menos superficialmente – era atingir uma situação de bem-estar econômico que pudesse durar até o fim dos seus dias. Gostava de se imaginar como um aristocrata do campo, alheio ao mundo da faina diária, com o lazer e a riqueza que lhe permitissem fazer o que quisesse.

Shackleton vinha de uma família de classe média; era filho de um médico moderadamente bem-sucedido. Entrara para a Marinha Mercante britânica aos 16 anos, e, embora tivesse sido regularmente promovido, sua personalidade exuberante achava esse tipo de avanço gradual cada vez menos atraente.

Ocorreram então dois fatos importantes: a participação na expedição de Scott em 1901 e seu casamento com a filha de um rico advogado. O primeiro lhe apresentou a Antártida – que lhe cativou instantaneamente a imaginação. O segundo aumentou seu desejo de ficar rico. Sentia-se no dever de sustentar a mulher da maneira como ela fora acostumada. A Antártida e a segurança financeira acabaram por se tornar mais ou menos sinônimas no pensamento de Shackleton. Ele achava que o sucesso nesse campo – algum maravilhoso rasgo de ousadia, um feito que pudesse conquistar a fantasia de todo mundo – iria abrir-lhe as portas da fama e da riqueza.

Entre uma expedição e outra, ele também insistia em tentar um golpe de mestre financeiro. Estava permanentemente fascinado com novas ideias, sempre acreditando que cada uma delas lhe traria a fortuna em pouco tempo. Seria impossível relacionar aqui todos os seus planos, mas entre eles havia o de tornar-se fabricante de cigarros (um plano infalível – e endossado por ele), a criação de uma frota de táxis, minas na Bulgária, uma fábrica de subprodutos da baleia e até mesmo a procura de tesouros enterrados. A maior parte de suas ideias nunca passava do estágio das conversas iniciais, e as que eram levadas adiante geralmente fracassavam.

A obstinação de Shackleton em não sucumbir às exigências da vida cotidiana, combinada à sua infinita capacidade de ficar entusiasmado com empreendimentos irrealistas, fazia com que fosse possível acusá-lo de ser um homem basicamente imaturo e irresponsável. E é muito possível que efetivamente fosse, de acordo com os padrões convencionais. Mas os grandes líderes dos registros históricos – os Napoleões, os Nelsons, os

Alexandres – também se ajustariam com muita dificuldade a um molde convencional e talvez seja uma injustiça julgá-los em termos ordinários. Não se pode duvidar que Shackleton foi, a seu modo, um extraordinário condutor de homens.

Da mesma forma, a Antártida não representava para Shackleton apenas um meio que desencavara para conseguir chegar a seus fins financeiros. Num sentido muito real, ele precisava da Antártida – alguma coisa tão imensa, tão difícil, que fornecesse uma pedra de toque para seu ego monstruoso e para seu vigor inesgotável. Em situações comuns, a tremenda capacidade que Shackleton tinha de ousar não achava praticamente nada que suscitasse seu ímpeto; ele era um imenso cavalo de tiro percheron atrelado a um carrinho de brinquedo. Já a Antártida era um lugar onde havia um desafio que exigia cada átomo de sua força.

Assim, embora Shackleton se mostrasse inegavelmente deslocado, até mesmo inepto, em muitas situações cotidianas, ele tinha um talento – pode-se dizer mesmo uma genialidade – revelado por apenas alguns homens ao longo da história – a genuína liderança. Ele era, como disse um de seus homens, "o maior líder que já surgiu na terra de Deus, acima de qualquer outro". Apesar de todos os seus pontos cegos e de todas as suas inadequações, Shackleton mereceu esta homenagem:

> Para a liderança científica, o melhor é Scott; para viajar depressa e com eficiência, Amundsen; mas quando você está numa situação perdida, quando parece que não há mais saída, ponha-se de joelhos e peça a Deus que seu chefe seja Shackleton.

Foi esse o homem que cultivou a ideia de atravessar o continente antártico – a pé.

Os itens de equipamento mais importantes de que a expedição necessitava eram os navios que transportariam os dois grupos até a Antártida. De Sir Douglas Mawson, o famoso explorador australiano, Shackleton comprou o *Aurora*, um navio robusto do tipo que costumava ser usado na época para a caça às focas. O *Aurora* já participara de duas expedições antárticas e transportaria o grupo do mar de Ross, sob o comando do tenente Aeneas Mackintosh, que servira a bordo do *Nimrod* na expedição organizada por Shackleton em 1907-09.

O próprio Shackleton comandaria o grupo que realizaria a travessia transcontinental, partindo do lado do mar de Weddell. A fim de obter um navio seguro, Shackleton negociou com Lars Christensen, o magnata norueguês da caça à baleia, a compra de um navio que Christensen mandara construir para transportar expedições de caça aos ursos-polares no Ártico. Àquela altura, esse tipo de expedição era cada vez mais popular entre gente rica.

Christensen tinha um sócio nesse empreendimento, M. le Baron de Gerlache, um belga que comandara uma expedição à Antártida em 1897 e que portanto estava em condições de contribuir com muitas ideias valiosas para a construção do navio. Durante a construção do barco, porém, De Gerlache viu-se às voltas com dificuldades financeiras e foi forçado a retirar-se do negócio.

Assim, tendo perdido seu sócio, Christensen ficou satisfeito quando Shackleton veio propor-lhe a compra. O preço final a que chegaram, equivalente a 67 mil dólares, era menos do que Christensen pagara pela construção do navio, mas ele se mostrou disposto a arcar com a perda como um modo de contribuir com os planos de um explorador do porte de Shackleton.

O navio fora batizado de *Polaris*. Depois da compra, Shackleton mudou seu nome para *Endurance* (Resistência), mais de acordo com a divisa de sua família, *Fortitudine vincimus* (Vencemos pela resistência).

Como ocorria no caso da organização de todas as expedições particulares desse tipo, a dor de cabeça básica de Shackleton era o financiamento da Expedição Imperial Transantártica. Passou quase dois anos inteiros reunindo apoio financeiro. Precisava conseguir as bênçãos do governo e de várias sociedades científicas para justificar a expedição como um empreendimento sério. E Shackleton, cujo interesse pela ciência não poderia ser de modo algum comparado ao seu amor pela exploração, viu-se na contingência de se superar para encenar seu apego a esse aspecto do empreendimento. De certo modo, era hipocrisia. Ainda assim, reuniu um grupo competente de pesquisadores para fazer parte da expedição.

No entanto, a despeito de seu encanto pessoal e de seu poder de persuasão, que eram consideráveis, Shackleton enfrentou seguidas decepções com promessas de concessão de ajuda financeira que não chegavam a se concretizar. Finalmente, obteve cerca de 120 mil dólares com Sir James Caird, um rico industrial escocês de juta. E o governo concedeu-lhe uma soma equivalente a cerca de 50 mil dólares, enquanto a Royal Geographical Society contribuía com uma verba de 5 mil dólares para assinalar sua aprovação geral, embora não completa, à expedição. Doações menores foram conseguidas junto a Dudley Docker e à Srta. Janet Stancomb-Wills, e recebeu ainda literalmente centenas de outras contribuições menores, feitas por pessoas de todo o mundo.

Como era costumeiro, Shackleton também hipotecou a expedição, em certo sentido, vendendo antecipadamente os direitos sobre quaisquer bens comerciais que a expedição porventura viesse a produzir. Prometeu escrever mais tarde um livro sobre a viagem. Vendeu os direitos sobre os filmes e as fotografias que seriam feitos, e concordou em fazer uma longa turnê de conferências ao voltar. Todos esses acertos se baseavam numa suposição básica – a premissa de que Shackleton sobreviveria.

Em contraste com as dificuldades encontradas para obter apoio financeiro suficiente, reunir voluntários para participar da expedição foi extremamente simples. Quando Shackleton anunciou seus planos, foi soterrado por mais de cinco mil propostas de pessoas (inclusive três moças) pedindo para ir com ele.

Quase sem exceção, esses voluntários eram motivados apenas pelo espírito de aventura, uma vez que os salários oferecidos pelos serviços prestados eram pouco mais que simbólicos. Iam de cerca de 240 dólares por ano para um marinheiro qualificado a cerca de 750 dólares por ano para os cientistas mais experientes. E até mesmo isso, em muitos casos, só seria pago no final da expedição. Shackleton achava que o privilégio de participar da expedição era por si só uma compensação mais do que suficiente, especialmente para os cientistas, aos quais o empreendimento oferecia uma oportunidade sem igual para pesquisas em seus campos.

Shackleton compôs a lista da tripulação em torno de um núcleo de veteranos experimentados. O posto de subcomandante foi para Frank Wild, um homem muito baixo mas extremamente forte cujo cabelo ralo da cor de pelo de rato estava desaparecendo totalmente. Wild era uma pessoa de fala mansa e superficialmente amigável, mas era dotado de uma espécie de dureza interior. Fora um dos três companheiros de Shackleton na corrida rumo ao polo em 1908 e 1909, e Shackleton adquirira por ele um imenso respeito e grande afeição pessoal. Na verdade, os dois formavam uma dupla bem ajustada. A lealdade de Wild em relação a Shackleton era inquestionável, e sua disposição tranquila, de certo modo desprovida de imaginação, era o contraponto perfeito para a natureza muitas vezes volúvel e ocasionalmente explosiva de Shackleton.

O posto de segundo-piloto a bordo do *Endurance* foi entregue a Thomas Crean, um irlandês alto, de ossos largos e fala fraca, a quem o longo tempo de serviço na Marinha Real ensinara os modos da disciplina que não faz perguntas. Crean servira com Shackleton na expedição de Scott em 1901 e também fizera parte da tripulação do *Terra Nova*, que transportara a malfadada expedição de 1910-13 de Scott até a Antártida. Devido à experiência e à força de Crean, Shackleton planejava incluí-lo, na qualidade de condutor da junta de cães do trenó, no grupo de seis homens que fariam a travessia transcontinental.

Alfred Cheetham, que embarcou como terceiro-piloto, tinha a aparência contrária à de Crean. Era baixo, mais baixo até que Wild, e manifestava uma disposição agradável e despreocupada. Shackleton se referia a Cheetham como "o veterano da Antártida", uma vez que ele já participara de três expedições, entre elas uma com o próprio Shackleton e outra com Scott.

Havia ainda George Marston, o desenhista da expedição, de 32 anos de idade. Marston, um homem gorducho, com rosto de menino, tivera uma participação notável na expedição que Shackleton realizara em 1907-09. Diferente de quase todos os demais, era casado e tinha filhos.

O núcleo de veteranos se completou quando Thomas McLeod, que também participara da expedição de 1907-09, alistou-se no *Endurance* como marinheiro.

Em relação à seleção dos novatos, tem-se a impressão de que os métodos de Shackleton foram quase caprichosos. Sempre que gostava da aparência de um homem, ele era aceito. Se não gostava, o candidato era dispensado. E as decisões eram tomadas com a rapidez de um raio. Não há qualquer registro de alguma entrevista entre Shackleton e um candidato a membro da expedição que tenha durado mais de cinco minutos.

Leonard Hussey, um indivíduo baixo, malicioso e irreprimível, foi contratado como meteorologista, embora àquela altura não tivesse praticamente nenhuma qualificação para o posto. Shackleton simplesmente achou que Hussey "era engraçado", e o fato de ele ter voltado recentemente de uma expedição (como antropólogo) ao tórrido Sudão foi irresistível para o senso de humor de Shackleton. Hussey iniciou imediatamente um curso intensivo de meteorologia e mais tarde veio a demonstrar uma extrema eficiência.

O dr. Alexander Macklin, um dos dois médicos, conquistou as boas graças de Shackleton ao responder, quando Shackleton lhe perguntou por que usava óculos:

– Muitos rostos sisudos ficariam com uma aparência idiota sem óculos.

E Reginald James foi contratado como físico depois que Shackleton perguntou-lhe pelo estado de seus dentes, se ele sofria de varizes, se era bem-humorado – e se sabia cantar. Diante dessa última pergunta, James fez um ar desconcertado:

– Oh, não precisa ser nenhum Caruso – esclareceu Shackleton –, mas será que consegue fazer um pouco de barulho com os rapazes?

A respeito da natureza instantânea dessas decisões, a intuição de Shackleton para escolher os homens certos raramente falhava.

Os primeiros meses de 1914 foram gastos com a aquisição de incontáveis artigos do equipamento, dos mantimentos e de todos os instrumentos necessários. Trenós especiais foram desenhados e testados nas montanhas nevadas da Noruega. Encomendaram um novo tipo de ração, destinado a evitar o escorbuto, bem como barracas criadas especialmente para a expedição.

No final de julho de 1914, porém, tudo havia sido reunido, testado e embarcado a bordo do *Endurance*. O navio zarpou do cais East India, em Londres, no dia 1º de agosto.

Mas os trágicos acontecimentos políticos daqueles dias dramáticos eclipsaram a partida do *Endurance* e chegaram a pôr em risco todo o empreendimento. O arquiduque Ferdinando da Áustria fora assassinado dia 28 de junho, e exatamente um mês depois o Império Austro-Húngaro declarava guerra à Sérvia. O rastilho de pólvora estava aceso. Enquanto o *Endurance* permanecia ancorado na embocadura do Tâmisa, a Alemanha declarou guerra à França.

Então, no mesmo dia em que o rei George V entregou a Shackleton uma Union Jack, a bandeira do Reino Unido, para ser levada pela expedição, a Grã-Bretanha declarou guerra à Alemanha. A posição de Shackleton não poderia ser pior. Seria péssimo para ele se não partisse e seria péssimo se partisse. Estava na iminência de dar início a uma expedição com que vinha sonhando e em que vinha trabalhando havia quase quatro anos. Grandes somas de dinheiro, grande parte delas envolvendo compromissos futuros, haviam sido gastas, e horas incontáveis haviam sido empregadas no planejamento e na preparação. Ao mesmo tempo, porém, Shackleton tinha um forte sentimento de que era sua obrigação participar da guerra.

Passou longas horas discutindo o que fazer e debateu a questão com vários conselheiros, especialmente seus principais financiadores. Finalmente, chegou a uma decisão.

Convocou a tripulação e explicou que queria a aprovação de todos para um telegrama que pretendia passar ao Almirantado, pondo toda a expedição à disposição do governo. A aprovação foi geral, e o telegrama foi enviado. Recebeu em resposta um telegrama que continha uma única palavra: "Prossiga." Duas horas depois receberam um telegrama mais longo de Winston Churchill, que àquela altura tinha o cargo de Lorde do Almirantado, afirmando ser desejo do governo que a expedição fosse levada adiante.

O *Endurance* zarpou de Plymouth cinco dias depois, em direção a Buenos Aires. Shackleton e Wild ficaram na Inglaterra, cuidando de alguns arranjos financeiros de última hora. Seguiriam depois, num navio comercial mais rápido, e se encontrariam com o navio na Argentina.

A travessia do Atlântico foi, na verdade, um cruzeiro experimental. Para o navio, era a primeira viagem importante depois que ficara pronto na Noruega no ano anterior, e para muitos dos que estavam a bordo, a primeira experiência de navegação.

Na aparência, o *Endurance* era belíssimo, por qualquer padrão. Era um bergantim, ou brigue-escuna, o tipo que em Portugal se chama "lugrepatacho" – com três mastros, o traquete, ou mastro da proa, guarnecido com velas redondas (como são chamadas as velas retangulares que se dispõem transversalmente ao navio, presas a uma verga que cruza o mastro), e os outros dois com velas latinas (velas dispostas longitudinalmente, que não cruzam o mastro), como uma escuna. Possuía um motor a carvão de 350

HP, capaz de fazê-lo desenvolver velocidades de até 10,2 nós. Media 144 pés de comprimento, com uma largura máxima de 25 pés, o que não era grande demais, mas o suficiente. E, embora seu casco negro polido tivesse uma aparência externa igual à do casco de qualquer outro navio de tamanho compatível, era completamente diferente.

As barras de sua quilha eram quatro peças de carvalho maciço, dispostas uma por cima da outra, somando uma espessura total de 2,16 metros. Os costados eram feitos de carvalho e pinho montanhês da Noruega e variavam em espessura de cerca de 45 a mais de 75 centímetros. Por fora desse entabuamento, para evitar que o navio sofresse danos maiores devido ao atrito com o gelo, havia um revestimento de popa a proa feito com a madeira chamada de coração-verde, tão densa que pesa mais que ferro maciço e tão dura que não pode ser trabalhada com ferramentas normais. As costelas, além de serem de espessura dupla, variando de 24 a 28 centímetros, eram ainda em número duas vezes maior do que as de um navio convencional.

A proa, que teria um impacto direto contra o gelo, recebera uma atenção especial. Cada uma de suas traves fora feita a partir de um único tronco de carvalho, especialmente escolhido de acordo com seu crescimento natural, sempre que apresentasse a curva do desenho do navio. Quando reunidas, essas peças tinham uma espessura total de 1,30 metro.

No entanto, o *Endurance* não havia sido feito apenas para ser robusto. Foi construído em Sandefjord, na Noruega, pelo estaleiro Framnaes, a famosa firma construtora de navios polares que vinha construindo havia muitos anos embarcações para a caça à baleia e às focas no Ártico e na Antártida. No entanto, quando chegou a vez de construir o *Endurance*, os armadores compreenderam que ele poderia ser o último dos navios de seu tipo, como de fato foi, e o navio se tornou o projeto de estimação do estaleiro.*

O *Endurance* foi projetado por Aanderud Larsen de tal maneira que toda junta e todo encaixe tinham reforço cruzado de algum tipo para lhe dar o máximo de robustez e resistência. Sua construção foi meticulosamente supervisionada por um mestre da construção de navios de madeira,

---

* Embora Shackleton tenha comprado o *Endurance* pelo equivalente a 67 mil dólares, o estaleiro Framnaes não aceitaria construir hoje (1959, data da primeira edição do original, N.T.) um navio semelhante por menos de 700 mil dólares – e avalia-se que o custo poderia muito bem chegar a um milhão.

Christian Jacobsen, que insistiu em empregar homens que não fossem apenas carpinteiros experimentados, mas ainda tivessem eles próprios navegado em barcos de caça à baleia e à foca. Eles se interessaram com zelo de proprietário pelos menores detalhes da construção do *Endurance*. Escolheram cada viga e cada tábua com o maior cuidado, e as encaixaram com a maior precisão possível. Para atrair a boa sorte, quando puseram seus mastros, os supersticiosos carpinteiros colocaram a tradicional moeda de cobre sob cada um deles, para impedir que se quebrassem.

Quando foi lançado ao mar em 17 de dezembro de 1912, o *Endurance* era o barco de madeira mais forte já construído na Noruega – e provavelmente em qualquer país do mundo –, com a possível exceção do *Fram*, o navio usado por Fridtjof Nansen e mais tarde por Amundsen.

Havia porém uma importante diferença entre os dois navios. O *Fram* tinha um fundo abaulado, de modo que caso o gelo se fechasse ao seu redor ele seria impelido para cima, escapando à pressão. Mas o *Endurance* foi concebido para operar em meio a blocos relativamente soltos de gelo e por isso não foi construído de modo a se erguer para escapar de pressões mais fortes. Em comparação com o *Fram*, tinha os costados relativamente retos, mais ou menos como os navios convencionais.

No entanto, na viagem de Londres a Buenos Aires, a maioria dos seus tripulantes achou que seu casco era arredondado demais. Pelo menos metade dos cientistas passou mal, e o sacudido jovem Lionel Greenstreet, o primeiro-piloto, que não tinha papas na língua mas em compensação tinha uma longa experiência com grandes veleiros, declarou que o navio tivera um comportamento "decididamente abominável".

A travessia do Atlântico durou mais de dois meses. Durante a viagem, o *Endurance* ficou sob o comando de Frank Worsley, um neozelandês que se tornara marinheiro aos 16 anos.

Worsley tinha agora 42 anos, embora parecesse muito mais jovem. Era um homem de peito largo e altura pouco abaixo da média, com um rosto de traços grosseiros mas ainda assim agradável, apresentando permanentemente uma expressão maliciosa. Era muito difícil para Worsley fazer um ar severo, mesmo que quisesse.

Era um indivíduo sensível e fantasioso, e o modo como contava ter entrado para a expedição, fosse ou não verdadeiro, servia para caracterizá-lo perfeitamente. Segundo ele, seu navio estava atracado em Londres, onde ele desembarcara e estava hospedado num hotel. Certa noite, teve um sonho em que via a Burlington Street, no West End, coalhada de blocos de gelo em meio aos quais pilotava um navio.

Bem cedo, na manhã seguinte, correu para a Burlington Street. Enquanto passeava pela calçada, viu uma placa numa porta com os dizeres: EXPEDIÇÃO IMPERIAL TRANSANTÁRTICA. (O escritório londrino da expedição ficava, de fato, no número 4 da New Burlington Street.)

Dentro da casa, encontrou Shackleton. Os dois homens simpatizaram imediatamente um com o outro, e Worsley mal precisou dizer que desejava entrar para a expedição.

– Está contratado – disse Shackleton ao final de uma curta conversa. – Volte para o seu navio e espere o meu telegrama. Eu lhe comunico os detalhes assim que puder. Bom dia.

Depois, apertou a mão de Worsley, e a entrevista, se é que se pode chamar assim, estava encerrada.

Foi desse modo que Worsley foi nomeado comandante do *Endurance*. Ou seja, encarregado do funcionamento físico do navio sob o comando geral de Shackleton, chefe de toda a expedição.

Shackleton e Worsley tinham algumas características idênticas de temperamento. Ambos eram homens cheios de energia, imaginativos, românticos, sedentos de aventura. Contudo, enquanto a natureza de Shackleton o levava sempre a assumir a liderança, Worsley não tinha o mesmo tipo de inclinação. Era um homem fundamentalmente bem-humorado, dado a rasgos de excitação e a entusiasmos imprevisíveis. O encargo de liderança que lhe coube na travessia do Atlântico não lhe era muito confortável. Achava que era seu dever desempenhar o papel de comandante, mas se sentia tristemente deslocado nesse papel. Sua tendência a deixar-se levar por seus caprichos ficou óbvia certa manhã de domingo quando um serviço religioso estava sendo realizado. Depois de algumas orações adequadamente reverentes, teve a ideia de cantar alguns hinos – e interrompeu o ritual e perguntou impetuosamente:

– Onde está a maldita banda?

No momento em que o *Endurance* chegou a Buenos Aires, no dia 9 de outubro de 1914, a falta de disciplina de Worsley deixara o moral a bordo decair, reduzindo-se a um estado deplorável. Mas Shackleton e Wild já haviam chegado de Londres e aplicaram mão firme.

O cozinheiro, que vinha trabalhando com indiferença desde o início da viagem, subiu a bordo bêbado e foi imediatamente despedido. Espantosamente, 20 homens se apresentaram para ocupar a vaga, e o emprego foi para um homem de voz estridente chamado Charles J. Green, que era uma pessoa completamente diferente, consciencioso quase ao ponto da obsessão.

Mais tarde, dois marinheiros, depois de uma noite agitada em terra, brigaram com Greenstreet e foram igualmente dispensados. Decidiu-se que a tripulação ficaria de bom tamanho com apenas uma substituição, e contratou-se William Bakewell, um canadense de 26 anos que perdera seu navio em Montevidéu. Chegou a bordo com um companheiro forte de 18 anos, Perce Blackboro, que foi contratado temporariamente para trabalhar como auxiliar do cozinheiro durante a estadia do *Endurance* em Buenos Aires.

Enquanto isso, Frank Hurley, o fotógrafo oficial, chegara da Austrália. Hurley participara da última expedição de Sir Douglas Mawson à Antártida, e Shackleton o contratara baseado apenas na reputação que ele conseguira por seu trabalho anterior.

Finalmente, os últimos membros oficiais da expedição chegaram e foram embarcados – 69 cães de trenó que haviam sido comprados no Canadá e transportados de navio para Buenos Aires. Foram abrigados em canis construídos ao longo do convés principal, a meia-nau, entre a proa e a popa.

O *Endurance* zarpou de Buenos Aires às dez e meia da manhã do dia 26 de outubro com destino à sua última escala, a remota e pouco povoada ilha da Geórgia do Sul, ao largo da ponta meridional do continente sul-americano. O navio seguiu pela boca cada vez mais larga do rio da Prata e desembarcou o piloto na manhã seguinte no farol de Recalada. Ao pôr do sol, já não se via mais sinal de terra.

3

Estavam finalmente a caminho, realmente a caminho, e Shackleton sentiu um imenso alívio. Os longos anos de preparação haviam finalmente ficado para trás... os pedidos de dinheiro, a hipocrisia, as vigarices, nada mais daquilo era necessário. O simples ato de zarpar o levara para longe do mundo de reversões de expectativas, frustrações e inanidades. No intervalo de algumas horas, a vida fora transformada, e uma existência altamente complexa, com milhares de pequenos problemas, fora reduzida a uma vida de extrema simplicidade, em que só havia uma tarefa real – chegar ao seu objetivo.

Em seu diário, aquela noite, Shackleton resumiu seus sentimentos: "Agora começa o verdadeiro trabalho... vai ser uma boa luta."

Entre alguns homens no castelo da proa, porém, o que se avolumava era antes a tensão do que uma sensação de alívio. A lista da tripulação trazia o nome de 27 homens, incluindo Shackleton. Mas na verdade havia 28 homens a bordo. Bakewell, o marinheiro que se engajara no *Endurance* em Buenos Aires, conspirara com Walter How e Thomas McLeod para trazer clandestinamente a bordo seu companheiro, Perce Blackboro. Enquanto o *Endurance* jogava sob o efeito das vagas cada vez mais altas do mar aberto, Blackboro estava escondido, agachado por trás dos oleados do armário de Bakewell. Felizmente havia muita coisa a fazer no convés, de modo que a maioria dos membros da tripulação estava ocupada em outros lugares e Bakewell podia descer periodicamente para o alojamento sem que ninguém percebesse e trazer um pouco de comida ou água para Blackboro.

Na manhã seguinte, bem cedo, os três conspiradores decidiram que havia chegado a hora; o navio estava longe demais da terra para voltar. Assim, Blackboro, que a essa altura estava sofrendo de cãibras terríveis, foi transferido para o armário que fora atribuído a Ernest Holness, um dos foguistas, cujo turno de serviço estava prestes a terminar. Holness chegou, abriu seu armário, viu dois pés apontando por baixo dos oleados e voltou correndo para o tombadilho. Encontrou Wild no comando e contou-lhe o que descobrira. Wild foi imediatamente até o alojamento e arrancou Blackboro do armário, conduzindo-o até Shackleton.

Poucos homens podiam ser mais terríveis do que Ernest Shackleton quando se enfurecia, e agora, encarando Blackboro bem de frente, com os ombros enormes encurvados, Shackleton descompôs impiedosamente o jovem clandestino galês. Blackboro ficou apavorado. Bakewell, How e McLeod, que assistiram à cena sem poder fazer nada, não esperavam nada parecido. Mas então, no auge de sua descompostura, Shackleton fez uma pausa abrupta e aproximou-se do rosto de Blackboro:

– E mais uma coisa – trovejou. – Se ficarmos sem comida e alguém tiver que ser comido, você vai ser o primeiro. Entendeu?

Um sorriso se espalhou lentamente pelo rosto redondo, infantil, de Blackboro, e ele assentiu com a cabeça. Shackleton virou-se então para Worsley e sugeriu que Blackboro fosse escalado para ajudar Green na cozinha.

O *Endurance* chegou ao posto de pesca de baleia de Grytviken, na Geórgia do Sul, no dia 5 de novembro de 1914. As notícias que o esperavam eram desanimadoras. As condições do gelo no mar de Weddell, que nunca haviam sido boas, eram as piores que os comandantes dos navios baleeiros noruegueses que operavam na região já haviam visto. Vários deles afirmaram que seria impossível atravessar, e alguns chegaram até a tentar dissuadir Shackleton da empresa, sugerindo-lhe que aguardasse até a estação seguinte. Shackleton decidiu passar algum tempo na Geórgia do Sul, esperando que a situação melhorasse.

Os pescadores de baleia estavam especialmente interessados na expedição, porque seu conhecimento direto dos mares antárticos lhes dava uma ideia bastante real dos problemas com que Shackleton teria que se defrontar. Além disso, a chegada do *Endurance* era um acontecimento na Geórgia do Sul. Normalmente, quase nada acontecia em matéria de distração naquele posto avançado, o extremo reduto meridional da civilização. Houve uma série de festas a bordo do navio, e os oficiais e tripulantes dos navios baleeiros retribuíram com reuniões promovidas em terra firme.

Os tripulantes do *Endurance*, em sua maioria, costumavam ser recebidos na casa de Fridtjof Jacobsen, o gerente do posto de pesca de baleia de Grytviken, e Shackleton chegou até mesmo a fazer uma viagem de quase 25 quilômetros por mar até a baía Stromness, onde se hospedou na casa de Anton Andersen, gerente da fábrica local na temporada baixa.

Enquanto Shackleton se encontrava na baía Stromness, o gerente titular da fábrica, Thoralf Sørlle, voltou de suas férias na Noruega. Sørlle era um homem forte de 38 anos, com cabelos escuros e um belo bigode longo, de pontas reviradas, na forma de um guidom de bicicleta. Em seus tempos no mar, fora talvez o melhor arpoador de toda a frota baleeira norueguesa e tinha um vasto conhecimento da navegação em meio aos gelos polares. Ao longo do mês seguinte, Shackleton procurou absorver a experiência de Sørlle e de muitos dos capitães de navios baleeiros, formando uma ideia geral dos movimentos do gelo no mar de Weddell. No final, aprendera o seguinte:

O mar de Weddell tem uma forma aproximadamente circular, delimitada por três massas de terra: o próprio continente antártico, a península de Palmer e as ilhas Sandwich do Sul. Consequentemente, grande parte do gelo que se forma no mar de Weddell fica contida no seu interior, uma vez que as terras que cercam aquele mar impedem que o gelo escape para o mar aberto, onde poderia vir a derreter. Os ventos da área são relativamente fracos, em termos antárticos, e além de não empurrarem o gelo para o mar alto permitem que o gelo novo acabe se formando em todas as épocas do ano, até mesmo no verão. Finalmente, uma forte corrente predominante, que se desloca no sentido dos ponteiros do relógio, tende a fazer o gelo mover-se num imenso semicírculo, acabando por acumular-se num banco compacto espremido contra a península de Palmer, na margem ocidental do mar.

Mas o destino da expedição era a baía de Vahsel, na margem mais ou menos oposta. Assim, havia razão para terem uma esperança de que aquele trecho da costa em particular estivesse livre do gelo devido à ação dos ventos e das correntes. Com sorte, eles poderiam passar por trás da parte pior do banco de gelo se navegassem ao longo dessa margem de sota-vento.

Shackleton decidiu contornar o perímetro nordeste do mar de Weddell e seu traiçoeiro banco de gelo, esperando encontrar a costa nas proximidades da baía de Vahsel desimpedida de gelo.

Esperaram até o dia 4 de dezembro, aguardando para só zarparem depois da chegada do navio que transportava os suprimentos para a estação de pesca de baleias, trazendo a sua correspondência de casa. Mas o navio não chegou, e assim, às oito e quarenta e cinco da manhã do dia 5 de dezembro de 1914, o *Endurance* levantou âncora e avançou lentamente para fora da baía de Cumberland. Quando passou ao largo da ponta de Barff ouviu-se o comando: "A postos nas velas!" A vela de mezena, a vela grande (vela latina do mastro grande) e as velas do traquete (mastro da proa) foram içadas, e em seguida o velacho e o joanete, duas das velas redondas da proa, foram braceados, isto é, tiveram suas vergas deslocadas, de modo a receber em cheio o vento forte de noroeste. Uma mistura úmida e gelada de chuva, gelo e neve caía forte sobre o mar de chumbo. Shackleton ordenou a Worsley que fixasse o rumo na direção leste, visando às ilhas Sandwich do Sul. Duas horas depois que o *Endurance* zarpou, o navio de suprimentos chegou com sua correspondência a bordo.

O *Endurance* contornou a costa da Geórgia do Sul, de popa para o vento e para ondas altas que corriam na mesma direção. O navio tinha uma aparência fora do comum. Sessenta e nove cães de trenó permanentemente em pé de guerra estavam amarrados a vante; havia várias toneladas de carvão empilhadas no convés da parte central, e das enxárcias pendia uma tonelada de carne de baleia destinada a alimentar os cães. O sangue gotejava o tempo todo, molhando o convés e mantendo os cães num estado próximo de um frenesi de expectativa ansiosa pela possível queda de algum pedaço de carne.

A primeira terra que avistaram foi a ilha Saunders, no arquipélago das Sandwich do Sul, e às seis da tarde do dia 7 de dezembro o *Endurance* passou entre ela e o vulcão Candlemas. Lá, pela primeira vez, o navio encontrou seu inimigo.

Era apenas uma pequena banquisa de gelo fino, que o navio atravessou sem dificuldade. Mas duas horas depois encontraram um grande aglomerado de fragmentos e banquisas menores formando um banco de gelo, com mais de um metro de espessura e quase um quilômetro de largura. Podia-se ver água desimpedida do outro lado, mas teria sido extremamente perigoso forçar a passagem por entre o gelo do banco com a forte ondulação que havia no mar.

Assim, por mais de 12 horas, percorreram a margem do banco de gelo, procurando, até que, às nove da manhã seguinte, encontraram o que parecia ser uma passagem segura e começaram a atravessá-la com os motores em força mínima. Várias vezes o *Endurance* colidiu de frente com banquisas de gelo, mas sem sofrer qualquer avaria.

Como a maioria dos outros tripulantes a bordo, Worsley nunca vira bancos de gelo polares antes e ficou extremamente impressionado, sobretudo com o nervosismo causado pela preocupação de evitar as banquisas maiores.

Passaram por uma grande quantidade de icebergs imensos, alguns deles com mais de dois quilômetros quadrados, uma visão majestosa a cavalgar as ondas com o mar quebrando em seus flancos e a espuma se lançando a grandes alturas, como as produzidas por vagas que se arremessam contra penhascos. A ação do mar abrira grandes cavernas no gelo de muitos dos icebergs, e cada onda que se quebrava contra eles produzia um som de explosões surdas quando se insinuava nessas geladas grutas azuis. Havia também o som rouco e rítmico do mar batendo contra o banco de gelo gracioso e ondulante, que acompanhava o acentuado balanço do mar.

Navegaram por dois dias no rumo leste, contornando a margem do banco de gelo, até conseguirem finalmente virar para o sul na direção da baía de Vahsel à meia-noite do dia 11 de dezembro.

O *Endurance* seguiu um caminho tortuoso e estreito através do banco de gelo por quase duas semanas, mas seu progresso era intermitente. Muitas vezes mal conseguia avançar e às vezes parava por completo, ficando à espera até que o gelo se abrisse.

No mar aberto, o *Endurance* podia fazer 10 a 11 nós sem a ajuda das velas e poderia percorrer facilmente pelo menos 200 milhas por dia. À meia-noite do dia 24 de dezembro, porém, constataram que seu avanço diário médio havia sido de menos de 30 milhas.

Antes de deixar a Geórgia do Sul, Shackleton calculara que desembarcariam em terras do continente no final de dezembro. Mas ainda não haviam conseguido sequer cruzar o Círculo Antártico, embora o verão já tivesse oficialmente começado. Agora, a claridade durava 24 horas por dia; o sol só desaparecia por pouco tempo em torno da meia-noite, produzindo um crepúsculo prolongado e exuberante. Muitas vezes, nesse período, o fenômeno de um "chuveiro de gelo", provocado pelo congelamento e a precipitação da umidade do ar, emprestava uma atmosfera de conto de fadas à cena. Milhões de cristais delicados, muitas vezes finíssimos, na forma de agulhas, desciam lentamente, cintilando, pelo ar do crepúsculo.

E embora o banco de gelo parecesse se estender numa desolação infinita em todas as direções, na verdade apresentava uma grande abundância de criaturas vivas. Rorquais, baleias corcundas e imensas baleias-azuis, algumas com mais de 30 metros de comprimento, subiam ocasionalmente à superfície e ficavam nadando nos trechos de mar aberto que encontravam entre as banquisas. Havia também as orcas, as baleias assassinas, que levantavam seus focinhos feios e pontudos acima da superfície do gelo para procurar presas e trazê-las para dentro d'água. No ar, albatrozes gigantes e várias espécies de procelárias, fulmares e andorinhas-do-mar rodopiavam e mergulhavam. Sobre o próprio gelo, focas-caranguejeiras e focas-de-weddell eram uma visão comum, adormecidas.

E havia também os pinguins, é claro. Os pinguins-imperadores, em trajes formais, de colarinho duro e casaca, observando em silêncio majestoso a passagem do navio. Por outro lado, não havia nada de majestoso nos pequenos pinguins-de-adélia. Eram tão brincalhões que se deitavam de barriga e escorregavam pelo gelo, dando impulso com as patas e grasnando o que soava como "Clark! Clark!"... especialmente, ao que parece, sempre que Robert Clark, o magro e taciturno geólogo escocês, estava de serviço no timão.

A despeito da decepcionante lentidão do avanço do *Endurance*, todos a bordo comemoraram festivamente o Natal. O alojamento dos oficiais foi decorado com bandeirolas, e serviu-se um excelente jantar, composto de sopa, arenque, carne de lebre em conserva, pudim de ameixas e doces, acompanhado de cerveja preta e rum. Depois realizou-se uma animada festa musical, em que Hussey tocou um violino de uma só corda que ele mesmo construíra. De noite, antes de se recolher, Greenstreet registrou os acontecimentos do dia em seu diário, concluindo as anotações com as seguintes palavras:

"Aqui se encerra outro dia de Natal. Gostaria de saber como e em que circunstâncias passaremos o próximo. Temperatura: um grau abaixo de zero."

Greenstreet ficaria espantado se pudesse adivinhar.

Mas a chegada do ano-novo de 1915 trouxe algumas modificações no banco de gelo. Às vezes acontecia de o navio ficar totalmente cercado por uma densa formação de banquisas antigas, cobertas de protuberâncias. Ainda assim, cada vez mais, encontravam apenas gelo novo e quebradiço em seu caminho e avançavam rapidamente, sem que o gelo chegasse a afetar a sua velocidade.

Às onze e meia da manhã do dia 9 de janeiro passaram perto de um iceberg tão majestoso que lhe deram um nome: o Rampart Berg (de *rampart*, fortaleza, baluarte). Erguia-se 50 metros acima do nível do mar, mais do dobro da altura do mastro principal do *Endurance*. Passaram tão perto do iceberg que, olhando para baixo, nas águas transparentes de cor azul-arroxeada, viram que se estendia também além do navio, mais de dez metros abaixo da quilha, e que se aprofundava ainda muito mais, devendo chegar a uns 300 metros abaixo do nível do mar, segundo a estimativa de Worsley, adquirindo uma cor cada vez mais azulada, até que não conseguiam mais distinguir os seus contornos. E logo além do iceberg se encontrava o mar escuro, agitado, livre de gelo, estendendo-se até o horizonte. Haviam deixado o banco de gelo.

– Nós nos sentimos – disse Worsley – tão contentes quanto Balboa quando, depois de ter atravessado a floresta do istmo de Darien [no Panamá], viu o Pacífico.

Assumiram um rumo sul inclinado para leste e percorreram 100 milhas a toda velocidade, atravessando águas desimpedidas, frequentadas por baleias que corcoveavam e esguichavam em toda volta do navio. Às cinco da tarde do dia 10 de janeiro avistaram terra, que Shackleton batizou de costa Caird em homenagem ao principal financiador da expedição. À meia-noite avançavam movidos pelas máquinas à luz crepuscular, a cerca de 150 metros de distância de uma sucessão de paredões de gelo com 300 metros de altura, apelidados coletivamente de "a barreira".

O *Endurance* encontrava-se cerca de 650 quilômetros a nordeste da baía de Vahsel, e Shackleton apontou o navio no rumo da baía. Durante cinco dias navegaram seguindo um rumo paralelo à barreira e seu progresso foi excelente. No dia 15 de janeiro já estavam a 320 quilômetros da baía de Vahsel.

Por volta das oito horas da manhã do dia 16 avistaram do topo do mastro um grande banco de gelo estendendo-se à sua frente. Alcançaram-no às oito e meia e constataram que estava imobilizado por uma série de icebergs gigantescos encalhados num baixio. Recolheram as velas e seguiram, impelidos pelo motor, acompanhando a borda do banco de gelo, procurando uma passagem que lhes permitisse atravessar. Mas não encontraram. Em torno do meio-dia, o vento ficou mais forte de ENE, e no meio da tarde soprava um verdadeiro vendaval. Às oito da noite, quando viram que não conseguiriam avançar, abrigaram-se a sota-vento de um imenso iceberg encalhado.

Os ventos fortes continuaram por todo o dia 17 e ainda aumentaram de intensidade. Embora o céu acima deles estivesse azul e limpo, densas nuvens de neve que o vento levantava turvavam o ar à sua volta. O *Endurance* esquivava-se para a frente e para trás, procurando manter-se sob a proteção do iceberg.

Os ventos fortes de nordeste começaram a ficar moderados às seis da manhã do dia 18 de janeiro. Em vista disso, desfraldaram o velacho da proa e seguiram no rumo sul, com os motores em marcha lenta. A maior parte do banco de gelo havia sido impelida para sudoeste, ficando apenas uma pequena parcela, que permanecia bloqueada pelos icebergs encalhados. Atravessaram a formação por cerca de 15 quilômetros até que, às três horas da tarde, tornaram a se defrontar com o corpo principal do banco de gelo estendendo-se para noroeste desde a face da barreira até onde a vista alcançava. No entanto, mais adiante, bem no rumo da proa, uma faixa escura de céu, o chamado "céu de água", prometia que iriam encontrar uma ampla extensão de mar desimpedido. Decidiram prosseguir, abrindo caminho através do banco de gelo, e o *Endurance* começou a atravessá-lo às cinco horas da tarde.

Quase imediatamente, perceberam que era um gelo diferente de tudo que haviam encontrado até então. As banquisas eram espessas mas muito moles, compostas principalmente de neve. Flutuavam num mar que parecia uma sopa de gelo desfeito e malformado, coalhada de banquisas moídas e grumos de neve. Aquela massa informe cercava o navio por todos os lados, como se fosse um creme.

Às dezenove horas, Greenstreet conduziu o *Endurance* para a passagem entre duas grandes banquisas, na direção de uma extensão de mar aberto que havia mais adiante. No meio do caminho, porém, o navio atolou na sopa de gelo. Em seguida outra banquisa bloqueou seu caminho de volta, e mesmo com os motores a todo vapor o *Endurance* levou duas horas para alcançar o trecho de mar aberto aonde pretendiam chegar. Worsley registrou no livro de bordo o que parecia ser uma decisão de rotina: "Decidimos ficar à capa [parados de frente para o vento] para ver se o banco de gelo se abre quando cessar o vento de NE."

Mas seis dias frios e nublados se passaram até que, em 24 de janeiro, a tempestade de nordeste amainou. Àquela altura, o gelo formara um bloco compacto em torno do *Endurance* em todas as direções, até onde a vista alcançava.

E Worsley anotou no livro de bordo: "Precisamos nos controlar e ter paciência até que soprem ventos fortes do sul, ou até o gelo se abrir por sua livre e espontânea vontade."

Mas não sopraram ventos fortes do sul nem o gelo se abriu por sua livre e espontânea vontade. À meia-noite de 24 de janeiro, uma fenda com cerca de cinco metros de largura apareceu uns 50 metros à frente do navio. No meio da manhã, a largura da fenda já chegava a uns 500 metros. As caldeiras foram aquecidas ao máximo, todas as velas desfraldadas e os motores acionados a todo vapor, numa tentativa de quebrar o gelo e chegar até a fenda. Durante três horas, o navio usou toda a sua força contra o gelo, mas não conseguiu se mover um centímetro.

O *Endurance* estava bloqueado. Como disse Orde-Lees, o almoxarife, "preso como uma amêndoa no meio de uma barra de chocolate".

4

O que acontecera era muito simples. Os ventos muito fortes do norte haviam comprimido e aglomerado todo o banco de gelo do mar de Weddell contra a costa, e não havia força na Terra capaz de tornar a abrir o gelo – com a exceção de outro vendaval que, caprichosamente, viesse a soprar na direção oposta. Em vez de ventos fortes do quadrante sul, porém, havia apenas ventos moderados. O diário de Worsley conta a história do dia a dia dessa espera por ventos fortes que nunca chegavam: "Brisa leve de SW... Brisa mod. de leste... Brisa suave de SW... Ar calmo e claro... Brisas leves de oeste."

Era um acaso, uma anormalidade. Um pesado vendaval do norte – e depois o frio sem ventos.

Entre os homens a bordo, a compreensão de que o *Endurance* estava realmente bloqueado só se instalou muito lentamente, como uma espécie de resignação que só se insinuava aos poucos: um pesadelo do qual não se acordava nunca. Ansiosos, passavam cada dia na expectativa, mas o aspecto do banco de gelo mantinha-se substancialmente inalterado.

Novamente a história era contada em seus diários. O velho Chippy McNeish, o carpinteiro pessimista, escreveu no final da tempestade, em 24 de janeiro:

> Ainda presos & não há sinal de abertura. A pressão ainda é um problema sério & se não sairmos daqui logo não vejo muita chance de conseguirmos escapar...
> *Dia 25:* Ainda presos. Tentamos cortar o gelo para soltar o navio, mas não adiantou...
> *Dia 26:* Ainda presos. A água se abriu um pouco à frente do navio, mas a banquisa onde estamos continua firme como sempre...
> *Dia 27:* Ainda presos. Tentamos mais uma vez quebrar o gelo... desistimos.
> *Dia 28:* Temperatura −14,5°. Muito frio. Ainda presos e nenhum sinal de mudança.
> *Dia 29:* Ainda presos... nenhum sinal de mudança.
> *Dia 30:* Ainda presos...
> *Dia 31:* Ainda presos...

Mesmo assim mantinham-se os turnos de serviço cobrindo as 24 horas do dia e a rotina do navio continuava a mesma de sempre. No dia 31 de janeiro fizeram a primeira tentativa de usar o rádio. Era um aparelho a bateria, capaz apenas de receber mensagens radiotelegráficas em código Morse. Sua função original era captar a emissão da hora certa para acertar os cronômetros e as notícias que deveriam ser irradiadas para eles no primeiro dia de cada mês das ilhas Falklands, agora a 2.655 quilômetros de distância.

Tendo em vista a distância em que se encontravam da estação transmissora, Hubert Hudson, o navegador, e Reginald James, o jovem físico da expedição, fizeram todo o possível para aumentar o alcance do aparelho. Acrescentaram 60 metros de fio à antena e soldaram todas as emendas para melhorar as conexões.

Às três e vinte da madrugada do dia 1º de fevereiro, um pequeno grupo de homens se reuniu em torno do receptor de rádio no alojamento dos oficiais. Mexeram nos botões do aparelho por mais de uma hora, mas, como todos esperavam, só captaram estática. Na verdade havia uma notável falta de interesse pelo rádio, basicamente porque, além de ser novidade, era considerado uma novidade completamente inútil. Em 1914, o rádio mal saíra da primeira infância, pelo menos no que dizia respeito às comunicações a longa distância. Ninguém a bordo do *Endurance* esperava muito do aparelho e não ficaram surpresos nem decepcionados quando aconteceu exatamente o que previam. Se pelo menos tivessem um transmissor de rádio que lhes permitisse transmitir notícias de seu bloqueio e da posição em que estavam, a atitude da tripulação poderia ter sido diferente.

No início de fevereiro tentaram duas ou três vezes libertar o navio aproveitando o surgimento de fendas no gelo relativamente próximas de seu casco, mas essas tentativas fracassaram completamente. Então, no dia 14 de fevereiro, um trecho de água se abriu cerca de 500 metros à frente do *Endurance*. As caldeiras foram acesas às pressas e todos os homens foram mandados para o gelo com serras, pás, picaretas e outras ferramentas que pudessem ser usadas para cortar um caminho através da banquisa.

O *Endurance* estava preso numa bacia de gelo novo de 30 a 50 centímetros de espessura. O gelo era sistematicamente serrado e quebrado a fim de abrir espaço para permitir ao navio investir de proa contra as banquisas de gelo que o separavam do trecho de mar aberto. A tripulação começou a trabalhar às oito e quarenta da manhã, e trabalhou o dia inteiro. À meia-noite tinham conseguido escavar um canal de pouco mais de 130 metros de comprimento.

Na manhã seguinte, bem cedo, os homens reiniciaram seu esforço, trabalhando com uma pressa mais desesperada para tentarem chegar ao trecho de água aberta antes que se fechasse. O navio recuou até onde podia e depois avançou a toda velocidade contra as banquisas. Uma fenda em forma de V fora escavada no gelo para que a proa do navio pudesse romper a banquisa com mais facilidade.

Vezes sem conta, o navio colidiu violentamente contra o gelo, atirando uma onda de água sobre a banquisa; depois hesitava, balançava e escorregava para trás. A cada vez abria um pouco mais de caminho na banquisa. A parte da tripulação que se encontrava no gelo amarrava cada bloco que se soltava, alguns deles pesando mais de 20 toneladas, com cabos de aço, e o *Endurance*, dando força total à ré, puxava-os, afastando-os do caminho, enquanto se preparava para novo embate. Mas nunca chegou a abrir uma fenda considerável nas banquisas à sua frente. Sempre havia gelo solto demais à sua volta, flutuando e congelando em blocos maiores. O gelo diminuía o ímpeto de seus ataques continuados e atenuava seus golpes.

Às três da tarde, quando o *Endurance* já tinha aberto à força um terço do caminho através dos 550 metros de banco de gelo que o separavam do mar aberto, decidiu-se que o gasto de carvão e de esforço era inútil. Os 350 metros de gelo que restavam tinham de 3,5 a 5,5 metros de espessura, e Shackleton, abandonando a esperança de atravessar, mandou que as caldeiras fossem abafadas.

Ainda assim, a tripulação recusou-se a desistir, e durante seus turnos de serviço desciam para o gelo e continuavam a cortar. Até mesmo o frágil Charlie Green, o cozinheiro, acabou às pressas de fazer o pão para ajudar os companheiros em sua tentativa de libertar o navio.

Mas à meia-noite os próprios voluntários não podiam mais negar que o trabalho era em vão, e voltaram para bordo. Green fez mingau de aveia quente para todos antes de se recolherem. A temperatura era de 19 graus abaixo de zero.

Greenstreet, que sempre dizia o que pensava e não costumava fazer rodeios, resumiu o sentimento geral em seu diário àquela noite. Com a mão cansada, escreveu: "De qualquer modo, se ficarmos presos aqui o inverno todo, vamos ter a satisfação de saber que fizemos o melhor possível para tentar soltar o navio."

O tempo estava se esgotando. Perceberam que o verão antártico estava chegando ao fim no dia 17 de fevereiro, quando o sol, que até então vinha brilhando 24 horas por dia havia dois meses, escondeu-se atrás do horizonte pela primeira vez, em torno da meia-noite.

Finalmente, no dia 24 de fevereiro, Shackleton admitiu que não podiam mais contar seriamente com a possibilidade de libertar o navio. Os turnos de serviço noturno foram cancelados e também foi instituído um sistema de turnos de sentinela à noite.

A ordem de Shackleton não fez mais que oficializar o que todos já haviam aceitado muito antes: teriam que passar o inverno a bordo do navio encalhado – e enfrentar as consequências que isso poderia trazer. A decisão de Shackleton foi comunicada, como de costume, por Wild – e, surpreendentemente, foi quase bem recebida pela tripulação. O fim dos turnos de serviço à noite significava pelo menos que agora os homens podiam dormir a noite toda.

Para Shackleton, porém, era diferente. Estava atormentado por seus pensamentos a respeito do que acontecera e do que poderia vir a acontecer. Agora, retrospectivamente, percebia que, se tivesse desembarcado o grupo destinado à travessia transcontinental numa das passagens que tinham visto ao longo da barreira, eles pelo menos estariam em terra, prontos a partir para o polo na primavera seguinte. Mas ninguém poderia ter previsto a sequência desastrosa de acontecimentos que os colocara em suas dificuldades presentes – ventos fortes fora de época soprando do norte e depois calmarias combinadas com temperaturas baixíssimas.

E agora também não havia mais a possibilidade de desembarcar o grupo encarregado de cruzar o continente. A deriva do banco de gelo desde que o *Endurance* ficara bloqueado o levara para uma distância de cerca de 95 quilômetros da baía de Vahsel – uma distância tentadoramente curta, aparentemente. Mas percorrer 95 quilômetros sobre o gelo coberto de protuberâncias, com Deus sabe quantos trechos impraticáveis de água aberta no caminho, carregando pelo menos um suprimento de víveres capaz de durar um ano, mais a madeira para construir uma cabana – e tudo isso sobre trenós puxados por cães mal treinados e em condições incertas... Não, 95 quilômetros podiam ser uma distância realmente muito longa.

Ainda que não houvesse obstáculos impedindo o desembarque do grupo transcontinental, aquele não era o momento para o comandante de uma expedição abandonar seu navio à própria sorte e deixar que outros o salvassem – se é que ainda poderia ser salvo. O navio seguiria à deriva – provavelmente na direção oeste, sob o efeito dos ventos e das correntes predominantes. Mas quanto avançaria? E até onde? E o que aconteceria quando o gelo começasse a se romper na primavera? Evidentemente, o dever de Shackleton era permanecer a bordo do *Endurance*. No entanto, esses pensamentos não atenuavam a amarga constatação de que as possibilidades de sucesso da Expedição Imperial Transantártica, que sempre haviam sido incertas, agora tinham passado a ser mil vezes mais problemáticas.

No entanto, Shackleton teve o cuidado de não transmitir sua decepção para os homens que comandava, e supervisionou com boa disposição a rotina da preparação do navio para enfrentar a longa noite invernal que os aguardava.

Os cães foram removidos para as banquisas, e espécies de iglus individuais, batizados pelos homens de *dogloos*, foram construídas para cada um deles com blocos de gelo e neve. Roupas quentes de inverno foram distribuídas a toda a tripulação, e começaram a preparar a transferência dos oficiais e cientistas de seu alojamento regular, situado na superestrutura, para um local mais abrigado, na área de armazenagem da entrecoberta. Mudaram-se no início de março e batizaram seus novos alojamentos de "O Ritz".

A transformação do *Endurance* em uma espécie de estação flutuante acarretou uma considerável redução no ritmo da vida a bordo. Simplesmente não havia muito o que fazer. O horário de inverno só exigia da tripulação cerca de três horas de trabalho por dia, e tinham todo o resto do tempo livre para fazerem o que quisessem.

A única tarefa realmente vital era trazer para bordo um grande suprimento de carne e de gordura. A carne era necessária para alimentar tanto os homens quanto os cães durante o inverno, e a gordura, para ser usada como combustível, de modo a compensar o grande gasto de carvão na viagem para o sul.

Ao longo de todo o mês de fevereiro, foi fácil. Em todas as direções, as banquisas fervilhavam de vida. Às vezes chegavam a avistar até 200 focas do topo do mastro, e era simples abater o número necessário. Quando se aproximavam lentamente dessas criaturas, elas raramente tentavam fugir. Como os pinguins, não tinham medo de nada quando se encontravam sobre o gelo, porque os únicos inimigos que conheciam – os leopardos--marinhos e as baleias assassinas – eram criaturas do mar.

Contudo, com a chegada do mês de março, quando os dias foram ficando mais curtos, o número de animais foi diminuindo perceptivelmente, à medida que tanto focas quanto pinguins partiam em direção ao norte em suas viagens migratórias, seguindo atrás do verão. Nos últimos dias do mês, só ocasionalmente se conseguia localizar alguma foca desgarrada – e para isso era necessário ser dotado de uma visão excelente.

Frank Worsley, agora chamado por todos de "Wuzzles", tinha uma visão desse tipo. Tornou-se o principal localizador de caça da expedição, porque sua visão notável lhe permitia distinguir, do topo do mastro, focas a distâncias de até quase seis quilômetros. Para ajudá-lo nessa tarefa, acumulou em seu mirante uma coleção de instrumentos que mantinha pendurados ao alcance da mão: telescópios, binóculos, um megafone e uma bandeira que utilizava para sinalizar, indicando a direção em que se encontrava a presa, ou para advertir os grupos de caçadores se houvesse baleias assassinas nas proximidades. O pequeno Frank Wild era geralmente o responsável pela execução dos animais. Seguindo as orientações de Worsley, andava ou esquiava até o ponto onde a foca se encontrava, e dava-lhe um tiro na cabeça à queima-roupa.

A parte mais difícil da operação era transportar a foca de volta para o navio, já que muitas delas chegavam a pesar até 200 quilos. Mas sempre se lutava para terminar a tarefa o mais depressa possível, a fim de que a foca não esfriasse antes de chegar. Enquanto a carne estava quente, os homens que a esfolavam e cortavam a carcaça não ficavam com as mãos enregeladas.

Durante esse período, a condição física dos cães despertou considerável ansiedade. Caíram doentes um atrás do outro, e pioravam até morrer. No dia 6 de abril, um cão chamado Bristol precisou ser morto a tiros, elevando a 15 o número de animais perdidos desde que haviam zarpado da Geórgia do Sul. Dos 69 originais, só restavam 54, e muitos deles em péssima forma.

Os dois médicos – o jovem Macklin e McIlroy, o médico principal – realizaram autópsias nos cães mortos e descobriram que a maioria deles apresentava enormes vermes vermelhos, muitas vezes com mais de 30 centímetros de comprimento, alojados em seus intestinos. E o pior é que não podiam fazer nada para tratar dos animais doentes. Um dos poucos artigos que a expedição não se preocupara em trazer da Inglaterra fora um vermífugo eficiente.

A perda de 15 cães foi parcialmente compensada, pelo menos em número, embora não em capacidade de tração, pelo nascimento de duas ninhadas de filhotes. Oito dos recém-nascidos sobreviveram, e logo ficou claro que eram de raça tão indefinida quanto seus pais – embora consideravelmente menos intratáveis.

Os cães mais velhos eram maldosos e violentos – entre eles mesmos, com os condutores dos trenós e especialmente com qualquer foca ou pinguim que porventura se atravessasse em seu caminho durante as corridas de adestramento. Não eram huskies, os cães esquimós puro-sangue que conhecemos hoje, e sim uma coleção variada de cães de pelo curto ou de pelo longo, focinho chato ou focinho comprido. Nascidos nas regiões mais distantes do Canadá, apresentavam uma aptidão instintiva básica para puxar trenós e uma considerável resistência ao frio, e pouco mais que isso.

Para lidar com eles, a única técnica que parecia funcionar era a exibição de superioridade física. Em várias ocasiões, um dos cães teria chegado a matar um dos outros se alguém não interviesse e não interrompesse a luta com uma simples demonstração de força. Embora fosse uma pessoa gentil por natureza, Macklin desenvolveu uma técnica que era mais eficiente do que praticamente qualquer esforço que se fizesse com um chicote. Simplesmente, com a mão enluvada, atingia o cão agressor com um poderoso gancho sob o maxilar. O cão não ficava ferido, e invariavelmente o golpe o deixava tonto o suficiente para largar sua presa.

No início de abril, Shackleton decidiu nomear condutores permanentes para cada trenó puxado pelas juntas de cães, com total responsabilidade sobre suas juntas. Os postos foram entregues a Macklin, Wild, McIlroy, Crean, Marston e Hurley.

Depois que as juntas foram distribuídas e começaram a ser adestradas regularmente, todos os membros da tripulação adquiriram um enorme interesse pelos cães. Todo dia havia uma cerrada competição para ver quem ficaria com as posições de auxiliares dos condutores dos trenós. Essas sessões de adestramento também passaram a ter a finalidade prática de transportar as carcaças de focas para o navio, nas raras ocasiões em que ainda se caçavam focas. E essas ocasiões, infelizmente, haviam se tornado cada vez mais raras.

Ainda assim, no dia 10 de abril, o grupo já havia acumulado mais de duas toneladas de carne e gordura. Shackleton calculava que esse estoque duraria 90 dias e eliminaria a necessidade de recorrer a seu suprimento de provisões enlatadas e secas até o meio da noite antártica, que se aproximava muito rapidamente. A temperaturas baixíssimas, não precisavam se preocupar com a conservação do alimento; a carne fresca se congelava automaticamente.

Ao longo de abril, o sol foi ficando mais baixo a cada dia, encurtando gradualmente o número de horas de claridade. Embora o banco de gelo em geral permanecesse inalterado, as observações que fizeram indicavam que a massa global do banco estava em movimento como um todo. Começou lentamente. Ao longo de fevereiro, logo depois que ficaram bloqueados, o banco se deslocara quase que imperceptivelmente na direção oeste, seguindo um curso paralelo à costa. No início de março, tomara gradualmente o rumo oeste-noroeste, ganhando velocidade. Em abril, tomara o rumo do noroeste verdadeiro, deslocando-se, ao longo de todo o mês, com uma velocidade média de quatro quilômetros por dia. Em 2 de maio, a posição em que o *Endurance* se encontrava mostrava que, desde o final de fevereiro, sua deriva para noroeste percorrera no total cerca de 210 quilômetros. O *Endurance* era um ponto microcósmico, com 144 pés de comprimento e 25 pés de largura, encastoado em cerca de dois milhões e meio de quilômetros quadrados de gelo que a força dos ventos e as correntes do mar de Weddell faziam girar irresistivelmente na direção dos ponteiros do relógio.

No início de maio, o sol apareceu acima do horizonte pela última vez e sumiu lentamente – dando início à noite antártica. A noite não começou de um momento para outro; o crepúsculo cada vez mais escuro foi aos poucos se tornando mais curto e menos intenso.

Durante algum tempo restou uma meia-luz enevoada e enganosa, e a silhueta do navio ainda podia ser vista destacando-se contra o horizonte. Mas era difícil perceber distâncias. Até mesmo o gelo em que se pisava ficou estranhamente indistinto, e caminhar tornou-se uma atividade muito perigosa. Um homem podia cair numa fenda que não tinha visto, ou colidir com uma protuberância acreditando que ela ainda estava a dez metros de distância.

Em pouco tempo, porém, até mesmo a meia-luz desapareceu – e ficaram totalmente mergulhados nas trevas.

5

Em todo o mundo, não há desolação mais completa que a da noite polar. É uma volta à Idade do Gelo – sem calor, sem vida, sem movimento. Só quem já passou por isso pode avaliar plenamente o que significa ficar sem o sol dias e semanas a fio. Poucos homens desacostumados são capazes de combater os efeitos dessa provação, e ela já levou muitas pessoas à loucura.

Por coincidência, o homem que fora sócio do *Endurance*, Monsieur le Baron de Gerlache, ficara ele também vários meses bloqueado no gelo do mar de Weddell em 1899, a bordo de um navio chamado *Bélgica*. Com a chegada da noite invernal, a tripulação do *Bélgica* foi sendo contaminada por uma estranha melancolia. À medida que se passavam as semanas, essa melancolia foi se tornando mais profunda, transformando-se primeiro em depressão e depois em desespero. Com o tempo, os homens praticamente não conseguiam mais concentrar-se e nem mesmo comer. A fim de evitar os sintomas assustadores da loucura que viam surgir neles mesmos, decidiram que todos os dias passariam algum tempo andando em torno do barco, numa caminhada que ficou conhecida como "o passeio do hospício".

Um homem morreu de problemas cardíacos provocados em parte pelo terror irracional que desenvolvera em relação ao escuro. Outro foi tomado pela ideia de que o resto da tripulação pretendia matá-lo, e sempre que dormia encolhia-se todo, enfiando-se num pequeno recesso do navio. Outro ainda se entregou à histeria, que o deixou temporariamente surdo e mudo.

Mas havia muito pouca depressão a bordo do *Endurance*. A chegada da noite polar de certa forma aproximou ainda mais os homens.

Quando o *Endurance* zarpou da Inglaterra, dificilmente poderia haver um grupo mais heterogêneo de indivíduos. Havia entre eles desde ex-alunos da Universidade de Cambridge até pescadores do Yorkshire. No entanto, ao cabo de nove meses de convívio quase constante, vivendo e trabalhando no mesmo espaço exíguo, os homens haviam reunido um cabedal de experiências conjuntas que compensavam de longe as grandes diferenças que existiam entre eles. Durante esses nove meses, os homens a bordo do *Endurance* aprenderam a se conhecer muito bem. E, com poucas exceções, aprenderam também a gostar uns dos outros.

Ninguém mais considerava Blackboro um clandestino. O jovem galês robusto de cabelos escuros passara a ser um membro regular da tripulação. Blackboro era um indivíduo extremamente tranquilo, mas de raciocínio rápido, e um companheiro de bordo apreciado, alegre e prestativo, que auxiliava Green na cozinha.

Todos sabiam que Bobbie Clark, o biólogo, era um escocês fechado, trabalhador, quase desprovido de senso de humor. Mas também sabiam que podiam sempre contar com ele para cumprir sua obrigação, e fazer mais ainda, toda vez que os homens eram chamados ao trabalho. Só ficava agitado quando a pequena rede que lançava ao mar através do gelo a cada dia capturava uma nova espécie de criatura para a sua coleção de espécimes engarrafados. Certa vez, a tripulação provocou nele grande agitação quando, de brincadeira, colocaram alguns pedaços de espaguete cozido em um de seus jarros cheios de formol. Clark não costumava dizer o que pensava, e nunca contara a nenhum dos homens nada sobre sua vida pessoal.

Tom Crean – alto, quase descarnado – era exatamente o que parecia ser: um marinheiro grosseirão, franco e desprovido de tato, que utilizava o vocabulário pesado dos marujos. Certamente não era uma personalidade muito afetuosa, mas conhecia o mar e sabia o que fazer, e os outros o respeitavam por isso. Shackleton, pessoalmente, gostava muito de Crean. Gostava da disposição e da obediência do irlandês alto. Shackleton também valorizava muito a disciplina, e Crean, depois de anos na Marinha Real, considerava que qualquer ordem devia ser obedecida sem hesitação. E Crean também se permitia às vezes adular um pouco Shackleton.

No que dizia respeito a Charlie Green, o cozinheiro, havia um sentimento generalizado de que era meio biruta, ou abobado, por causa de seus gestos descoordenados e aparentemente doidivanas. Era chamado de Cuca ou de Chef – e às vezes de Doughballs (*dough*, bolinhos) devido à sua voz aguda, que parecia um guincho, e também porque perdera um dos testículos (*balls*) num acidente. Brincavam com ele apenas superficialmente, porque, no fundo, o cozinheiro inspirava um grande respeito e na verdade gostavam dele. Poucos homens eram mais conscienciosos. Enquanto os demais trabalhavam apenas três horas por dia, Green ficava ocupado na cozinha desde o início da manhã até depois do jantar, à noite.

Ocasionalmente, Green era vítima das brincadeiras quase implacáveis a que todos os cozinheiros de navio são sempre submetidos. Mas ele também fazia das suas. Duas ou três vezes, para a comemoração do aniversário de algum dos membros da tripulação, ele preparou um bolo especialmente para a ocasião. No entanto, um deles era na verdade um balão de borracha cheio de ar que ele cobrira cuidadosamente com glacê, e outro, um bloco de madeira caprichosamente confeitado.

Hudson, o navegador, era um tipo à parte. Era uma pessoa bem-intencionada, é verdade, mas um tanto obtuso. Ganhou seu apelido – Buda – devido a uma brincadeira de que foi vítima no período em que o navio estava ancorado na Geórgia do Sul. Seus companheiros convenceram-no de que haveria uma festa a fantasia em terra... e qualquer um que tenha visto a Geórgia do Sul com seus próprios olhos – suas geleiras e suas montanhas íngremes, o fedor das entranhas de baleia apodrecendo no cais – jamais poderia acreditar que a ilha pudesse ser o cenário de uma festa a fantasia... mas Hudson acreditou. Convenceram-no a tirar a maior parte de suas roupas e enrolaram-no em um lençol. Depois, prenderam a tampa de uma chaleira em sua cabeça com uma fita amarrada sob o seu queixo. Ataviado dessa maneira, foi conduzido à terra num barco a remo, tremendo de frio sob as rajadas de vento gelado que sopravam das montanhas. Havia de fato uma festa na casa do gerente da fábrica. Quando Hudson entrou, porém, ele era, com toda a certeza, o único que estava fantasiado.

Sempre que havia qualquer brincadeira desse tipo, todos sabiam que o responsável era muito provavelmente Leonard Hussey, o jovem meteorologista. Homenzinho baixo e magro, com vinte e poucos anos, Hussey era universalmente estimado por seu infalível bom humor. Tinha uma língua rápida e satírica, mas era perfeitamente capaz de aceitar ser a vítima de uma brincadeira sem ficar aborrecido. No entanto, nem sempre era fácil levar a melhor em uma troca de ironias com Hussey. Os homens também gostavam dele porque tocava banjo e estava sempre disposto a acompanhar qualquer um que quisesse cantar. O nome de Hussey sofria muitas corruptelas, formando os vários apelidos que tinha – entre eles Hussbert, Hussbird ou simplesmente Huss.

Boa parte dos homens considerava McIlroy, um dos médicos, um verdadeiro homem do mundo. Era um indivíduo bonito, de aparência aristocrática, um pouco mais velho que os demais, e todos adoravam ouvir suas histórias de conquistas passadas. McIlroy era capaz de ser implacavelmente sarcástico, mas os outros o admiravam por isso. Parecia combinar com sua natureza cosmopolitana, e nunca havia uma intenção realmente destrutiva no que ele dizia. Era chamado de Mick.

George Marston, o desenhista da expedição, era um homem de disposição variável, um dia animado e no outro deprimido. De toda a tripulação, era o único que costumava falar abertamente de sua preocupação em relação ao futuro, enquanto quase todos os demais confiavam que tudo acabaria dando certo. Marston, porém, sempre que se sentia melancólico, falava saudoso de sua mulher e dos filhos que deixara na Inglaterra. Para agravar ainda mais a sua atitude, havia a óbvia e cada vez mais profunda antipatia que lhe votava Shackleton. Era uma dessas coisas inexplicáveis. Talvez fosse provocada pela própria insegurança de Marston. Aparentemente, Shackleton temia que essa atitude pudesse contagiar os outros homens. No entanto, excetuando-se sua natureza volúvel e o fato de decididamente não ser marcado por uma forte disposição para o trabalho, a maioria dos homens gostava de Marston.

Entre os tripulantes alojados no castelo da proa, os marinheiros e os foguistas, o único indivíduo que se destacava era John Vincent, um valentão jovem e ambicioso. Era de estatura bastante baixa, mas tinha uma compleição muito robusta: era muito mais forte que qualquer outro marinheiro, e costumava usar sua força física para dominar seus companheiros pela intimidação. Fazia questão de se servir primeiro nas refeições, para poder pegar a melhor parte, e sempre que havia distribuição de grogue conseguia receber uma ração maior que a dos demais. Os outros marinheiros, além do fato de desgostarem dele pessoalmente, também não respeitavam seu desempenho a bordo do navio. Vincent servira na Marinha, mas a maior parte de sua experiência no mar fora adquirida embarcado em traineiras no Mar do Norte. Ao contrário de How, Bakewell e McLeod, que haviam servido anos a bordo de grandes veleiros, Vincent não tinha qualquer experiência anterior de navegação a vela. Apesar disso, ambicionava o posto vago de contramestre, e achava que a melhor maneira de consegui-lo era demonstrar regularmente um talento especial para o exercício da tirania. Depois de algum tempo, os tripulantes alojados no castelo da proa ficaram fartos daquilo, e How, um sujeito de fala mansa, agradável e extremamente competente, procurou Shackleton para queixar-se. Shackleton imediatamente mandou chamar Vincent. Embora não se saiba o que Shackleton lhe disse, a atitude de Vincent tornou-se consideravelmente menos despótica depois desse encontro.

Era notável que não houvesse mais casos de atritos entre os homens, especialmente depois que começou a noite antártica. A escuridão crescente e o clima imprevisível limitavam suas atividades a uma área cada vez menor em torno do navio. Havia muito pouco a fazer, e o contato entre os tripulantes era mais próximo do que nunca. No entanto, ao invés de se irritarem uns aos outros, todo o grupo pareceu ficar ainda mais unido.

Logo no início do inverno, George Marston e Frank Wild resolveram cortar-se mutuamente os cabelos. Quando terminaram, haviam raspado todo o cabelo com a máquina de barbeiro do navio. Na noite seguinte, a febre se espalhou entre o resto da tripulação. Todos, inclusive Shackleton, praticamente rasparam a cabeça.

Depois disso houve várias brincadeiras. Na noite seguinte, Wild apareceu para o jantar com o rosto escondido na gola rulê de seu suéter, deixando à mostra apenas o alto da cabeça raspada, onde Marston pintara o que Greenstreet descreveu como "uma rola de aspecto imbecil".

E na noite seguinte "Wuzzles" Worsley foi submetido a julgamento por "ter roubado um botão de calça do saco de esmolas de uma igreja presbiteriana, destinando-o a uso baixo e ignóbil". Os trabalhos foram longos e desordenados. Will era o juiz, James, o promotor, e Orde-Lees, o advogado de defesa. As testemunhas Greenstreet e McIlroy depuseram contra o réu, mas, quando Worsley prometeu pagar uma bebida para o juiz depois do julgamento, Wild pressionou o júri para que declarasse o réu inocente. Ainda assim, Worsley foi declarado culpado no primeiro escrutínio.

Além dessas manifestações espontâneas, havia uma série de ocasiões sociais regulares. Cada noite de sábado, antes que os homens se recolhessem, uma ração de grogue era distribuída a todos os tripulantes, seguida do brinde: "Às nossas namoradas e mulheres." Invariavelmente, um coro de vozes acrescentava: "E que elas nunca se encontrem."

Nas noites de domingo, os homens passavam uma ou duas horas ouvindo música no gramofone de manivela, deitados em suas camas ou escrevendo em seus diários. Mas só podiam usar o gramofone por tempo limitado, devido à escassez de agulhas. Cinco mil agulhas haviam sido encomendadas na Inglaterra, mas Wild, ao enviar o pedido, esquecera-se de especificar que eram agulhas "de gramofone". Só depois que o navio zarpou é que Orde-Lees, o almoxarife, descobriu que tinham de reserva cinco mil agulhas de costura e apenas um pacotinho de agulhas de gramofone.

Além disso, uma vez por mês, todos os homens se reuniam no Ritz, e Frank Hurley, o fotógrafo, dava uma "conferência de lanterna" – uma palestra ilustrada por diapositivos sobre os lugares que conhecera: a Austrália, a Nova Zelândia, a expedição Mawson. A conferência favorita era a apelidada de "Flagrantes de Java", mostrando palmeiras balouçantes e donzelas nativas.

Em noites como essas, o Ritz era um lugar acolhedor. Antes, era um depósito de carga situado abaixo do convés principal, logo atrás do alojamento dos tripulantes no castelo da proa. Então, as provisões e os homens trocaram de lugar. Os suprimentos foram transferidos para a área de alojamento dos oficiais na superestrutura, e os homens ocuparam o porão. A área tinha cerca de dez metros de comprimento por 7,5 de largura, e McNeish construiu divisórias a fim de formar cubículos individuais para os oficiais e os cientistas. No centro havia uma mesa longa sob um lampião de querosene que pendia do teto. Aqui faziam as refeições, escreviam seus diários, jogavam cartas e liam. Num canto havia um fogão a carvão que mantinha a temperatura interior em níveis muito confortáveis. O casco espesso do *Endurance* funcionava como um excelente isolante térmico.

Do lado de fora, contudo, o clima estava ficando cada vez pior. No final de maio, a temperatura caiu abaixo dos 15 graus negativos e se manteve nesses níveis. Durante a primeira metade de junho, a leitura média era de menos de 25 graus negativos. No entanto, do convés do *Endurance*, o panorama era muitas vezes de uma beleza fantástica. Quando o tempo estava bom, se havia lua, ela passava dias a fio descrevendo círculos amplos e altos no céu estrelado, banhando as banquisas com uma luz pálida e suave. Em outras ocasiões havia exibições arrebatadoras da *aurora australis*, o equivalente antártico da aurora boreal. Incríveis fachos de luz verde, azul e prateada projetavam-se no horizonte, erguendo-se contra o céu azul-negro, cores luminosas que tremeluziam, iridescentes, emitidas pelo gelo compacto que cobria o solo do continente. Além do frio cada vez mais intenso, porém, o tempo permanecia notavelmente estável e sem ventos fortes.

Em meados de junho, na parte mais escura do inverno, uma observação ocasional de Frank Hurley, dizendo que sua junta de cães era a mais rápida de todas, resultou num grande prêmio de trenós. Em pleno meio-dia, quando a corrida foi disputada, estava tão escuro do lado de fora que os espectadores do "Sweepstake antártico" não conseguiam ver o final da pista. A junta de Wild venceu, mas Hurley alegou que seu trenó estava mais pesado que o de Wild e pediu uma revanche. E venceu quando Shackleton, que viajava de passageiro no trenó de Wild, caiu numa curva, e Wild foi desclassificado.

Na noite seguinte, o ardiloso dr. McIlroy "encontrou" um par de dados que esquecera no meio de suas coisas. Num primeiro momento, jogou com Greenstreet para disputar quem pagaria o champanhe quando voltassem para casa. Greenstreet perdeu. Àquela altura, vários homens haviam se reunido em torno da mesa no Ritz e passaram o resto da noite se divertindo com animadas disputas nos dados. Wild ficou com a conta do jantar, McIlroy perdeu a disputa de quem pagaria as entradas do teatro, Hurley ficou responsável pela ceia depois do teatro e o parcimonioso "Jock" Wordie, o geólogo, ficou comprometido com o pagamento dos táxis que levariam todos para casa.

Realizaram uma festa especial para comemorar o solstício do inverno, no dia 22 de junho. O Ritz foi decorado com bandeirolas e grinaldas, e Hurley construiu uma espécie de palco, iluminado por uma fileira de refletores de gás acetileno. Todos se reuniram para as festividades às oito da noite.

Shackleton, na qualidade de presidente das comemorações, era o mestre de cerimônias. Orde-Lees, o almoxarife, apareceu vestido de ministro metodista, o "reverendo Bubbling-Love", e exortou seus ouvintes contra as devastações produzidas pelo pecado. James, caracterizado de "Herr Professor von Schopenbaum", proferiu uma longa palestra sobre "A caloria". Macklin recitou um poema tropical que compusera sobre o "Capitão Eno, o navegador efervescente", que não poderia ser outro senão o efervescente Worsley.

Greenstreet descreveu a noite em seu diário: "Acho que a hora mais engraçada foi quando Kerr apareceu vestido de vagabundo para cantar *Spagoni, o toureiro*. Começou a canção vários tons acima e, sem dar atenção ao que lhe dizia Hussey, que o acompanhava sussurrando desesperadamente: 'Mais grave! Mais grave!', enquanto tocava vários tons abaixo, continuou até perder-se totalmente da melodia. Quando chegou à palavra Spagoni, esqueceu a letra e inventou 'Stuberski, o toureiro'. Depois, esqueceu completamente o refrão e dizia apenas 'vai morrer, vai morrer, vai morrer!'. Foi de matar, e nós rimos tanto que as lágrimas corriam pelos rostos. McIlroy se vestiu de jovem espanhola, com uma roupa muito insinuante, um vestido de noite muito decotado e uma saia fendida, mostrando a perna nua acima das meias... e executou a *Danse Espagnol*."

Marston cantou, Wild recitou "O naufrágio do *Hesperus*", Hudson representou uma moça eurasiana, Greenstreet fez um bêbado de nariz vermelho, e Rickenson, um caminhante das ruas de Londres.

A festa acabou à meia-noite, com uma ceia de pratos frios e um brinde. Depois, todos cantaram *God Save the King*.

Metade do inverno já se passara.

6

Todos os homens começaram a pensar na primavera, na volta do sol e do calor, no momento em que o *Endurance* finalmente se libertaria de sua prisão gelada e poderia fazer uma nova tentativa de aportar na baía de Vahsel.

Só uma vez, no final de junho, ouviram os sons da pressão. Foi no dia 28, e Worsley os descreveu em seu diário:

Às vezes, durante a noite, ouve-se um som distante, forte, profundo e trovejante – transformando-se às vezes num longo gemido rangente que parece ter um tom ameaçador. Começa sempre aos poucos, mas para abruptamente, e se ouve melhor a distância – quanto maior a distância, melhor se escuta.

Mas no dia 9 de julho o barômetro começou a cair – muito, muito devagar. Durante cinco dias consecutivos, as marcas foram caindo: 29,79... 29,61... 29,48... 29,39... 29,25.

Na manhã do dia 14 de julho, o instrumento chegou ao ponto mais baixo: –28,88. Ao meio-dia, o céu ficou assustadoramente escuro. O vento mudou para sudoeste e começou a soprar, embora no início ainda não tivesse muita força. Foi só às sete da noite que a neve começou a cair.

Às duas da manhã seguinte, todo o navio vibrava enquanto o vento uivava no cordame, a mais de 110 quilômetros por hora. A neve parecia uma tempestade de areia, trazida da direção do polo. Não havia o que conseguisse evitar que ela se infiltrasse na parte interna do navio, embora os homens tivessem estendido lonas sobre as escotilhas para torná-las inteiramente impermeáveis. Ao meio-dia, não se enxergava mais que metade do comprimento do navio. A temperatura era de 36 graus abaixo de zero.

Shackleton ordenou que nenhum homem se arriscasse além dos canis, que ficavam a apenas alguns metros do navio. Os homens encarregados de alimentar os cães eram obrigados a se deslocar de gatinhas para não serem carregados pelo vento. Dois minutos depois de deixarem o navio, a neve os deixava cegos e sufocados, bloqueando seus olhos e suas bocas.

No lado sota-vento do *Endurance*, a força do vento erodiu o gelo, abrindo profundos sulcos e canais em sua superfície. No lado de barlavento acumularam-se pilhas de neve com mais de quatro metros de altura, com um peso total que provavelmente chegava a umas 100 toneladas. A banquisa em que o navio estava aprisionado cedeu sob a ação do peso, e o próprio navio, com a carga adicional, afundou mais uns 30 centímetros.

No dia seguinte, a temperatura baixou para 37 graus negativos, e cada cão recebeu uma ração adicional de 200 gramas de toucinho para ajudá-los a resistir ao frio. Depois do desjejum, Shackleton ordenou que todos os homens descessem para o gelo a fim de tentar remover a neve da banquisa a bombordo. A área em torno dos canis estava ficando perigosamente sobrecarregada, e ele temia que o gelo pudesse ceder, atirando os cães ao mar.

A nevasca continuou a noite inteira: mas no dia 16 de julho a neve começou a cair com menos força, e no início da manhã havia trechos de céu aberto. Ao brilho fraco da luz de meio-dia, podiam-se ver as novas cristas de gelo que haviam sido criadas pela pressão estendendo-se em todas as direções. Pareciam cercas vivas separando diversos campos de gelo. Contra elas, montes de neve se haviam acumulado, mas afora isso o vento furioso varrera toda a neve da superfície do gelo, que ficara absolutamente liso e polido.

Antes da tempestade, o banco era praticamente uma única massa sólida de gelo, mas agora se partira em muitos pedaços e havia uma área de mar aberto ao norte.

Era uma situação que tornava a pressão inevitável. O gelo, depois que se partira, apresentava dez milhões de novas superfícies para sofrer a ação do vento. E cada banquisa se tornara capaz de um movimento independente das demais. O campo de gelo passaria a se mover com o vento, e uma espécie de *momentum* descomunal seria desencadeado, transmitindo-se através do gelo. A força resultante é chamada de pressão – e começou no dia 21 de julho. Não propriamente contra o navio, porque ele se encontrava no centro de uma banquisa espessa e resistente. Mas podiam-se ouvir, ao sul e a sudoeste, os sons dos entrechoques entre blocos e banquisas de gelo.

O barulho continuou a noite toda e durou toda a manhã seguinte. Depois do almoço, Worsley decidiu explorar as redondezas. Vestiu seu gorro fechado de lã e seu casaco para uso externo e desceu a escada. Quase imediatamente, voltou com a notícia de que a banquisa que aprisionava o navio estava rachada. Todos correram para pegar seus casacos e gorros, e foram céleres para o convés. A fenda estava bem próxima e tinha cerca de meio metro de largura, estendendo-se desde a face externa da banquisa, onde a pressão fortíssima fizera uma placa de gelo montar sobre a outra, até um ponto a cerca de 35 metros de seu costado de bombordo. Os trenós foram imediatamente trazidos para bordo do navio, e restabeleceu-se o sistema de revezamento de turnos de serviço.

O gelo parecia estar na iminência de se partir totalmente. Esperaram o dia todo, a noite seguinte e mais todo o outro dia. O gelo não se quebrou. Podia-se ouvir a pressão a toda volta, e às vezes sentiam fortes choques transmitidos pelo gelo, mas ainda assim o *Endurance* permanecia preso no centro inalterado da banquisa. A rachadura a bombordo tornou a se fechar com gelo, e à medida que os dias se sucediam sem qualquer modificação significativa da situação do navio a expectativa foi diminuindo. Os turnos de serviço foram cancelados, e as sessões de treinamento com os cães e os trenós foram retomadas numa escala limitada.

Cada vez que um grupo saía, deparava com efeitos da pressão e às vezes com uma demonstração de força como nunca haviam visto em suas vidas. No dia 26 de julho, Greenstreet saiu com Wild para uma corrida curta de trenó. Vendo gelo em movimento, pararam para observar, e, enquanto olhavam, uma banquisa maciça verde-azulada, com cerca de três metros de espessura, foi impelida contra uma banquisa adjacente, chocou-se com ela e, em seguida, as duas se ergueram juntas no ar, como se fossem pedaços de cortiça.

Quando voltou para o navio, Greenstreet escreveu em seu diário: "Sorte nossa não termos uma pressão desse tipo agindo contra o navio, porque eu duvido que qualquer barco pudesse suportar uma pressão capaz de levantar blocos daquele tamanho no ar."

Entre os outros homens, também, a sensação de segurança desaparecia rapidamente. Depois do jantar daquela noite, um silêncio sombrio caiu sobre o Ritz. Todo o grupo comemorara quando a imagem refratada do sol aparecera um minuto acima do horizonte pouco depois do meio-dia. Mas isso não bastava para compensar o nervosismo generalizado.

McNeish, que costumava abordar as questões de frente, foi direto ao ponto em seu diário naquela noite:

"Ele [o sol] é muito importante porque agora vamos ter cada vez mais claridade. Estamos esperando temperaturas mais altas, mas não queremos que a banquisa se parta antes de haver mar aberto, porque o navio seria esmagado se a banquisa nos soltasse agora."

Seis dias depois, às dez da manhã do dia 1º de agosto, enquanto os condutores dos cães retiravam com pás a neve dos canis, sentiram um tremor, seguido de um som de rangidos e raspaduras, e o *Endurance* ergueu-se subitamente, depois se inclinou para bombordo e caiu novamente na água, jogando ligeiramente. A banquisa se partira e o navio estava solto.

Shackleton apareceu imediatamente no convés, seguido pelo resto da tripulação. Rapidamente viu o que estava acontecendo e gritou para que trouxessem os cães para bordo. Todos os homens pularam para a banquisa que estremecia ao lado do navio e correram para os cães, arrancando as correntes do gelo e fazendo-os subir apressadamente a prancha de embarque. Toda a operação levou apenas oito minutos.

E foi bem a tempo. Quando a prancha foi levantada, o navio balançou violentamente para a frente e para o lado, impelido pela força do gelo, que fazia pressão contra seu costado e abaixo do casco. A velha e robusta banquisa que protegera o navio por tanto tempo transformava-se agora em atacante, golpeando os flancos do *Endurance* e reduzindo a pedaços os pequenos *dogloos*.

A pressão pior afetava a proa, e todos os homens observavam numa ansiedade desamparada enquanto as banquisas se partiam em fragmentos, recuavam e eram cobertas por outros fragmentos que se chocavam contra o revestimento dos costados ao longo da linha de flutuação.

A pressão continuou por 15 minutos, e depois, de novo empurrado pela popa, o *Endurance* teve a proa erguida, subindo lentamente numa banquisa à sua frente. Os homens sentiram o navio elevando-se e um grito espontâneo de alívio saiu de suas gargantas. Por enquanto, o *Endurance* estava a salvo.

O gelo em torno do *Endurance* permaneceu sob intensa pressão até pouco depois do meio-dia e então aquietou-se. O *Endurance* continuava trepado no gelo, com uma inclinação de cinco graus da proa à popa. Os barcos salva-vidas ficaram prontos para ser baixados, e todos os homens foram instruídos a permanecer com suas roupas mais quentes à mão, para o caso de terem de "sair andando". Mas a tarde e o início da noite foram calmos.

Depois de anotar os acontecimentos do dia, Worsley concluiu a entrada em seu diário dizendo:

Se alguma coisa impedisse o navio de se levantar por efeito da pressão, ele teria sido esmagado como uma casca de ovo vazia. O comportamento dos cães foi esplêndido... Pareciam achar que era uma diversão que criamos para eles.

Durante a noite, o vento recrudesceu de sudoeste, e de manhã era um verdadeiro vendaval. Esses ventos, comprimindo o banco de gelo adiante do navio, haviam sido responsáveis pela pressão.

Ao amanhecer, o frio havia fundido os fragmentos de gelo em torno do navio numa massa sólida. Curiosamente, em meio à fragmentação generalizada, um grande pedaço da velha banquisa se mantivera intacto. Mas fora jogado contra o navio, inclinado num ângulo de 45 graus, de modo que os sulcos profundos cavados pelos trenós em sua superfície agora corriam de baixo para cima.

A maioria dos homens foi encarregada de construir novos canis no convés. Foi trabalho para vários dias, e incrivelmente, antes mesmo que ficasse pronto, a memória do que acontecera já começara a ficar obliterada.

No dia 4 de agosto, apenas três dias depois que o gelo se quebrou, Shackleton encontrou um grupo de homens reunido no Ritz, especulando que o *Endurance* sem dúvida aguentaria qualquer pressão. Sentou-se à mesa com eles.

Shackleton contou-lhes a história do camundongo que vivia numa taverna. Certa noite, encontrou um barril de cerveja que não estava bem fechado e bebeu quanto conseguiu aguentar. Quando finalmente acabou, sentou-se, retorceu os bigodes e olhou em volta, com ar arrogante: "Muito bem", jactou-se o camundongo, "agora onde é que está aquele gato desgraçado?"

A despeito da significativa parábola contada por Shackleton, a confiança cada vez maior que predominava entre os homens recusava-se a ceder. Agora sabiam como era a pressão. Haviam visto o navio resistir e isso os deixara extremamente orgulhosos. A volta do sol também contribuiu para elevar seu moral. Já havia cerca de três horas de claridade por dia, e mais sete ou oito horas de meia-luz. Os homens retomaram suas partidas de hóquei sobre o gelo e disputaram algumas competições renhidas. Quando Tom Crean atrelou os cães mais novos para suas primeiras tentativas de adestramento como puxadores de trenós, seus esforços despertaram grande interesse. Worsley observou:

> Em parte convencidos, e em parte dirigidos, eles seguem um curso tortuoso e incerto, ainda mais errático que o rumo do nosso pobre navio pelo mar de Weddell.

Novamente, numa entrada do dia 15 de agosto, Worsley refletia o moral elevado que imperava entre os homens em geral. Ao descrever a intensa rivalidade que se desenvolvera entre os condutores, ou "donos", das juntas de cães, Worsley relatou, com um toque de exagero característico:

... algumas pessoas se permitem gabar exageradamente os méritos e o desempenho de suas juntas. Uma dessas juntas parece ser composta por cães que sofrem de alguma doença cardíaca, e seu dono espera evidentemente que toda a criação prenda o fôlego cada vez que eles passam. Certa pessoa vulgar, que muitas vezes se permite gritar e dar verdadeiros berros para incentivar os seus cães, cometeu a indescritível ousadia de emitir seu aterrorizante grito de guerra no momento em que ultrapassava o imponente veículo puxado por aquelas criaturas majestosas, embora de nervos um tanto sensíveis, e foi prontamente repreendida por seu dono, indignado, que fez ver àquela Pessoa Vulgar quanto sua voz havia assustado seus cãezinhos esplêndidos, embora tensos e delicados. Cumpro aqui o doloroso dever de relatar que essa Pessoa Extremamente Vulgar, no dia seguinte, ao sair com o trenó puxado por uma junta perfeitamente ordinária, não conteve seu pavoroso berro ao passar pela Junta dos Corações Frágeis. O resultado foi desastroso: duas das pobres criaturas desmaiaram e precisaram ser reanimadas com amônia, etc., enquanto os demais se entregaram à histeria até que a Pessoa Vulgar e seus asseclas desapareceram no horizonte.

A Junta dos Corações Frágeis pertencia a Macklin, que acreditava que os cães deviam ser tratados com a maior delicadeza possível. A Pessoa Extremamente Vulgar era o próprio Worsley.

Outro fator que contribuía para a boa disposição geral do grupo era a deriva do navio. Desde a tempestade de julho, haviam tido a sorte de contar com ventos fortes do sul quase o tempo todo, e durante aquele período percorreram uma distância de quase 260 quilômetros.

À meia-noite do dia 29 de agosto, porém, um único choque violento atingiu o navio. Um momento depois ouviu-se um som semelhante ao estrondo distante de uma trovoada. Os homens se ergueram em seus beliches, esperando por alguma outra coisa, mas nada aconteceu.

Na manhã seguinte viram uma fenda estreita que se estendia na direção geral da popa do navio, mas só. O resto do dia transcorreu sem novidades. Então, em torno das dezoito e trinta, no momento em que a tripulação acabava de jantar, o *Endurance* estremeceu com o golpe de um segundo choque. Vários homens se levantaram de um salto e correram ao convés. Novamente não havia nada, só a fenda junto à popa, que se alargara um ou dois centímetros.

O dia 31 passou tranquilamente até mais ou menos dez horas da noite, quando o *Endurance* começou a estalar e a gemer como uma casa mal-assombrada. O sentinela da noite contou que o gelo à frente e ao longo do costado de bombordo estava em movimento, mas não havia nada que os homens pudessem fazer, e então se recolheram. Mas uma série de barulhos altos de estalidos que reverberavam por todo o navio os manteve acordados quase a noite toda.

Os homens cujos beliches se situavam no lado de bombordo foram os que mais sofreram. Deitados, enquanto tentavam dormir, podiam ouvir o gelo arranhando e golpeando o casco – a menos de um metro de seus ouvidos. O barulho parou pouco antes do amanhecer, mas foi um grupo de homens cansados e nervosos que se sentou para o desjejum na manhã seguinte.

A pressão recomeçou no final da tarde e continuou a noite toda. Aquela noite foi a pior de todas, e Worsley a descreveu em seu diário:

> Pouco depois da meia-noite houve uma série de estalos, gemidos e batidas altos e violentos nos costados do navio, fazendo-o saltar e estremecer da proa à popa. Muitos se vestiram às pressas e correram para o convés. Pessoalmente, já fiquei cansado desses alarmes contra os quais não podemos fazer absolutamente nada, e quando o choque mais alto aconteceu eu fiquei escutando para ver se algum som de madeira se partindo ou rachando indicava a entrada de gelo no navio, e depois me virei e fui dormir.

Na tarde seguinte, a pressão havia parado – e o *Endurance* sobrevivera a seu segundo ataque.

7

A confiança dos homens em seu navio deveria ter aumentado. Como Greenstreet anotou em seu diário no dia 1º de setembro: "O navio é mais forte do que nós pensamos, e se não tivermos uma pressão mais forte... vamos sair desta."

Mas não havia verdadeira confiança nas palavras de Greenstreet. Quem poderia dizer que não haveria pressões mais fortes? Não que eles duvidassem da resistência do *Endurance*, mas tinham perfeita consciência de que o navio não fora projetado para enfrentar pressões verdadeiramente grandes, muito menos as pressões assustadoras do mar de Weddell, inquestionavelmente as piores da Terra.

Além disso, o ataque de três dias ao navio os deixara cansados e tensos. Não tinham ideia do que o futuro lhes reservava. A novidade já passara, assim como seu otimismo. O banco de gelo ainda não acabara de se manifestar, e eles tinham plena consciência disso. No entanto, a única coisa que podiam fazer era esperar, numa incerteza desamparada e frustrante, vivendo a passagem de cada dia enquanto a deriva do gelo os levava para o norte em seu próprio ritmo, e esperando a cada dia que o *Endurance* não encontrasse nada pior do que já enfrentara.

Mesmo Worsley, cujo moral raramente se abatia, refletia a ansiedade geral em seu diário:

> Muitos dos icebergs tabulares parecem imensos armazéns e silos de cereais, mas a maioria parece a criação de algum arquiteto brilhante sofrendo de um delírio induzido pelo excesso de contemplação desse maldito banco infernal de gelo estacionado, que parece... condenado a ficar permanentemente à deriva, até que o Dia do Juízo o faça rachar de norte a sul e de leste a oeste em um milhão de fragmentos – e quanto menores melhor. Não se vê nenhuma vida animal – nem terra – nem nada!!!

O que deixava os homens mais abatidos era a ausência de focas, que teriam representado para eles tanto os prazeres da caça quanto a oportunidade de consumir carne fresca – iguaria que não comiam havia cinco meses.

Ainda assim havia sinais ocasionais de que a primavera antártica se aproximava. Agora o sol já brilhava quase dez horas por dia, e no dia 10 de setembro a temperatura subiu, chegando a 17 graus abaixo de zero – a máxima dos últimos sete meses. Para os homens, era uma verdadeira onda de calor; podiam sair com as cabeças e as mãos descobertas com um conforto razoável. Uma semana depois, a sonda biológica de Bobbie Clark colheu indícios de que a quantidade de plâncton na água estava aumentando – um sinal definitivo da chegada da primavera.

Na Antártida, o plâncton – pequenos animais e plantas unicelulares – é a base de toda a vida. Os peixes menores se alimentam de plâncton, e por sua vez servem de alimento para os peixes maiores, que são comidos pelas lulas, focas e pinguins, que por sua vez constituem o alimento das baleias assassinas, dos leopardos-marinhos e dos cachalotes gigantescos. O ciclo da vida começa com o plâncton, e quando ele está presente as outras criaturas da Antártida nunca demoram muito a aparecer.

Cinco dias depois do achado de Clark, Jock Wordie avistou um pinguim-imperador na água e conseguiu atraí-lo para a margem. Foi rapidamente morto. No dia seguinte, uma foca fêmea foi abatida.

No entanto, a despeito desses sinais encorajadores, uma sensação inconfundível de apreensão se espalhava entre os homens. O dia 1º de outubro se aproximava. Nos primeiros dias dos dois meses anteriores, agosto e setembro, houvera sérios ataques de pressão, e os homens tinham ficado supersticiosos.

Dessa vez, porém, o destino errou por um dia. A pressão começou dia 30 de setembro, em torno das três da tarde. No total, só durou uma hora de pavor.

A atacante, agora, foi uma banquisa ao lado da proa, a bombordo, que investiu impiedosamente contra o navio abaixo do mastro de proa. Os conveses abaixo do principal estremeceram e pularam, e as vigas se empenaram. Chippy McNeish estava no Ritz. As gigantescas vigas transversais abaixo de sua cabeça se encurvaram "como pedaços de bambu". Greenstreet, no convés, não conseguiu tirar os olhos do mastro de proa, que parecia estar "a ponto de saltar do navio com os tremendos arrancos que dava".

Worsley estava na popa, perto do timão, e quando a pressão passou escreveu em seu diário:

O navio demonstra uma força quase inconcebível [...] a cada momento, parece que as banquisas vão esmagá-lo como uma casca de noz. Todos os homens ficam atentos, de prontidão, mas para nosso alívio, quando parece que ele não vai aguentar mais, a banquisa, pesando possivelmente um milhão de toneladas, ou mais, cede à resistência do nosso navio, rachando ao comprido, uma fenda de uns 500 metros, e assim a pressão se alivia. O comportamento do nosso navio no gelo tem sido magnífico. Sem dúvida, é o melhor barquinho de madeira que alguém já construiu...

Quando tudo acabou, a tripulação desceu e descobriu que muitos dos conveses estavam permanentemente empenados e que toda espécie de artigos caíra das prateleiras. Mas o navio ainda estava firme sob seus pés.

Parte do velho otimismo começou a voltar. Podia ser que o *Endurance* aguentasse. Por três vezes o navio fora atacado pelo gelo, e a cada vez a pressão havia sido pior que da vez anterior. Mas o *Endurance* resistira, e no final vencera sempre. À medida que passavam os primeiros dias de outubro, o gelo mostrava sinais inequívocos de que estava se abrindo. A temperatura, também, começou a subir: no dia 10 de outubro, o termômetro subiu até 12,5 abaixo de zero. A banquisa que se engavetara sob o navio a estibordo em julho desprendeu-se no dia 14 de outubro, e o *Endurance* flutuou numa pequena extensão de mar aberto – flutuando de verdade pela primeira vez desde que fora aprisionado pelo gelo nove meses antes.

Os oficiais e os cientistas agora podiam se transferir de volta para o depósito na superestrutura, seu alojamento original. As divisórias do Ritz foram retiradas, e a área, reconvertida num depósito de suprimentos.

No dia 16 de outubro, Shackleton decidiu que a tendência do banco de gelo a abrir-se justificava acender as caldeiras diante da possibilidade de abrirem uma passagem no gelo à força. Todos os homens se dedicaram a encher as caldeiras de água. Esse trabalho exaustivo, que durou três horas e meia, mal havia acabado quando um vazamento considerável foi descoberto em uma das juntas – e as caldeiras precisaram ser esvaziadas para que os mecânicos pudessem consertá-la. Quando o trabalho ficou pronto, já era tarde demais para se pôr a caminho. No começo da tarde seguinte, um trecho de mar aberto apareceu à frente do navio. Não havia tempo de conseguir a pressão de vapor necessária, então os homens desfraldaram todas a velas tentando forçar o navio a abrir caminho. Mas ele não se moveu. O dia 18 de outubro amanheceu nublado. Nevava. O trecho de mar aberto desaparecera, e o gelo estava um pouco mais perto. Ao longo de todo o dia, o navio acusou pequenos apertos de pressão, mas nada sério. Então, às dezesseis e quarenta e cinco, as banquisas dos dois lados do *Endurance* se fecharam sobre o navio e começaram a pressionar.

Todos os homens a bordo ficaram rígidos, como se eles próprios tivessem sido aprisionados. Vários correram escada acima para o convés. No momento seguinte, o convés pareceu desaparecer sob seus pés, quando o navio se inclinou subitamente para bombordo. Houve uma pausa de um segundo – e depois tudo que era móvel despencou: madeira, canis, cordas, trenós, caixotes, cães e homens rolaram pelo convés. James ficou preso sob dois caixotes de roupas de inverno, por cima dos quais uma pilha de cães caiu numa confusão de uivos e ganidos. Nuvens de vapor subiram da cozinha e do alojamento dos oficiais, onde panelas de água foram despejadas para apagar o fogo.

No intervalo de cinco segundos, o *Endurance* adernara 20 graus a bombordo – e continuava a se inclinar. Worsley correu para a amurada a sota-vento e ficou olhando enquanto tábua após tábua do convés desaparecia sob o gelo. Greenstreet estava a seu lado, pronto para pular.

A banquisa a estibordo se encaixara de alguma forma na parte inferior do casco do navio e estava simplesmente fazendo-o tombar para o lado. Quando o navio já estava inclinado 30 graus a bombordo, o movimento se tornou mais lento, e o *Endurance* finalmente parou, com as bordas-falsas apoiadas no gelo e os barcos salva-vidas praticamente encostados. Disse Worsley:

– Até parece que o navio disse ao banco de gelo faminto que avançava para triturá-lo: "Você pode perfeitamente me esmagar, mas de modo algum eu vou me inclinar mais um grau que seja por sua causa; antes disso, quero ver você derretendo no Inferno."

No momento em que o *Endurance* parou de adernar, Shackleton ordenou que os fogos fossem apagados. E todos se dedicaram sistematicamente ao trabalho de restaurar a ordem a bordo. Amarraram tudo que estava solto e pregaram pequenas ripas de madeira no convés para que os cães tivessem apoio para os pés. Por volta das sete horas, o trabalho no convés ficou pronto, e os homens desceram – para completar uma cena em que todos os artigos soltos pareciam ter sido espalhados por um furacão. Cortinas, quadros, roupas e utensílios de cozinha, todos pendiam da antepara de estibordo.

Green conseguiu preparar um jantar enquanto o resto da tripulação prendia mais ripas nos conveses inferiores. Para fazer a refeição, a maioria dos homens se acomodou no convés, sentados um acima do outro, apoiando os pratos no colo. "Até parece que estamos sentados numa arquibancada", comentou James.

Em torno das oito da noite, as banquisas situadas sob o *Endurance* se afastaram, e o navio se endireitou rapidamente. A tripulação recebeu ordens para quebrar o gelo que se formara em torno do leme. Acabaram a tarefa perto das dez da noite. Uma ração de grogue foi distribuída, e começaram novamente a encher as caldeiras de água. À uma da manhã, todos se recolheram, menos os que faziam parte do turno de serviço da noite – totalmente exaustos.

O dia 19 de outubro não registrou nenhuma pressão, e houve muito pouca atividade de qualquer espécie. Uma baleia assassina subiu à superfície no trecho de água desimpedido ao longo do navio e passou algum tempo nadando para cima e para baixo com uma elegante arrogância. A última leitura do barômetro aquele dia foi de –28,96, a mais baixa desde a desastrosa nevasca de julho.

Novamente, no dia 20 de outubro, houve poucas mudanças no banco de gelo. Ainda assim, tudo ficou pronto para que o navio se pusesse a caminho tão logo surgisse uma abertura no gelo. Os motores foram acionados em marcha lenta e constatou-se que estavam em bom estado de funcionamento. Estabeleceram-se turnos de serviço regulares de quatro horas. Os dias 21 e 22 continuaram a ser, do mesmo modo, dias tomados por uma espera atenta; a única mudança no banco de gelo foi que ele dava a impressão de ter ficado ainda um pouco mais compacto. A temperatura desabou de 12 abaixo de zero para 25,5 graus abaixo de zero. No final do dia 22, o vento virou, 180 graus, passando de sudoeste para nordeste. McNeish escreveu em seu diário aquela noite: "... muito calmo, mas parece que vai haver um pouco de pressão".

8

Mas a pressão demorou a chegar. O dia 23 de outubro arrastou-se sem novidades, exceto que o banco de gelo estava trabalhando um pouco sob a influência do vento de nordeste.

Quando, às dezoito e quarenta e cinco do dia 24 de outubro, a pressão efetivamente chegou, não perdeu tempo. Tinham visto efeitos da pressão no passado, mas nada que se comparasse a esse ataque. A pressão se espalhou pelo banco do gelo como uma preguiçosa onda de choque, transformando lentamente toda a superfície do gelo num caos de destruição que se revolvia e deixava tudo em ruínas. Macklin observou o fenômeno por algum tempo, depois afastou os olhos, sem conseguir acreditar no que via. "A sensação", escreveu, "era de uma coisa colossal, de um fenômeno da natureza grande demais para ser compreendido."

Sem esforço, o gelo empurrou e sacudiu o navio até ele ficar aprisionado entre duas banquisas, à ré e à frente do lado de estibordo, e imobilizado pelo centro do outro lado.

Uma imensa massa de gelo atacou a popa do navio, separando parcialmente o cadaste, a peça que constitui a extremidade da popa, do costado de estibordo. A água invadiu o navio. McNeish foi enviado para examinar as avarias e relatou que a água estava subindo rapidamente no porão de vante. Rickenson viu um quadro muito parecido na casa de máquinas.

A pequena bomba portátil Downton foi acionada e as caldeiras acesas para operar as bombas de esgotamento da casa das máquinas. Começaram a funcionar às oito da noite, mas não conseguiram dar conta da água que invadia o navio. Todos os homens disponíveis foram escalados para manejar as bombas manuais primárias junto ao mastro grande. No entanto, depois de bombearem por vários minutos, a água parou de sair. Os tubos estavam evidentemente congelados.

Worsley desceu com Hudson e Greenstreet para o depósito de carvão. Trabalhando numa escuridão quase completa e num frio glacial, cavaram e abriram a custo um caminho até a quilha em meio ao carvão úmido e escorregadio, sobre o qual fora atirada a gordura de mais de 60 focas. Os sons do navio agonizante estavam ensurdecedoramente próximos. Atiraram baldes e mais baldes de água fervente nos canos congelados. Um dos homens aquecia com um maçarico as juntas entupidas, enquanto dois outros batiam nos canos para soltar o gelo acumulado no interior. Finalmente, depois de duas horas de trabalho, as bombas voltaram a funcionar.

McNeish começou a fabricar um cóferdã, ou compartimento estanque, três metros à frente do cadaste, a fim de isolar a seção de ré do navio e conter a invasão da água. Entre os turnos de trabalho de 15 minutos nas bombas, alguns dos tripulantes ajudaram McNeish a calafetar o compartimento estanque com tiras de cobertores rasgados. Outros saíram para o gelo com serrotes e picaretas a fim de cortar linhas de fraqueza nas banquisas que atacavam o navio. No entanto, assim que cada trincheira era cavada, o gelo se insinuava e tornava a encher a lacuna.

Passaram a noite inteira nessa luta... 15 minutos nas bombas, 15 minutos de descanso, depois no gelo ou na sala de máquinas. Embora estivessem enrijecidos e temperados por um ano de trabalho duro no navio e nos trenós, dez horas nas bombas ou nos serrotes deixavam até mesmo os mais fortes deles tão esgotados que andavam aos tropeços. Ao amanhecer, Shackleton ordenou que tirassem uma hora de descanso, e Green serviu uma tigela de mingau quente para cada um. Depois recomeçaram. No meio da manhã, Shackleton mandou que os condutores de cães descessem do navio a fim de deixarem suas juntas e seus trenós preparados para o caso de terem de abandonar o navio às pressas. Worsley reuniu um grupo de marinheiros e deixou os barcos salva-vidas prontos para serem baixados.

A maioria dos homens havia parado de observar o banco de gelo em sua luta para salvar o navio. O gelo cessara de se mover, mas vinha se comportando de um modo estranho. Cristas de pressão de uma altura inédita se erguiam entre as banquisas, e a compressão era fantástica, como se todo o banco de gelo estivesse sendo empurrado contra alguma barreira sólida situada além do horizonte.

Os homens trabalharam nas bombas e na construção do compartimento estanque por todo o dia e toda a noite. Por volta da meia-noite, depois de 28 horas de trabalho ininterrupto, McNeish acabou seu trabalho, pelo menos da melhor maneira possível naquelas circunstâncias. Mas o compartimento só conseguiu reduzir a velocidade do fluxo da água, e as bombas precisavam ser mantidas em funcionamento permanente. Cada turno era uma agonia de esforço, e quando acabava os homens se arrastavam até suas camas ou desabavam em um canto. Levava mais ou menos dez minutos até que seus músculos exaustos relaxassem o suficiente para conseguirem dormir. Então, no momento exato em que adormeciam, eram chamados para um novo turno de trabalho.

À noite, a pressão tornou a aumentar. A banquisa do lado de bombordo forçou ainda mais o costado do navio ao longo de todo o seu compartimento, arrancando gritos animalescos do *Endurance* à medida que o gelo tentava quebrar sua espinha. Às nove horas da noite, Shackleton instruiu Worsley para que baixasse os barcos salva-vidas e transferisse todos os equipamentos e provisões essenciais para a banquisa a estibordo, que parecia menos sujeita a se partir.

Mais tarde, na mesma noite, os homens no convés avistaram um bando de cerca de dez pinguins-imperadores; as aves avançavam lentamente na direção do navio e pararam a pouca distância dele. Esses pinguins, sozinhos ou aos pares, eram comuns, mas ninguém nunca vira um grupo tão grande antes. Os pinguins passaram algum tempo contemplando o navio martirizado e depois ergueram as cabeças e soltaram uma série de gritos estranhos, lamentosos, funéreos. Era assustador, porque nenhum dos homens – nem mesmo os veteranos ou de outras expedições à Antártida – jamais ouvira os pinguins emitindo qualquer som que não fosse seu grasnido elementar.

Os marinheiros interromperam o que estavam fazendo, e o velho Tom McLeod se voltou para Macklin:

– Está ouvindo? – perguntou. – Nenhum de nós nunca mais vai voltar para casa.

Macklin viu Shackleton mordendo os lábios.

Em torno da meia-noite, o movimento do gelo fechou parcialmente o rombo da popa e a invasão da água diminuiu. Ainda assim, as bombas manuais não podiam parar, para evitar que a água chegasse a invadir os porões. Bombearam a noite inteira, trabalhando com os olhos fechados, como mortos que tivessem sido amarrados a algum aparelho diabólico que não os deixasse descansar.

Não melhorou nada ao amanhecer e nem ao meio-dia. Por volta das quatro da tarde, a pressão tornou-se ainda mais forte. Os conveses ficaram abaulados e as vigas se partiram; a popa foi soerguida uns cinco metros, e o leme e o cadaste foram arrancados. A água correu para a frente e congelou, fazendo peso na proa, de modo que o gelo subiu pelos lados do navio, inundando-o pelo simples peso que exercia. Ainda assim, os homens continuavam a bombear. Mas às cinco da tarde já sabiam que era hora de desistir. Ninguém precisava dizer-lhes que o navio estava condenado.

Shackleton fez um aceno de cabeça para Wild, e Wild avançou pelo convés destruído para ver se ainda havia alguém no alojamento do castelo de proa. Encontrou How e Bakewell tentando dormir depois de um turno de trabalho nas bombas. Enfiou a cabeça no alojamento:

– Está acabado, rapazes – disse. – Acho que está na hora de desembarcar.

PARTE II

I

*"Que Deus os ajude a cumprir seu dever & os
conduza através de todos os perigos da terra e do mar.
"Que possam ver as criações de Deus &
todas as Suas maravilhas nas profundezas."*

Essas palavras estavam escritas na folha de rosto de uma Bíblia dada à expedição pela rainha-mãe Alexandra da Inglaterra. Shackleton trazia a Bíblia na mão quando deixou o *Endurance* e caminhou lentamente pelo gelo até o acampamento.

Os outros mal notaram a sua chegada. Estavam ocupados saindo e entrando nas barracas, tentando, entorpecidos, criar algum grau de conforto com a energia de que ainda dispunham. Alguns estenderam pranchas para isolá-los do gelo coberto de neve. Outros desdobraram lonas para cobrir o chão. Mas não havia revestimento suficiente para todos, e muitos foram obrigados a deitar diretamente sobre a neve nua. Era praticamente a mesma coisa. Só importava o sono. E dormiram – quase todos encostados em seus companheiros mais próximos para combater o frio extremo.

Shackleton sequer tentou dormir. Andava de um lado para o outro da banquisa. A pressão ainda era intensa, e várias vezes sentiram choques violentos no acampamento. A silhueta escura do *Endurance* se erguia contra o claro céu noturno a 200 metros de distância. Por volta de uma hora da manhã, enquanto Shackleton caminhava para a frente e para trás, sentiram um repelão; depois, uma fenda delgada se estendeu ao longo da banquisa, entre as barracas. Quase imediatamente começou a se alargar. Shackleton correu de barraca em barraca, acordando os tripulantes exaustos. A mudança do acampamento para a metade maior da banquisa levou uma hora de trabalho difícil no escuro.

Depois, a calma reinou no acampamento, embora pouco antes do amanhecer ouvissem um forte estampido vindo do *Endurance* – o gurupés (pequeno mastro que se projeta adiante da proa) e o pau da bujarrona se haviam partido, caindo com estrépito no gelo. Shackleton passou todo o resto daquela noite escutando o ritmo fantasmagórico das correntes que haviam ficado soltas, sendo arrastadas lentamente para a frente e para trás pelo movimento do navio.

Quando amanheceu, o tempo estava encoberto e carregado, mas a temperatura subira para 14 graus negativos. Os homens despertaram entorpecidos e com frio depois de dormirem deitados no gelo. Levaram muito tempo para despertar completamente e entrar em atividade. Shackleton não os apressou, e depois de algum tempo se dedicaram à tarefa de separar o equipamento e prendê-lo a salvo nos trenós. Todos estavam em silêncio, e muito poucas ordens foram dadas. Todos sabiam quais eram as tarefas que lhes cabiam, e as executavam sem que fosse necessário dizer-lhes o que fazer.

O plano, como todos sabiam, era caminhar na direção da ilha Paulet, 556 quilômetros a noroeste, onde provisões haviam sido deixadas em 1902 e ainda deviam estar armazenadas. A distância era considerável, maior que a que separa a cidade de Nova York de Pittsburgh, na Pensilvânia (ou, na Europa, a que vai de Paris a Amsterdam, ou a Berna), e ainda por cima precisavam levar a reboque dois dos três barcos salva-vidas, uma vez que era praticamente certo que acabariam encontrando um trecho de mar aberto.

McNeish e McLeod começaram a construir trenós para transportar a baleeira e um dos escaleres. Os barcos, com seus trenós, pesariam mais de uma tonelada cada um, e ninguém tinha a ilusão de que seria fácil arrastá-los pela superfície irregular, caótica, do gelo, com suas cristas de pressão que em certos casos chegavam a ter cerca de cinco metros de altura.

Ainda assim havia uma notável ausência de desânimo. Todos os homens se encontravam num estado de fadiga aturdida, e ninguém parou para pensar nas consequências terríveis de terem perdido o seu navio. E nem ficaram perturbados com o fato de que estavam agora acampados num bloco de gelo com talvez dois metros de espessura. Era um porto seguro, comparado com o pesadelo de trabalho pesado e incerteza que haviam sido os últimos dias a bordo do *Endurance*. Já era muito terem sobrevivido – e estavam fazendo apenas o que era necessário para permanecerem vivos.

Havia até traços de certa satisfação em sua atitude. Pelo menos, tinham uma tarefa bem definida pela frente. Os nove meses de deriva acompanhando o deslocamento do banco de gelo haviam acabado. Agora precisavam simplesmente ir embora, por mais que isso pudesse parecer extraordinariamente difícil.

Periodicamente, ao longo do dia, pequenos grupos de homens se dirigiam em peregrinação até a ruína que fora seu navio. Mas não era mais um navio. Não estava nem mais flutuando de verdade. Era uma estrutura estraçalhada retorcida de madeira. O gelo, em seu frenesi de destruição, havia entrado pelos costados e ocupado os porões, invadindo o casco partido. O navio só ficaria na superfície enquanto durasse a pressão.

Numa das viagens, um grupo de homens hasteou a Union Jack azul num dos braços da verga do traquete, o único mastro que ainda estava de pé. Quando o *Endurance* afundasse, pelo menos levaria suas cores desfraldadas.

O trabalho de transferir a carga para os trenós continuou no dia seguinte, e no meio da tarde Shackleton reuniu todos os homens no centro do círculo formado pelas barracas. Tinha uma expressão grave. Explicou que era imperativo que o peso fosse reduzido ao mínimo. Cada um, disse, ficaria com as roupas que estava vestindo e mais dois pares de luvas, seis pares de meias, dois pares de botas, um saco de dormir, uma libra [cerca de meio quilo] de tabaco – e duas libras de artigos pessoais. Falando com a máxima convicção, Shackleton afirmou que nada tinha o menor valor se comparado à sobrevivência, e exortou todos a serem impiedosos ao se desfazer de cada grama de peso desnecessário, qualquer que fosse seu valor.

Depois de falar, enfiou a mão sob sua *parka*, tirou uma cigarreira de ouro e vários soberanos de ouro e os atirou na neve a seus pés.

Depois, abriu a Bíblia que a rainha Alexandra lhe dera, arrancou a folha de rosto e a página que continha o Salmo 23. Também arrancou a página do Livro de Jó que continha o seguinte versículo:

De que seio saiu a geada?
E quem gerou o gelo do céu?

> *As águas se endurecem a modo de pedra,*
> *E a superfície do abismo se aperta.*

Depois, atirou a Bíblia na neve e se afastou.

Foi um gesto teatral, mas era o que Shackleton pretendia. A partir de seu estudo do destino de expedições passadas, ficara convencido de que aquelas que se sobrecarregaram com equipamentos para se tornarem capazes de enfrentar qualquer contingência tiveram muito mais dificuldades do que as que sacrificaram o equipamento em favor da velocidade.

Durante toda a tarde, o número de artigos não essenciais acumulados na neve cresceu cada vez mais. Era uma "extraordinária coleção de coisas", escreveu James. Cronômetros, machados, um oftalmoscópio, serrotes, telescópios, meias, lentes, suéteres, tesouras, cinzéis, livros, resmas de papel – e grande número de retratos e artigos de uso pessoal. Para alguns homens, o limite de duas libras para os artigos de uso pessoal foi dilatado por razões especiais. Os dois médicos, evidentemente, puderam ficar com alguns remédios e instrumentos cirúrgicos. E Hussey, na verdade, recebeu a ordem de levar consigo o seu banjo, embora pesasse cerca de cinco quilos. O instrumento foi amarrado, dentro de sua caixa, sob as pranchas da proa da baleeira, para protegê-lo do mau tempo.

A viagem começaria no dia seguinte. Na véspera da partida, Shackleton escreveu: "Peço a Deus que eu consiga levar todo este grupo de volta a salvo para a civilização."

O dia 30 de outubro amanheceu cinzento e encoberto, com pancadas ocasionais de neve úmida. A temperatura estava desconfortavelmente alta, nove abaixo de zero, o que deixava amolecida a superfície do gelo, longe do ideal para o deslocamento dos trenós.

Passaram toda a manhã preparando os últimos suprimentos. Em torno de onze e meia, Shackleton, com Wild, saiu para sondar as redondezas, à procura do melhor caminho. Antes de partir, Shackleton ordenou que os três cãezinhos mais jovens fossem sacrificados, junto com Sirius, um filhote mais velho de uma ninhada anterior cujo único defeito era nunca ter sido adestrado para o uso de arreios. O gato de McNeish, que fora erradamente batizado de Mrs. Chippy antes que seu sexo fosse bem determinado, também precisaria ser sacrificado. Só havia alimento para quem pudesse puxar seu peso.

Tom Crean, firme e prático como sempre, levou os filhotes e Mrs. Chippy até um ponto mais ou menos distante do acampamento e matou-os a tiros sem a menor hesitação, mas coube a Macklin a tarefa de sacrificar Sirius, e ele mal foi capaz de cumpri-la. Relutante, pegou uma espingarda calibre 12 na barraca de Wild; depois, levou Sirius até uma crista de pressão que ficava a certa distância. Quando encontrou um lugar adequado, parou e encarou o cãozinho. Sirius era um filhote amável e agitado, e não parava de pular, abanar a cauda e tentar lamber as mãos de Macklin. Macklin procurou mantê-lo afastado, até que finalmente reuniu a coragem necessária para apoiar o cano da espingarda no pescoço de Sirius. Puxou o gatilho, mas sua mão tremia tanto que precisou recarregar a arma e disparar pela segunda vez para matar o filhote.

A jornada começou em torno das duas da tarde. Shackleton, Wordie, Hussey e Hudson seguiam na frente com um trenó e um sortimento de pás e picaretas de alpinista. Tentavam conduzir a coluna por um caminho plano, mas a cada 100 metros se deparavam com uma crista produzida pela pressão. Então começavam a trabalhar, escavando o gelo até abrir com as ferramentas um desfiladeiro em miniatura para a passagem dos barcos. No caso das cristas particularmente altas, precisavam construir uma rampa de gelo e neve, subindo de um dos lados e descendo do outro.

Os trenós vinham em seguida, carregados com cerca de 400 quilos cada um e puxados pelas juntas de cães. Os barcos, puxados por 15 homens atrelados a arreios improvisados, sob o comando de Worsley, vinham por último. Era estafante. Devido ao peso, os barcos afundavam na superfície macia da neve, e, para puxá-los, os homens atrelados precisavam inclinar os corpos para a frente com toda a força, ficando às vezes numa posição quase horizontal, paralela ao solo. A operação assemelhava-se mais a arrastar um arado através da neve do que a puxar um trenó.

Shackleton, precavido, instruiu o grupo para avançar em trechos curtos, cerca de 500 metros de cada vez. Temia que fendas se abrissem no gelo, e se a linha de marcha se estendesse muito o grupo poderia ficar dividido. O progresso da expedição era lento e árduo, porque todos os homens precisavam refazer o caminho percorrido mais ou menos a cada mil metros. Em torno das cinco da tarde, ao final de três horas de marcha, encontravam-se a cerca de um quilômetro e meio em linha reta do navio, embora tivessem percorrido, com os desvios, pelo menos o dobro dessa distância. Algumas das juntas de cães, que tornaram a voltar vezes sem conta para trazer equipamentos, cobriram provavelmente mais de 15 quilômetros no total.

O jantar foi servido às seis, e os homens, exaustos, imediatamente se arrastaram para dentro de seus sacos de dormir. Durante a noite, começou a nevar violentamente, e ao amanhecer o chão estava coberto por um tapete fofo com cerca de 15 centímetros de profundidade. A temperatura havia subido para quatro graus abaixo de zero, fazendo com que as perspectivas se tornassem extremamente pouco promissoras para o avanço dos trenós.

Durante a manhã, Shackleton e Worsley encontraram um caminho razoável para oeste, e o grupo partiu à uma da tarde. Mas a caminhada na neve funda era penosa e extremamente lenta, e a maioria dos homens estava suando profusamente e sentindo uma sede atroz ao final de poucos minutos.

Seus esforços se dedicavam principalmente a abrir um caminho na neve para os trenós que haviam sido construídos para o transporte dos barcos. Ainda assim, os 15 homens encarregados de puxar os barcos sentiam-se como se estivessem arrastando sua carga através da lama. Depois de algum tempo, Wild e Hurley voltaram com suas juntas de cães para ajudar. Engataram os cães ao escaler e conseguiram fazê-lo deslocar-se.

Em torno das quatro da tarde, depois de ter percorrido apenas pouco mais de um quilômetro, o grupo chegou a uma banquisa espessa e plana. Já que não havia nas redondezas outro lugar adequado para armarem o acampamento, Shackleton decidiu que passariam a noite ali mesmo. Praticamente assim que foram armadas, as barracas ficaram ensopadas por dentro. Era impossível entrar nelas sem arrastar consigo uma enorme quantidade de neve úmida e pegajosa.

– Sinto muita pena de Worsley, deitado na boca da nossa barraca – comentou Macklin –, porque ele recebe em cheio toda a umidade que todos trazem para dentro.

Worsley, porém, não estava angustiado. Escreveu em seu diário naquela mesma noite: "A rapidez com que conseguimos mudar totalmente nossas ideias... e nos acomodar a um estado de barbarismo é extraordinária."

Shackleton ficou satisfeito com a boa disposição geral de seus homens. "Muitos de nós encaram esses fatos como uma farra", escreveu. "Melhor assim."

E também observou: "Banquisa realmente resistente. Hoje vamos conseguir dormir."

A banquisa era realmente gigantesca, com quase um quilômetro de diâmetro, feita de gelo com quase três metros de espessura, coberto por um metro e meio de neve. Worsley calculou que teria pelo menos dois anos de idade.

Sua solidez estava presente o tempo todo no espírito de Shackleton na manhã seguinte, quando ele saiu com Worsley e Wild a fim de procurar o melhor caminho a ser seguido pela expedição. A oeste, encontraram um grande transtorno, "um mar de pressão", declarou Shackleton, "impossível de ser atravessado". Os barcos e os trenós não durariam nem 15 quilômetros andando sobre uma superfície daquelas.

No caminho de volta ao acampamento, Shackleton tomou uma decisão. Quando chegou, reuniu todos os homens. Disse que haviam percorrido pouco mais de um quilômetro por dia e que o caminho à frente parecia ser cada vez pior. Seu avanço, disse ele, não compensava o esforço necessário. E já que era improvável que encontrassem um lugar melhor para acampar, ficariam onde estavam até que a deriva do gelo os levasse para mais perto da terra firme.

Houve um vislumbre de decepção em muitos rostos, mas Shackleton não deu muito tempo para que as discordâncias se manifestassem. Enviou os trenós puxados pelas juntas de cães de volta ao acampamento original, três quilômetros atrás, com ordem de trazer toda a comida, todas as roupas e todos os instrumentos e ferramentas que conseguissem reunir.

Wild, com mais seis homens, foi mandado de volta ao navio para recuperar qualquer coisa que tivesse algum valor. Quando chegaram ao *Endurance*, descobriram que nos dois dias anteriores o gelo mutilara ainda mais seu casco retorcido. A proa estava enterrada ainda mais profundamente no gelo, de modo que todo o castelo da proa estava submerso, e coalhado de blocos de gelo. Os mastros estavam partidos e enrolados num indescritível emaranhado de cordas enredadas que precisaram ser cortadas para que eles pudessem trabalhar com alguma segurança. Mais tarde, abriram um buraco no teto do alojamento dos oficiais e conseguiram recuperar várias caixas de mantimentos. Mas o tesouro mais importante do dia, cujo transporte para o acampamento exigiu os esforços combinados de várias juntas de cães, foi o terceiro barco.

No jantar daquela noite, Shackleton ordenou a Green que acrescentasse nacos de gordura ao ensopado de carne de foca, de modo que o grupo se acostumasse a comê-la. Alguns dos homens, quando viram aqueles pedaços borrachudos de gordura, com gosto de óleo de fígado de bacalhau, flutuando em meio à "boia", retiraram-nos meticulosamente, até o último vestígio. Mas a maioria estava com tanta fome que comeu, deliciada, o que lhes fora servido, com gordura e tudo.

2

Estavam no gelo havia exatamente uma semana. No espaço de apenas sete dias haviam trocado uma existência ordenada, até mesmo agradável, a bordo do *Endurance*, por uma vida de desconforto primitivo, de umidade infinita e frio inescapável. Pouco mais de uma semana antes, dormiam em seus próprios beliches quentes e faziam as refeições na atmosfera aquecida e acolhedora em torno da mesa do refeitório. Agora, estavam amontoados em barracas superpovoadas, onde dormiam enfiados em sacos de dormir de lã ou de pelo de rena estendidos diretamente sobre o gelo, ou na melhor das hipóteses sobre tábuas de madeira de tamanhos diversos. Na hora das refeições sentavam-se na neve, e os homens comiam em marmitas de alumínio a que chamavam panelinhas, nas quais tudo era despejado ao mesmo tempo. Em matéria de talheres, cada um tinha uma colher, uma faca... e os dedos.

Eram náufragos, isolados numa das regiões mais selvagens do planeta, à deriva, sem a menor esperança de resgate, subsistindo apenas enquanto a Providência lhes mandasse o que comer.

E ainda assim, surpreendentemente, haviam se ajustado com poucos problemas à sua nova vida, e a maioria dos homens sentia-se sinceramente feliz. A adaptabilidade da criatura humana é tamanha que na verdade às vezes eles precisavam lembrar a si mesmos de que estavam vivendo em circunstâncias desesperadas. No dia 4 de novembro, Macklin escreveu em seu diário: "O dia foi lindo, e é difícil acreditar que estamos numa situação terrivelmente precária."

Era uma observação típica de todo o grupo. Não havia nenhum herói entre eles, pelo menos no sentido ficcional. Ainda assim, nenhum dos diários refletia mais que a rotina trivial das tarefas e acontecimentos de cada dia.

Houve apenas uma grande mudança em seu comportamento geral – sua atitude em relação à comida. Worsley escreveu a respeito:

> É escandaloso – agora, parece que todos nós vivemos para comer e só pensamos em comida o tempo todo. Nunca na minha vida tive sequer a metade do agudo interesse que venho desenvolvendo ultimamente por comida – e a mesma coisa aconteceu com todo mundo... Estamos sempre dispostos a comer qualquer coisa, especialmente gordura cozida, que nenhum de nós suportava antes. É provável que, vivendo o tempo todo ao ar livre, e sendo obrigados a contar apenas com a comida para manter o calor do corpo, em vez do fogo, isso nos faça passar o tempo todo pensando em comida...

Acordaram às seis horas da manhã seguinte, dia 5 de novembro, e quase todos voltaram ao navio. Vários homens tentaram operações para resgatar seus bens pessoais. Macklin tentou recuperar uma Bíblia que ganhara de sua mãe. Passou rastejando por uma abertura na superestrutura desabada para chegar ao corredor que levava à sua antiga cabine. No corredor, precisou se pôr de pé no corrimão para ficar acima do gelo e da água, e foi descendo centímetro a centímetro, todo curvado. Mas precisou parar à beira da superfície da água, três metros e meio antes da cabine. Podia ver a porta, coberta pela água escura e gelada, mas era impossível chegar até lá.

Greenstreet teve mais sorte, e conseguiu entrar em sua cabine o suficiente para resgatar alguns livros. How e Bakewell, cujos alojamentos no castelo da proa estavam irremediavelmente submersos, partiram à caça de tesouros em outros lugares. Andando com todo o cuidado por um corredor, passaram pela porta do compartimento que Hurley usara como câmara escura. Examinando o compartimento, viram as caixas que continham todos os negativos do fotógrafo. Depois de um instante de hesitação, os dois marinheiros passaram pela porta semidestruída, entraram no compartimento com água pelos tornozelos e pegaram as caixas das prateleiras. Era um verdadeiro tesouro, e devolveram os negativos a Hurley aquela noite.

Como um todo, o grupo de resgate trabalhou incansavelmente, mal examinando a utilidade de cada artigo que era recolhido. Na verdade havia muito poucas coisas do navio que não poderiam ser utilizadas por eles de uma ou outra maneira. A madeira sempre poderia ser usada como combustível para cozinhar; as lonas eram úteis para forrar o fundo das barracas e para remendá-las; as cordas e cabos poderiam ser transformados em tirantes para puxar trenós. Os homens removeram toda a casa do leme, numa só peça, e carregaram-na para o acampamento a fim de servir de depósito portátil. Tábuas, cabos, velas e cordas também foram levados.

Trabalharam até quase cinco horas da tarde, e depois voltaram para o acampamento, trazendo consigo um carregamento final. Enquanto caminhavam de volta ao lado dos trenós, Hurley avistou uma grande foca-de-weddell cerca de mil metros à direita. Não tinha arma de fogo para matá-la, e então pegou um pedaço de madeira e se aproximou lentamente da foca. Quando chegou bem perto, deu uma forte pancada no animal e depois abateu-o com um golpe de picareta na cabeça. Mais duas focas foram abatidas da mesma forma no caminho de volta para o acampamento.

Mas a quantidade de provisões que até então haviam conseguido recuperar do navio era extremamente pequena. A maior parte de seus mantimentos se encontrava armazenada abaixo do convés principal, no que antes era o Ritz. Para chegar a eles, seria necessário retirar o tabuado do convés, que em certos pontos tinha mais de 30 centímetros de espessura e estava a quase um metro debaixo d'água. Mas era imperativo conseguir recuperar as provisões, de modo que no dia seguinte McNeish foi posto na chefia da missão, e depois de horas de trabalho com cinzéis, cordas e roldanas o grupo conseguiu abrir e desobstruir um buraco no convés.

Quase imediatamente, as provisões passaram a flutuar, começando com um barril de castanhas. Outros suprimentos foram puxados para a superfície – um caixote de açúcar, uma caixa de fermento. No final do dia, cerca de três toneladas e meia de farinha, arroz, açúcar, cevada, lentilhas, legumes e geleia haviam sido resgatadas e transportadas de trenó para o acampamento. Foi uma pesca muito compensadora, e o grupo todo ficou jubilante. No jantar, Green preparou um banquete comemorativo de foca ao curry. Depois da primeira mordida, porém, quase ninguém conseguiu comer mais. Green pusera pelo menos três vezes mais curry do que devia.

> Fui obrigado a comer para satisfazer minha fome [escreveu mais tarde Macklin em seu diário], mas agora minha boca está parecendo um forno de cal e estou quase esturricado de sede.

O trabalho de resgate precisou ser interrompido na tarde do dia 6 de novembro, quando uma tempestade de neve vinda do sul se ergueu e manteve os homens presos em suas barracas. Era a primeira tempestade que enfrentavam acampados no gelo. As barracas batiam e estalavam com a força do vento, enquanto os homens se encolhiam no interior, enregelados e cheios de cãibras. O único pensamento animador era que aquele vendaval os estava conduzindo para o norte – na direção da civilização, tão infinitamente distante.

Shackleton aproveitou a oportunidade para se reunir com Wild, Worsley e Hurley a fim de avaliar a situação deles em termos de mantimentos. Possuíam agora cerca de quatro toneladas e meia de mantimentos, sem contar as rações concentradas originalmente destinadas ao uso pelo grupo transcontinental de seis homens, que Shackleton pretendia preservar para emergências. Avaliaram que seus suprimentos de comida ainda poderiam durar três meses se os homens recebessem rações plenas. E, já que tinham certeza de caçar cada vez mais focas e pinguins, decidiram que poderiam manter os homens em rações plenas pelos dois meses seguintes.

Isso os levaria até janeiro, o meio do verão antártico. Àquela altura, Shackleton tinha certeza de que eles saberiam que destino os esperava, e a decisão final teria que ser tomada enquanto ainda houvesse tempo, antes da chegada de um novo inverno.

Tudo dependia da deriva do banco de gelo. Ele poderia continuar num rumo geral noroeste, levando-os na direção da península de Palmer, talvez ainda até as ilhas Órcadas do Sul, uns 800 quilômetros ao norte. Ou a deriva poderia ser interrompida por alguma razão, e eles ficariam mais ou menos no mesmo lugar. Finalmente, o banco de gelo podia se desviar para o nordeste ou até mesmo para o leste, levando-os para longe de terra firme.

O que quer que acontecesse, janeiro assinalaria o ponto a partir do qual não haveria mais volta possível. Se a deriva continuasse na direção de terra firme, já haveria àquela altura uma extensão suficiente de mar aberto para que lançassem os barcos ao mar e tentassem alcançar o ponto mais promissor. Parecia viável, pelo menos em teoria. Se o banco de gelo parasse de se mover, tal fato ficaria evidente em janeiro. Então, em vez de passarem o inverno acampados no gelo, o grupo abandonaria os barcos, menos um pequeno bote que o carpinteiro construíra, e rumaria para a terra mais próxima, usando o bote para atravessar as extensões de mar aberto que eventualmente encontrassem. Seria arriscado, mas melhor que passar o inverno acampados no gelo.

A terceira perspectiva era desoladora. Se o banco de gelo derivasse para nordeste ou para leste, e se fosse impossível lançar os barcos à água, eles teriam de passar o inverno à deriva nas banquisas, sobrevivendo de alguma forma à noite polar, com seu frio paralisante e suas tempestades violentas. Se fosse esse o caso, também saberiam em janeiro. E ainda haveria tempo para fazer uma provisão de carne para garantir sua sobrevivência. Mas ninguém queria pensar muito nessa possibilidade.

3

A presença de Frank Hurley naquele encontro de cúpula sobre a situação dos mantimentos tinha um significado especial. Ele foi convidado não porque tivesse experiência antártica – havia muitos outros, como Alf Cheetham ou Tom Crean, que eram muito mais experientes –, mas porque Shackleton não queria contrariá-lo. O incidente revelava um dos traços básicos de Shackleton.

Embora fosse extremamente destemido no sentido físico, Shackleton sentia um pavor quase patológico de perder o controle da situação. Em parte, essa atitude se devia a um extremado senso de responsabilidade. Achava que tinha sido ele quem metera os homens naquela situação e que assim cabia a ele a responsabilidade de tirá-los dela. Por isso, permanecia extremamente atento aos criadores de problemas em potencial, que poderiam afetar a unidade do grupo. Shackleton achava que, se surgisse um desentendimento, a totalidade do grupo não conseguiria produzir aquela quantidade adicional de energia que poderia representar, num momento de crise, a diferença entre a sobrevivência e o fracasso. Assim, estava disposto a ir praticamente a qualquer extremo para manter o grupo unido e sob seu controle.

Embora Hurley fosse um fotógrafo competente e excelente trabalhador, também era o tipo de homem que reagia melhor quando era adulado, que precisava frequentemente ser lisonjeado e tratado como uma pessoa importante. Shackleton sentia essa necessidade – pode até tê-la superestimado – e temia que, a menos que atendesse a ela, Hurley pudesse sentir-se maltratado, passando possivelmente a espalhar o descontentamento entre os demais.

Assim, Shackleton costumava pedir muitas vezes a opinião de Hurley, e sempre tomava o cuidado de elogiá-lo por seu trabalho. Também alojou Hurley na mesma barraca em que ficara, o que atendia ao esnobismo de Hurley e também minimizava as oportunidades que teria de reunir em torno de si outros descontentes em potencial.

Vários outros arranjos na distribuição dos homens pelas barracas foram feitos com a preocupação de evitar problemas. Shackleton dividia a barraca nº 1 com Hudson, o navegador, e James, o físico, além de Hurley. Embora nenhum desses homens fosse de modo algum um criador de casos, Shackleton parecia temer que eles pudessem provocar atrito se ficassem em contato muito próximo com os outros por longo tempo.

Hudson era como sempre tinha sido, um pouco tapado e um tanto irritante. Suas tentativas de fazer humor eram quase sempre mais bobas que engraçadas, porque lhe faltava percepção. Era um jovem elegante, um tanto impressionado por sua própria boa aparência, mas na verdade não muito seguro de si mesmo. Devido a essa insegurança fundamental, era muito egocêntrico e não costumava escutar o que os outros diziam. Quase sempre interrompia as conversas para injetar alguma afirmação a respeito de si mesmo – embora o que ele dissesse poucas vezes tivesse qualquer relação com o assunto em pauta. E esse egocentrismo tornava difícil para ele perceber quando estava sendo vítima de alguma zombaria, como no caso da famosa brincadeira à qual se devia o seu apelido, Buda. Estranhamente, parecia ficar satisfeito quando se divertiam à sua custa – pelo menos isso lhe dava a oportunidade de ocupar o centro do palco. Shackleton não gostava muito de Hudson, mas preferia suportá-lo a obrigar outros membros da expedição ao convívio com ele.

Quanto a James, ele provavelmente nunca deveria ter se juntado à expedição. Possuía experiência acadêmica e tivera uma educação bastante protegida. Era um erudito, um cientista extremamente capaz e dedicado, mas em questões de ordem prática era muito desajeitado e demonstrava certa má vontade. O lado aventuroso da expedição, que era o seu apelo principal para a maioria dos outros membros, interessava muito pouco a James. Em personalidade, ele era mais ou menos a antítese de Shackleton. Tanto para o bem do próprio James como por qualquer outra razão, Shackleton determinou que dormisse em sua barraca.

McNeish também dormia na barraca nº 2, aos cuidados de Wild, por razões de cálculo. Na qualidade de carpinteiro naval, McNeish era um mestre de seu ofício. Nunca foi visto usando uma régua. Simplesmente examinava por algum tempo o trabalho a ser feito, depois começava a trabalhar, serrando as tábuas necessárias – que sempre saíam do tamanho exato.

No entanto, McNeish, embora fosse fisicamente um gigante, proporcionalmente muito forte, tinha 56 anos de idade – mais que o dobro da idade média dos outros membros da expedição – e sofria de hemorroidas. Também sentia muitas saudades da família, quase desde o primeiro dia da viagem. Na verdade, ninguém nunca entendeu muito bem por que razão McNeish se juntara à expedição. Qualquer que fosse a razão, McNeish tendia a ser rabugento. E, devido à sua longa experiência de marinheiro, acreditava que era uma espécie de "advogado marítimo", versado nos direitos dos tripulantes. No fim das contas, Shackleton achava que valia a pena manter McNeish sob observação constante e instruiu Wild nesse sentido.

Mas até mesmo o velho teimoso McNeish estava feliz durante a tempestade de neve que soprava do sudoeste no dia 6 de novembro. Embora aprisionasse os homens em suas barracas, tornando as condições de vida terríveis, estavam convencidos de que ela os estava empurrando bastante para o norte. "Todos queremos que dure um mês inteiro", escreveu McNeish.

A tempestade durou 48 horas, e quando o tempo clareou Worsley conseguiu assestar o sextante, constatando que haviam sido empurrados 25 quilômetros para noroeste – um avanço altamente satisfatório.

Naquela tarde, Shackleton voltou até o navio acompanhado de um pequeno grupo e três trenós puxados por cães para continuar as operações de resgate. Mas o *Endurance* afundara mais 45 centímetros e estava mais ou menos no mesmo nível da superfície do gelo. Não era possível recuperar mais nada. Pouco antes de partir, o grupo detonou uma bomba de fumaça como uma saudação de despedida ao *Endurance*.

No dia seguinte, os homens começaram a construir uma torre de observação com restos de mastros e tábuas que haviam trazido do navio. E McNeish começou a fabricar um trenó melhor para a baleeira, usando parte do revestimento fortíssimo de madeira de coração-verde que antes protegia os costados do *Endurance* do atrito com o gelo.

Os dias já haviam ficado consideravelmente mais longos que as noites. O sol agora se punha às nove da noite e nascia novamente em torno das três da manhã; à noite havia luz bastante para ler ou jogar cartas. Frequentemente, Hussey levava o banjo para a barraca-refeitório, onde a chama do fogão de gordura de foca aquecia seus dedos o suficiente para tocar, e havia sempre muitos cantores dispostos. Os sete homens sob os cuidados de Worsley na barraca nº 5 decidiram instituir a prática de ler em voz alta toda noite. Clark foi o primeiro, e escolheu um livro inapropriadamente intitulado *Ciência numa espreguiçadeira*. Clark e sete ouvintes ficavam deitados bem perto uns dos outros para se aquecer, dispostos num círculo dentro da barraca, com os pés enfiados sob uma pilha de sacos de dormir para gerar um pouco de calor coletivo. Quando chegou a vez de Greenstreet, ele decidiu ler *Marmion*, de Sir Walter Scott. E Macklin anotou em seu diário: "Devo confessar que considero sua leitura um excelente soporífero."

Sustentando o otimismo e o moral alto de todo o grupo havia uma convicção profunda de que a situação em que se encontravam era apenas temporária. As coisas certamente melhorariam depois de algum tempo. O verão estava chegando. Tinham certeza de que a deriva do banco de gelo, que até então vinha num ritmo lento, ficaria mais rápida. Mesmo que isso não acontecesse, o clima do verão derreteria o gelo, e eles poderiam zarpar nos barcos.

No dia 12 de novembro, quatro dias depois do fim da nevasca, o vento virou para o norte e subitamente pareceu que o verão havia chegado. O termômetro subiu para uma temperatura recorde de dois graus positivos, e vários homens tiraram os casacos e as camisas para se dar ao luxo de lavar o torso com neve.

Por outro lado, contudo, a onda de calor piorou muito as condições de vida. Durante o dia fazia calor demais nas barracas – Shackleton chegou a registrar certa vez uma temperatura de 28 graus em sua barraca. Worsley afirmava que era realmente capaz de ver a neve transformando-se em água. A superfície da banquisa se reduziu a um lodaçal de neve derretida e gelo desfeito. Caminhar era arriscado, porque o gelo poroso às vezes cedia inesperadamente, fazendo os homens mergulharem em buracos cheios de água até os joelhos, ou mesmo até a cintura. Arrastar as pesadas focas abatidas nos trenós até o acampamento era o pior de tudo. Os condutores do trenó geralmente chegavam de volta completamente encharcados.

Mas a vida tinha as suas compensações. Orde-Lees, o almoxarife extremamente avarento da expedição, apelidado pelos homens de "Coronel", "Velha Senhora", "Ladrão de Comida", "Homem de Ação" e uma imensa variedade de outros apelidos depreciativos, decidiu transferir-se por um tempo da barraca nº 5 no dia 12 de novembro.

Worsley, com uma incontida satisfação sarcástica, descreveu a reação geral em seu diário:

À noite ouve-se o som desolador de soluços amargos e terríveis lamentações elevando-se da barraca nº 5 devido à partida de seu amado "Coronel", que decidiu passar uma temporada dormindo no depósito, na velha casa do leme. Ainda assim, ele concordou em ceder a nossas súplicas insistentes no sentido de que continuasse a fazer as refeições conosco e a nos consolar com a certeza de que logo há de voltar para nosso Lar Humilde mas Feliz, assim que começarem os preparativos para a nossa partida.

De todos os membros da expedição, Orde-Lees era sem dúvida o mais estranho. E provavelmente também o mais forte fisicamente. Antes de entrar para a expedição, fora instrutor de educação física do Corpo de Fuzileiros Navais de Sua Majestade e poderia derrotar facilmente qualquer dos outros 27 homens em combate desarmado. Ainda assim, apesar de toda a perseguição que lhe moviam seus companheiros de tripulação, Orde-Lees nunca entrou numa briga. Geralmente respondia, num tom de voz magoado: "Ora, você não devia dizer coisas assim."

De qualquer modo, ele era tudo, menos covarde. Na verdade, era quase temerário, pelos riscos que costumava correr. Na caça às focas, costumava atravessar em alta velocidade trechos de mar aberto, saltando de bloco de gelo em bloco de gelo, enquanto baleias assassinas rondavam à sua volta. Certo dia, durante a parte mais escura do inverno, quando o *Endurance* ainda estava bloqueado pelo gelo, encontrou uma bicicleta no porão do navio e saiu para dar um passeio pelas banquisas congeladas. Ao cabo de duas horas, numa temperatura perigosamente baixa, um grupo de busca teve que sair para encontrá-lo. Quando foi trazido de volta ao navio, Shackleton ordenou que dali por diante ele nunca mais saísse sem estar acompanhado por outro homem, e instruiu Worsley para manter Orde-Lees sob vigilância.

Orde-Lees tinha uma personalidade enigmática e infantil. Era fundamentalmente preguiçoso, exceto para atividades como andar de esqui, que lhe davam prazer. No entanto, não sentia nenhuma vergonha de sua preguiça e não fazia o menor esforço para disfarçá-la. Até mesmo nas circunstâncias mais desesperadas, quando outros homens estavam a ponto de desmaiar de exaustão, ele parecia se furtar abertamente ao seu dever. Talvez fosse apenas sua fraqueza que o tornava tolerável para os outros.

Como almoxarife, porém, ele era excelente, pelo menos nessas circunstâncias de escassez. Sofria um medo mórbido de morrer de fome e por isso era o mais avarento possível com os suprimentos da expedição. Chegou a ser repreendido várias vezes por Shackleton por entregar uma quantidade insuficiente de comida aos homens.

Costumava antagonizar seus companheiros de barraca o tempo todo. Frequentemente, quando era sua vez de trazer a panela de comida da cozinha até a barraca, distraía-se no meio do caminho, de modo que a comida esfriava antes de chegar. Não havia súplicas, maldições ou ameaças que o fizessem mudar seu comportamento. Economizava tudo, e sua coleção de bugigangas ocupava muito mais espaço do que tinha direito de utilizar.

Com Shackleton, porém, ele era obsequioso – uma atitude que Shackleton detestava porque, como quase todo mundo, tinha intensa antipatia por Orde-Lees e certa vez chegou a dizer-lhe isso. Caracteristicamente, Orde-Lees registrou devidamente o incidente em seu diário, escrevendo na terceira pessoa como se tivesse sido apenas um espectador da conversa.

Contudo, por mais que possuísse características de personalidade desagradáveis, Orde-Lees parecia ser incapaz de maldade. A maioria dos homens achava que era um idiota, de modo que nos momentos em que era mais irritante também caía no ridículo.

Shackleton, que vinha estudando possíveis caminhos de fuga, anunciou no dia 13 de novembro que havia traçado um plano.

Até então, todas as aparências indicavam que a deriva da banquisa onde se encontravam os estava levando diretamente para a ilha de Snow Hill, cerca de 450 quilômetros a noroeste. Ficava ao largo da costa da península de Palmer e estava provavelmente ligada à península pelo gelo. Se o banco de gelo se desfizesse o suficiente para permitir que lançassem os barcos a tempo, poderiam desembarcar lá. Estariam então em condições de viajar por terra cerca de 240 quilômetros até a costa oeste da península de Palmer, podendo chegar depois à baía Wilhelmina, frequente porto de escala de navios baleeiros durante o verão. Depois de fazerem contato com os baleeiros, seu salvamento estaria praticamente assegurado.

Shackleton planejava mandar um grupo de quatro homens para fazer a travessia por terra, cruzando as geleiras de 1.500 metros de altura da península de Palmer, enquanto o resto do grupo ficaria esperando o navio de resgate na ilha de Snow Hill.

Não havia a menor certeza de que esse plano poderia ser executado, mas até mesmo a mais remota das possibilidades precisava ser levada em consideração e explorada ao máximo. Hurley pôs-se a trabalhar limando parafusos e fixando-os como cravos nas solas de quatro pares de botas, para o caso de os homens necessitarem escalar as geleiras. O próprio Shackleton se debruçou sobre todos os mapas disponíveis da região, escolhendo o melhor caminho.

Naquela noite, como que para sublinhar a precariedade de sua situação, um barulho semelhante ao de um trovão distante e abafado ribombou, reverberando ao longo de todo o banco de gelo. Uma nova onda de pressão havia começado, e a 3 mil metros de distância viram o gelo voltar a atacar o navio. Por volta das nove horas da noite ouviram o som de um estalo violento e, apurando a vista, conseguiram ver o mastro de proa desabando no gelo, levando com ele a bandeira azul.

4

Embora a banquisa onde estavam acampados tivesse permanecido inteira depois de toda a pressão, Shackleton, que não queria que um sentimento infundado de segurança se desenvolvesse entre os homens, emitiu no dia 15 de novembro uma Escala de Postos de Emergência. Por mais improvável que parecesse escaparem no caso de haver ruptura da banquisa, cada homem foi encarregado de uma tarefa específica na eventualidade de o grupo ter que levantar acampamento às pressas. Se tomassem um caminho por sobre o gelo, os condutores dos trenós atrelariam suas juntas com a máxima velocidade, enquanto os outros homens reuniriam as provisões e os equipamentos, desarmariam as barracas e se dirigiriam para os trenós. Ou se, como esperavam, conseguissem sair por mar, deveriam preparar os barcos.

Mas era impossível evitar certa complacência à medida que os homens se acostumavam cada vez mais com a rotina bem definida da vida do acampamento. A fileira de barracas verde-claras havia se tornado tão familiar quanto fora o navio. Duas das barracas eram do tipo convencional, com um mastro de bambu no meio. As outras – as barracas "armadas" desenhadas por Marston para a expedição – operavam de acordo com o mesmo princípio das capotas móveis de proteção contra o sol dos carrinhos de bebê e podiam ser levantadas ou desarmadas em questão de segundos. Sua capacidade de resistir às temperaturas, porém, era inferior à das barracas da variedade comum.

Os dias no acampamento começavam às seis e meia da manhã, quando o sentinela da noite pegava uma colher de sopa de gasolina em um tambor na barraca da cozinha e a derramava num pequeno prato de ferro no fundo do fogão. Depois ateava fogo à gasolina e esta, por sua vez, acendia as tiras de gordura de foca dispostas em grelhas acima do prato. Hurley fabricara o fogão a partir de um velho tambor de óleo e de um cinzeiro de ferro fundido tirados do navio.

O fogão ficava no centro da cozinha, que era pouco mais que um quebra-vento improvisado, construída com vergas cravadas no gelo sobre as quais se esticaram pedaços de vela amarrados no lugar. A cozinha também servia de biblioteca, e era lá que ficavam guardados os poucos livros que haviam sido resgatados do *Endurance*, em caixotes de compensado. Além disso, havia um cronômetro pendurado num poste e um espelho em outro.

Assim que o fogão começava a arder, o sentinela da noite acordava Green para que ele começasse a preparar o desjejum. Às sete horas, os homens começavam a emergir de suas barracas para aliviar-se por trás de protuberâncias próximas. Muitos carregavam escovas de dentes surradas, e no caminho de volta paravam para escovar os dentes com neve. Aqueles que tinham sono mais pesado e ainda não haviam despertado às sete e quarenta e cinco eram acordados pelo sentinela da noite, que percorria as barracas. Os homens enrolavam seus sacos de dormir e sentavam-se neles para esperar o desjejum – às vezes bifes de carne de foca, às vezes peixe enlatado, às vezes mingau de aveia ou *pemmican*, uma espécie de paçoca feita de carne-seca socada com gordura, geralmente misturada com açúcar e frutas secas, acompanhado de chá.

Depois do desjejum, os homens se dedicavam às suas tarefas costumeiras. Green passava a manhã fazendo *bannocks*, bolinhos fritos de farinha misturados às vezes com carne, ou lentilhas, ou qualquer outra coisa que lhes desse sabor. E sempre era preciso derreter gelo para conseguir água.

O velho Chippy McNeish, geralmente auxiliado por McLeod, How e Bakewell, passou aqueles dias aumentando os costados da baleeira e de um dos escaleres para torná-los mais preparados para a travessia de trechos de alto-mar. No entanto, seu trabalho era dificultado pela escassez tanto de ferramentas quanto de materiais. Só haviam conseguido recuperar do navio um serrote, um martelo, um formão e uma plaina. E McNeish obtivera os poucos pregos que tinha retirando-os um por um da superestrutura do *Endurance*.

Hurley também estava ocupado em preparativos para a viagem de barco. Além de excelente fotógrafo, era um habilidoso funileiro, e dedicou-se a fabricar uma bomba de sucção primitiva com um pedaço de tubo tirado da bitácula da bússola do navio.

O resto do grupo passava o tempo caçando. A maioria dos homens saía em pares para procurar focas, enquanto os condutores dos trenós exercitavam seus cães na banquisa. Muitas vezes, enquanto adestravam os cães, viam à distância um dos grupos de caçadores agitando uma bandeira – o sinal de que haviam abatido uma foca. Então, um dos trenós se aproximava para ajudá-los a transportar a carcaça.

Matar as focas era geralmente uma tarefa sangrenta. Wild trouxera do navio um revólver, uma espingarda calibre 12 e uma carabina calibre 33, mas a munição era limitada. Assim, os homens procuravam matar as focas à mão sempre que isso era possível. Para tanto, precisavam se aproximar cuidadosamente do animal e depois golpeá-lo no focinho com um esqui ou um remo partido, cortando em seguida sua jugular para fazê-lo sangrar até a morte. Às vezes, o sangue era recolhido para ser dado aos cães, mas na maioria das vezes se espalhava, embebendo a neve. Outra técnica consistia em rachar o crânio da foca com uma picareta. Mas os dois médicos combatiam essa prática, porque impossibilitava o aproveitamento dos miolos, uma parte que valorizavam muito como alimento, porque acreditavam que continha um alto teor de vitaminas.

No início, alguns homens, particularmente o pequeno Louis Rickenson, maquinista-chefe, protestaram contra esse método aparentemente sanguinário de caça. Mas o protesto durou pouco. O desejo de sobreviver logo dissipou qualquer hesitação em relação aos meios empregados na obtenção de alimento.

Depois do almoço, que geralmente consistia em um ou dois *bannocks* para cada pessoa, com um pouco de geleia e chá, os homens trabalhavam reforçando os arneses dos trenós, empacotando equipamentos ou ajudando na reforma dos barcos. Os cães eram alimentados às cinco da tarde, em meio a um incrível alarido de latidos e rosnados, e o jantar dos homens era servido às cinco e meia – quase sempre ensopado de foca, um *bannock* e uma caneca de chocolate quente aguado.

À noite, as atividades variavam um pouco de barraca em barraca. Lia-se em voz alta na barraca de Worsley. Na barraca de Shackleton, a nº 1, ocupada por quatro homens, havia invariavelmente um jogo de pôquer, paciência ou bridge. Os marinheiros e foguistas que ocupavam a barraca nº 4 também jogavam cartas ou ficavam sentados "contando casos". Raramente se falava em sexo – não devido a alguma pudicícia pós-vitoriana, mas simplesmente porque esse tópico era quase totalmente incompatível com as condições de frio, umidade e fome que absorviam os pensamentos de todos quase ininterruptamente. Sempre que se falava de mulheres, era de um modo nostálgico, sentimental – da saudade que se sentia da mulher, da mãe ou da namorada que ficara na Inglaterra.

O apagar das luzes oficial – uma figura de retórica, já que agora havia quase 16 horas de claridade por dia – era às oito e trinta. Muitos homens se recolhiam para dormir mais cedo, depois de tirar as calças e os casacos, e às vezes vestir um par de meias secas. Ninguém jamais tirava a roupa de baixo. Alguns homens ainda ficavam acordados depois do toque oficial de recolher, mas procuravam conversar em voz baixa. No ar frio e cortante, qualquer som podia ser ouvido a uma distância incomum.

Às vinte e duas horas o acampamento mergulhava no silêncio, com a exceção do sentinela da noite, que vigiava as barracas e permanecia atento ao cronômetro da cozinha, que lhe diria quando chegaria ao fim seu turno de vigia, cada um dos quais durava uma hora.

Ao longo dessas três semanas desde que haviam abandonado o *Endurance*, talvez a mudança mais notável no grupo tenha sido a de sua aparência. Alguns deles já usavam barba e só ficaram um pouco mais magros. Mas os rostos que antes eram escanhoados agora estavam cobertos de pelos.

E todos os rostos estavam também enegrecidos pela fumaça de gordura. Ela se infiltrava em toda parte, se agarrava tenazmente a qualquer superfície que tocasse, e não cedia à neve e ao pouco de sabão que podia ser usado para a limpeza pessoal.

Havia duas escolas de pensamento em relação à questão da higiene pessoal. Embora banhos completos estivessem inteiramente fora de questão, alguns dos homens esfregavam o rosto com neve sempre que o tempo permitia. Outros deixavam propositadamente que a sujeira se acumulasse, com base na teoria de que isso tornaria a pele mais resistente às ulcerações provocadas pelo frio.

Em relação à alimentação, o acampamento se dividia de maneira semelhante entre os economizadores e os não economizadores. Worsley era o indivíduo que mais se destacava entre os não economizadores, que devoravam tudo que conseguiam. Orde-Lees, com seu medo obsessivo de morrer de inanição, era o principal defensor da escola de pensamento dos economizadores. Raramente comia sua ração completa durante as refeições. Sempre guardava um pedacinho de queijo ou de bolinho em algum lugar de suas roupas para ser comido mais tarde ou guardado para os dias de escassez que certamente chegariam. Era comum ele tirar do bolso, de repente, um pedaço de pão que havia guardado uma, duas ou até três semanas antes.

No entanto, não havia a menor escassez de alimento naqueles dias. A caça chegava até a ter a gentileza de se apresentar no próprio acampamento. No dia 18 de novembro, um filhote de foca desgarrado com menos de um mês de idade apareceu vagando entre as barracas. Aparentemente sua mãe fora devorada por uma baleia assassina, e embora o filhote fosse tão pequeno que praticamente não servisse para ser comido, os homens, compungidos, o mataram de qualquer maneira, já que obviamente ele não conseguiria sobreviver sozinho. No dia 19, um verdadeiro pandemônio entre os cães anunciou a presença de uma foca no acampamento – dessa vez um macho grande. Depois de várias aparições desse tipo, Worsley arriscou a teoria de que, sempre que as focas viam o acampamento, achavam que era terra, ou uma colônia, e iam logo em sua direção.

No início da manhã do dia 21 de novembro, um grupo de resgate voltou até o navio. Perceberam que as banquisas que haviam atravessado seus costados apresentavam um ligeiro movimento. Voltaram para o acampamento e, no momento em que estavam desatrelando e alimentando os cães, Shackleton saiu para observar. Estava perto do trenó de Hurley. Eram dezesseis e cinquenta. Com o canto do olho, percebeu um movimento do navio. Mais que depressa, virou-se e viu a chaminé desaparecendo atrás de uma protuberância.

"O navio está afundando!", gritou e correu para a torre de observação. Pouco depois, todos os homens saíram das barracas e procuraram pontos de onde pudessem ter uma boa visão. Observaram em silêncio. À distância, a popa do *Endurance* ergueu-se mais de cinco metros acima do gelo e, por um instante, ficou imóvel, exibindo o leme esmagado e a hélice imóvel. Depois, lenta e silenciosamente, desapareceu aos poucos sob o gelo, deixando apenas uma pequena abertura de água escura para assinalar sua posição anterior. Sessenta segundos depois, nem mais isso restava, porque o gelo tornou a se fechar. Tudo não levou mais de dez minutos.

Naquela noite, Shackleton anotou simplesmente em seu diário que o *Endurance* afundara e acrescentou: "Não consigo escrever a respeito."

Assim, estavam sós. Agora, em qualquer direção, não se avistava nada além do gelo infinito. Sua posição era 68°38 1/2' Sul, 52°28' Oeste – um lugar onde ninguém jamais estivera, e nem se podia imaginar que alguém um dia jamais pudesse desejar conhecer.

5

A perda final do *Endurance* foi um choque, porque cortou o que parecia ser o último laço que ainda ligava seus tripulantes à civilização. O navio sempre fora um símbolo, um símbolo físico, tangível, de sua ligação com o mundo exterior. O navio os levara para o outro lado do planeta, ou, como disse Worsley, "... nos levou tão longe, e tão bem, e depois travou a luta mais valorosa que um navio jamais havia travado, antes de ser vencido pelo banco de gelo implacável". Agora, o *Endurance* desaparecera.

Mas a reação era em grande parte sentimental, como a que se tem quando morre um velho amigo que agonizava há muito tempo. Havia semanas que esperavam que afundasse a qualquer momento. Quando abandonaram o navio, 25 dias antes, parecia que ia soçobrar de um minuto para o outro. De fato, foi extraordinário o *Endurance* ter continuado a flutuar por tanto tempo ainda.

Na manhã seguinte, Worsley obteve uma leitura animadora com o seu sextante, indicando que, apesar de quatro dias de vento do norte, não haviam sido impelidos de volta. O banco de gelo parecia estar sob a influência de uma corrente favorável na direção sul-norte. Hussey, porém, detectou uma mudança perturbadora no comportamento do gelo. O banco já não mostrava mais uma tendência a se abrir sob a ação dos ventos do norte. Além disso, esses ventos – que antes eram comparativamente quentes, chegando a eles depois de terem percorrido o mar aberto – agora eram quase tão frios quanto os ventos polares. Só podia haver uma razão: ao norte de onde se encontravam, até um ponto muito distante, havia extensões consideráveis de gelo – e não de mar aberto.

Ainda assim, os homens demonstravam um otimismo espantoso. A tarefa de elevar os costados da baleeira estava quase concluída, e todos estavam impressionados com o trabalho feito por McNeish. A escassez de ferramentas e a falta de materiais aparentemente não o prejudicaram nem um pouco. Para calafetar as tábuas que acrescentara, foi forçado a lançar mão de pavios de algodão para lampião e das tintas a óleo do estojo de pintura de Marston.

Naquela noite, a primeira depois do naufrágio do *Endurance*, Shackleton liberou o consumo de uma iguaria especial: pasta de peixe e biscoitos no jantar. Todos ficaram encantados.

Na verdade, esse tipo de vida tem seus atrativos [escreveu Macklin]. Li em algum lugar que um homem só precisa estar aquecido e com a barriga cheia para ser feliz, e estou começando a achar que é quase verdade. Sem preocupações, sem trens, sem cartas para responder, sem usar colarinho – mas eu não sei qual de nós deixaria de sair correndo se tivesse a oportunidade de voltar amanhã!

O bom humor de Macklin continuou no dia seguinte, quando ele e Greenstreet saíram para caçar focas. Ficaram com uma súbita vontade de passear num dos pequenos trechos de água aberta. Mas sabiam que Shackleton, que não podia concordar com riscos desnecessários, ficaria furioso se os visse, então se afastaram um pouco, até um ponto oculto por uma série de cristas produzidas pela pressão. Encontraram uma pequena banquisa estável e embarcaram, empurrando-a com bastões de esqui.

Estavam indo muito bem quando avistaram Shackleton a alguma distância, no trenó de Wild. Shackleton os viu ao mesmo tempo.

Nós dois nos sentimos [disse Greenstreet] como colegiais culpados surpreendidos roubando um pomar e imediatamente remamos de volta para a margem e desembarcamos. Continuamos a caçar focas, finalmente encontrando Shackleton quando ele voltava para o acampamento. Em vez de nos passar a descompostura que esperávamos, ele simplesmente nos deu um olhar terrível e seguiu adiante.

A aversão de Shackleton a desafiar o destino era bem conhecida. Essa atitude lhe valera o apelido de "Velho Cuidadoso" ou "Jack, o Cauteloso". Mas ninguém nunca o chamava assim pela frente. Ele era tratado simplesmente de "Chefe" – tanto pelos marinheiros quanto pelos oficiais e cientistas. Na verdade, era mais um título que um apelido. Soava agradavelmente familiar, mas ao mesmo tempo "Chefe" tinha a conotação de absoluta autoridade. Assim, era particularmente adequado e combinava perfeitamente com a aparência e o comportamento de Shackleton. Ele procurava ter certa familiaridade com os homens, e até mesmo se esforçava, insistindo em receber exatamente o mesmo tratamento, a mesma comida, as mesmas roupas. Fazia questão de demonstrar sua disposição de cumprir as tarefas comezinhas, como ir buscar a panela de comida na cozinha para levá-la para a barraca. E às vezes ficava furioso quando descobria que o cozinheiro lhe dera um tratamento preferencial só porque ele era o "Chefe".

Mas era inevitável. Ele era o chefe. Havia sempre uma barreira, certo afastamento, que o mantinha distante dos demais. Não era nada calculado; ele simplesmente era emocionalmente incapaz de esquecer – por um instante sequer – sua posição e a responsabilidade que ela acarretava. Os outros podiam descansar ou encontrar um derivativo vivendo exclusivamente no presente. Para Shackleton, não havia descanso nem fuga. A responsabilidade era inteiramente sua, e quem se aproximava dele não tinha como deixar de perceber esses seus sentimentos.

Esse distanciamento, porém, era basicamente mental – e não físico. Shackleton costumava estar sempre bastante em evidência, participando de todas as atividades dos demais membros da expedição. Na verdade, ele foi um dos primeiros a chegar quando, no dia 26 de novembro, correu a notícia de que alguém havia desencavado um baralho novo na barraca nº 5. Junto com McIlroy, passou horas ensinando os homens a jogar bridge.

E os dois instrutores dificilmente poderiam ter encontrado alunos mais entusiasmados. Em 48 horas, a popularidade do jogo atingira proporções epidêmicas. No dia 28, Greenstreet anotou que "de todas as barracas, ouve-se 'um de paus, dois de copas, dois sem trunfo, dois dobrados sem trunfo, etc.'". Os que não aderiram se viram quase relegados ao ostracismo. Certa ocasião, Rickenson e Macklin foram expulsos de sua barraca pelo grupo que se reunira para jogar e peruar o jogo.

Ao mesmo tempo, os preparativos para a "viagem para oeste" estavam chegando ao fim. Os barcos haviam sido aperfeiçoados até onde McNeish podia. Só restava batizá-los, e foi o que Shackleton fez. Decidiu que a honra deveria ir para os principais financiadores da expedição. Desse modo, a baleeira foi batizada de *James Caird;* o escaler nº 1 passou a se chamar *Dudley Docker,* e o nº 2, *Stancomb Wills*. George Marston, o desenhista da expedição, usou o que sobrara de suas tintas e pintou o respectivo nome em cada barco.

Shackleton também adotou a sugestão de Worsley de que batizassem a banquisa em que estavam instalados de "Acampamento Oceânico". Depois decidiu qual seria a escalação da tripulação de cada barco. Ele próprio ficaria no comando do *James Caird,* com Frank Wild de imediato. Worsley seria o capitão do *Dudley Docker* com Greenstreet de imediato, e "Buda" Hudson ficou encarregado do *Stancomb Wills,* tendo Tom Crean como imediato.

E assim novembro chegava ao fim. Estavam acampados no gelo havia um mês. No entanto, a despeito de todas as dificuldades e desconfortos, essas semanas de vida primitiva foram especialmente enriquecedoras. Os homens haviam sido forçados a desenvolver um grau de autonomia maior do que jamais acreditaram ser possível. Depois de passar horas cosendo um elaborado remendo nos fundilhos do único par de calças que possuía, Macklin escreveu certo dia: "Como eu era ingrato quando esses trabalhos eram feitos para mim em casa." Greenstreet se sentiu de modo muito parecido depois de ter passado dias a fio raspando e curtindo um pedaço de couro de foca para substituir a sola de suas botas. Parou no meio de sua tarefa para anotar em seu diário: "um dos melhores dias que já tivemos... é um prazer estar vivo".

De certa forma, agora eles conheciam melhor a si mesmos. No meio daquele mundo solitário de gelo e desolação, conseguiram pelo menos um tipo limitado de satisfação. Haviam sido postos à prova, e saíram-se bem.

Naturalmente, pensavam em casa, mas não sentiam uma saudade ardente da civilização apenas pelo que ela representava. Worsley escreveu em seu diário:

Acordando numa manhã bonita, sinto muita saudade do perfume de grama orvalhada e de flores das manhãs de primavera da Nova Zelândia ou da Inglaterra. Na verdade, sentimos falta apenas de poucas outras coisas oferecidas pela civilização – um bom pão com manteiga, cerveja alemã, ostras de Coromandel, torta de maçã e creme de leite do Devonshire são reminiscências agradáveis, mais que saudades.

O fato de todo o grupo ter se mantido ocupado contribuía muito para sua sensação de bem-estar. Contudo, quando chegaram ao fim do mês de novembro, simplesmente já não conseguiam encontrar muito mais coisas a fazer. Os barcos estavam prontos para partir. Fizeram um teste e constataram que estavam perfeitamente satisfatórios. Os suprimentos para a viagem haviam sido reempacotados e guardados. Os mapas da área estudados em detalhes, e todos os ventos e correntes prováveis devidamente identificados. Hurley já acabara de construir a bomba manual e decidira fabricar um fogão a gordura portátil para a viagem.

Haviam cumprido sua parte do acordo. Agora só faltava o gelo se abrir.

Mas o gelo não abria. Os dias se sucediam, idênticos, e o banco de gelo continuava substancialmente inalterado. E a deriva que seguia também não era particularmente satisfatória. Durante esse período, os ventos sopravam de sul, mas nunca eram muito fortes, de modo que o banco de gelo continuava a se deslocar para o norte à mesma velocidade ínfima, cerca de três quilômetros por dia.

Frequentemente, até mesmo a distração do adestramento das juntas de cães de trenó ficava impraticável. Muitas vezes o gelo se abria um pouco, transformando sua banquisa numa ilha cercada por mais de cinco metros de mar aberto à toda volta. Nessas ocasiões, só podiam pôr os cães para correr em volta do perímetro do acampamento. Worsley escreveu:

> Os homens e os cães se exercitam percorrendo os limites da banquisa. A distância total é de cerca de dois quilômetros e meio, mas repetir o circuito é horrivelmente monótono tanto para os cães quanto para os condutores.

De fato, a monotonia estava começando a pesar um pouco. Cada dia se sucedia ao anterior no mais perfeito anonimato. Embora tentassem invariavelmente ver o lado bom das coisas, os homens sentiam-se incapazes de combater uma sensação crescente de decepção. Macklin escreveu no dia 1º de dezembro:

> Percorremos um grau [de latitude – 60 milhas, ou cerca de 95 quilômetros] em menos de um mês. Não é tão bom quanto podia ser, mas aos poucos estamos indo para o norte, e até agora continuamos com esperanças.

No dia 7 de dezembro, McNeish raciocinava:

> Derivamos um pouco de volta, mas acho que vai ser melhor assim porque vai dar ao gelo entre nós & a terra uma chance de ir para longe, & para nós uma chance de chegar mais perto.

Desde que haviam abandonado o *Endurance*, tinham percorrido quase 130 quilômetros em linha reta praticamente no rumo norte. Mas a deriva do gelo descrevera um ligeiro arco, que agora vinha se encurvando decididamente para leste, para longe da terra. Não era ainda o bastante para deixá-los alarmados, mas o suficiente para despertar alguma preocupação.

Shackleton sofrera um forte ataque de ciática, que o mantivera confinado em sua barraca e mais ou menos desligado das coisas. Em meados do mês, porém, seu estado melhorou e ele pôde perceber que os homens estavam cada vez mais inquietos. A situação ainda não melhorara no dia 17 de dezembro, quando, depois de terem ultrapassado à deriva o paralelo 67, o vento mudou para nordeste. A observação do dia mostrou que haviam tornado a cruzar o paralelo, de volta, empurrados pela ação do vento.

Um ar de tensão, de paciência esticada além dos limites, instalou-se no acampamento naquela noite e quase não houve conversas. Muitos dos homens foram dormir logo depois do jantar. McNeish deixou escapar em seu diário uma parte de sua frustração reprimida, escolhendo como alvo a linguagem profana de seus companheiros de barraca:

Dá a impressão de que estamos em plena Ratcliff Highway [distrito da zona boêmia próxima ao cais de Londres, no século XIX] ou em algum pardieiro qualquer, pela linguagem que é usada aqui. Já estive embarcado com homens de todo tipo, tanto em veleiros como em navios a vapor, mas nunca tinha visto nada parecido com esse grupo – em que a linguagem mais porca é usada como demonstração de afeto, e, pior ainda, é plenamente aceita e tolerada.

Shackleton estava preocupado. De todos os inimigos – o frio, o gelo, o mar –, o que mais temia era a perda do moral. No dia 19 de dezembro, escreveu em seu diário: "Comecei a pensar em partir para o oeste."

A necessidade de ação era sua preocupação fundamental no dia seguinte, e à tarde anunciou qual era seu plano. Disse que na manhã seguinte ele partiria com os trenós de Wild, Hurley e Crean, para fazer um reconhecimento das regiões a oeste.

A reação foi imediata. Greenstreet escreveu:

O chefe parece estar disposto a tentar partir para o oeste, já que do modo como as coisas vão não estamos avançando. Isso vai significar viajar com pouca bagagem, levar só dois dos barcos no máximo e deixar para trás muitas provisões. Pelo que eu já pude ver, a viagem vai ser terrível, porque o gelo está num estado muito mais mole do que quando saímos do navio, e acho que é uma medida que só deveria ser tomada em último caso, e espero sinceramente que ele desista totalmente da ideia. Discutimos bastante a questão na nossa barraca...

E discutiram muito. Worsley concordava:

A minha ideia é ficar aqui – menos se a deriva ficar mais forte para leste... As vantagens de esperar um pouco mais são que a deriva vai cobrir parte da viagem sem que nós tenhamos que fazer qualquer esforço, que provavelmente vamos conseguir ficar com os três barcos e que, enquanto isso, talvez apareçam trechos de mar aberto no meio do banco de gelo.

Mas muitos outros defendiam calorosamente a decisão de Shackleton. Como escreveu Macklin:

... pessoalmente acho que nós devemos partir para o oeste com todas as forças. Sabemos que existe terra uns 300 quilômetros a oeste, e assim a borda do banco de gelo deve estar entre 200 e 250 quilômetros nessa direção... Ao ritmo atual da nossa deriva, só chegaríamos à latitude da ilha Paulet no final de março e mesmo então não poderemos ter certeza de conseguir chegar até lá. Por isso, a minha opinião é "andar com o máximo de força o máximo possível para oeste". A deriva vai nos levar para o norte, e a direção resultante vai ser noroeste, a direção que queremos... De qualquer modo, vamos ver o que eles acham amanhã.

6

O grupo de inspeção partiu às nove da manhã, e os quatro homens voltaram às três da tarde, depois de terem percorrido uma distância de pouco menos de dez quilômetros. Shackleton reuniu todos os homens às cinco e informou que "podemos avançar para oeste". Disse que eles partiriam 36 horas mais tarde, bem cedo na manhã de 23 de dezembro, e que viajariam quase sempre à noite, quando as temperaturas eram mais baixas e a superfície do gelo mais firme.

Além disso, acrescentou, já que estariam a caminho no Natal, observariam o feriado antes de partir, e todos poderiam comer quanto quisessem no jantar e no dia seguinte. De qualquer modo, teriam que deixar para trás muita comida.

Esse anúncio bastou para conquistar todos, menos os que mais se obstinavam contra o plano. A "comilança" de Natal começou imediatamente e durou quase todo o dia seguinte, com todos comendo quanto aguentassem – e "no final todos se sentindo tão inchados quanto um carrapato", observou Greenstreet.

Os homens foram despertados às três e meia da manhã seguinte e partiram uma hora mais tarde. Todos se dedicaram a puxar o trenó que sustentava o *James Caird* e conseguiram fazê-lo atravessar a extensão de mar aberto que cercava sua banquisa. Empurraram o barco até chegar a uma crista mais alta no gelo; depois, metade do grupo se dedicou ao trabalho de abrir um caminho através dela, enquanto os demais voltaram para buscar o *Dudley Docker*. O *Stancomb Wills* foi deixado para trás.

Em torno das sete da manhã haviam puxado os barcos cerca de um quilômetro e meio na direção oeste, e todos voltaram ao acampamento para o desjejum. Às nove, as juntas de cães foram atreladas aos trenós e partiram na direção dos barcos, levando todos os víveres e equipamentos que os trenós conseguiam carregar. À uma da tarde, as barracas foram armadas no novo acampamento e todos se recolheram.

A umidade era terrível. Os soalhos que os homens haviam criado para as barracas no Acampamento Oceânico haviam ficado para trás. Agora, para cobrir o gelo, só tinham lonas ou pedaços de vela do *Endurance*, que praticamente não ofereciam resistência alguma à água que cobria o gelo. Depois de algum tempo, Macklin e Worsley desistiram de tentar dormir em sua barraca e estenderam seus sacos de dormir ensopados no fundo do *Dudley Docker*. Era uma superfície bastante desconfortável para se dormir, mas pelo menos estava relativamente seca.

Shackleton convocou Worsley às sete daquela noite. Entregou-lhe uma garrafa arrolhada contendo um bilhete e o instruiu para que voltasse ao Acampamento Oceânico com o trenó de Greenstreet para deixar a garrafa.

Essencialmente, o bilhete dizia que o *Endurance* fora esmagado pelo gelo e abandonado a 69°5' Sul, 51°35' Oeste, e que os membros da Expedição Imperial Transantártica se encontravam naquele momento a 67°9' Sul, 52°25' Oeste, seguindo na direção oeste por sobre o gelo na esperança de chegarem à terra firme. A mensagem terminava: "Tudo bem." Foi datada de 23 de dezembro de 1915 e assinada por Ernest Shackleton. Worsley deixou a garrafa com a mensagem na proa do *Stancomb Wills*, no Acampamento Oceânico.

O bilhete era simplesmente uma nota para a posteridade, explicando aos que poderiam vir depois o que acontecera com Shackleton e seus homens em 1915. Shackleton evitara propositadamente deixar a garrafa antes que o grupo já tivesse saído do acampamento, por medo de que os homens pudessem encontrá-la e achar que era um sinal de que seu comandante não tinha certeza de que sobreviveriam.

Worsley voltou para o acampamento a tempo de tomar o desjejum, e recomeçaram a viagem às oito da noite. No entanto, em torno das onze, depois que já tinham percorrido quase dois quilômetros e meio, seu caminho foi interrompido por uma série de fendas largas coalhadas de pedaços de gelo partido. O grupo armou as barracas à meia-noite e se recolheu. A maioria dos homens estava encharcada – da água em que estavam deitados e de seu próprio suor. E nenhum deles tinha uma muda de roupas, só luvas e meias, de modo que foram obrigados a entrar nos sacos de dormir usando as roupas molhadas.

Shackleton saiu com um grupo de três homens na manhã seguinte bem cedo, mas não conseguiu encontrar um caminho seguro para os barcos. Todo o dia foi passado em meio à frustração, esperando para ver o que aconteceria com o gelo. Pouco depois do jantar viram o gelo começar a fechar-se, mas foi só às três da manhã seguinte que puderam voltar a avançar.

A pequena fila deplorável de caminhantes se arrastou de banquisa em banquisa à fraca meia-luz, com Shackleton na dianteira, sempre procurando o melhor caminho. Atrás dele vinham os sete trenós puxados pelos cães, mantendo uma razoável distância entre si para evitar as brigas entre os animais. Depois vinha um trenó que trazia o fogão de gordura e os equipamentos de cozinha. Era puxado por Green e Orde-Lees, cujos rostos haviam ficado negros de fuligem por passarem o dia todo tão perto do fogão. Na retaguarda da coluna, 17 homens puxavam os barcos sob o comando de Worsley.

Até mesmo às três da manhã, a hora mais fria do dia, a superfície do gelo era traiçoeira. Uma crosta se congelara por cima do gelo desfeito das banquisas e por cima dela havia uma camada de neve. A superfície tinha uma aparência enganosamente resistente, e a cada passo parecia perfeitamente capaz de aguentar o peso de um homem. Mas, no momento em que ele apoiava todo o seu peso num dos pés, a crosta cedia e ele afundava com um choque na água gelada, geralmente até o joelho, mas às vezes mais.

A maioria dos homens usava botas Burberry-Durox – botas de couro até o tornozelo, com canos de gabardine até o joelho – desenhadas para a marcha no gelo duro. Mas quando o grupo tentava abrir caminho nas banquisas ensopadas, as botas se enchiam continuamente de água. Encharcadas, cada uma pesava mais de três quilos. Era um exercício exaustivo, a cada passo, erguer um pé e depois outro para fora de buracos de mais de meio metro de profundidade cheios de neve molhada.

De todo o grupo, a situação pior era a dos homens que puxavam os barcos. O choque que sofriam a cada passo era consideravelmente agravado pelo peso que carregavam. Resistiam a esse castigo por apenas 200 a 300 metros de cada vez. Depois abandonavam o barco que estavam puxando e caminhavam lentamente até o outro. Frequentemente encontravam os esquis em que o segundo barco estava apoiado presos no gelo. A única coisa a fazer era vestir os arreios e depois, quando Worsley contava "um, dois, três... já!", puxar com toda força ao mesmo tempo três ou quatro vezes para soltar os esquis.

Às oito horas, depois de cinco horas de jornada, Shackleton ordenou que fizessem alto. Só haviam percorrido menos de um quilômetro. Depois de uma hora de descanso, continuaram a faina até o meio-dia. As barracas foram armadas e o jantar servido: bifes de foca frios e chá – e nada mais.

Na mesma noite, exatamente um ano antes, depois de um jantar festivo a bordo do *Endurance*, Greenstreet escrevera em seu diário: "Fim de mais um dia de Natal. Gostaria de saber como e em que circunstâncias vamos passar o nosso próximo Natal." Aquela noite, nem mesmo mencionou que dia era. E Shackleton fez um registro breve com tudo que realmente precisava ser dito: "Natal estranho. Pensamentos de casa."

Os homens foram despertados à meia-noite e retomaram a marcha à uma da manhã. Mas às cinco, ao cabo de quatro horas de esforço extremo, a coluna parou diante de uma fileira de altas cristas de pressão e amplos trechos de mar aberto. Enquanto o resto do grupo esperava, Shackleton saiu com Wild à procura de um caminho mais praticável. Os dois voltaram às oito e meia com notícias de que cerca de um quilômetro depois das cristas de pressão havia uma banquisa com aproximadamente quatro quilômetros de diâmetro, da qual haviam visto mais banquisas planas a NNW. Mas decidiram esperar antes de seguir adiante.

A maioria dos homens se recolheu em torno do meio-dia e dormiu profundamente no molhado até serem acordados às oito da noite. Depois do desjejum, todos seguiram o caminho que Shackleton e Wild haviam descoberto. Empenharam-se em romper através das cristas de pressão e em construir uma espécie de passarela com uns dois metros e meio de largura no topo para os barcos.

Depois, os condutores dos trenós atrelaram suas juntas enquanto os 17 puxadores dos barcos, comandados por Worsley, punham os arreios, e todos partiram, conduzidos por Shackleton. À uma e meia da manhã chegaram à beira da grande banquisa descoberta no dia anterior. O grupo parou o tempo suficiente para tomar chá e comer pedaços de bolinho, e depois recomeçou a viagem em torno das duas horas.

Ao fim de uma hora chegaram ao lado oposto da banquisa, onde encontraram uma área de altas cristas de pressão. O progresso do grupo nunca fora tão penoso, especialmente para os homens encarregados de puxar o barco. Depois de duas horas de luta haviam percorrido menos de mil metros.

Num dado momento, McNeish se rebelou contra Worsley, recusando-se a continuar. Worsley deu-lhe uma ordem direta para voltar à sua posição na traseira do trenó. McNeish recusou.

Afirmou que legalmente não tinha a menor obrigação de cumprir ordens, porque o navio naufragara, e portanto o contrato que assinara quando subiu a bordo não valia mais e ele estava livre para obedecer ou não, a seu critério. Era o "advogado marítimo" que emergia em McNeish.

Quase desde o início da caminhada, o velho carpinteiro ficara cada vez mais rabugento. Com a passagem dos dias, o trabalho pesado, combinado com o desconforto pessoal, desgastara lentamente sua atitude, que nunca fora propriamente otimista. Nos últimos dois dias vinha se queixando abertamente. Agora, simplesmente recusava-se a continuar.

Era uma situação que ultrapassava de muito a capacidade limitada de liderança de Worsley. Se ele fosse um indivíduo menos irritável, talvez tivesse sido capaz de enfrentar McNeish. Mas o próprio Worsley estava a ponto de estourar. Estava cansado até a medula e também se sentia contrariado. Cada dia de marcha intensificara sua convicção de que aquela jornada era inútil.

Assim, em vez de agir com decisão diante da teimosia de McNeish, Worsley, impulsivamente, se reportou a Shackleton, o que só serviu para agravar o ressentimento de McNeish.

Shackleton voltou às pressas da dianteira da coluna, chamou McNeish à parte e lhe disse "com energia" qual era seu dever. A afirmação de McNeish de que a perda do *Endurance* o absolvia da obrigação de cumprir ordens seria verdadeira em circunstâncias comuns. Os contratos assinados pela tripulação em geral ficam automaticamente sem efeito quando o navio afunda – e seu pagamento cessa no mesmo momento. No entanto, uma cláusula especial fora inserida nos contratos dos que embarcaram no *Endurance*, "para realizar qualquer tarefa a bordo, nos barcos ou em terra sob a direção do comandante e proprietário – Shackleton". Agora, de acordo com a definição de Shackleton, encontravam-se "em terra".

Além do aspecto legal, a posição de McNeish era absurda. Ele não podia continuar a ser membro do grupo sem responder por sua parte do trabalho. E se pretendesse fazer uma greve solitária – presumindo-se que Shackleton permitisse semelhante coisa –, estaria morto em menos de uma semana. O motim de um homem só de McNeish era simplesmente um protesto irracional, exausto, provocado por um corpo idoso e dolorido que pedia repouso. Mesmo depois da conversa com Shackleton, permaneceu obstinado. Depois de algum tempo, Shackleton se afastou para deixar o carpinteiro recuperar sozinho o seu bom senso.

Às seis da manhã, quando tornaram a partir em busca de um bom lugar para acampar, McNeish estava em sua posição na popa do trenó do barco. Mas o incidente deixou Shackleton preocupado. No caso de outros virem a se sentir de maneira semelhante, Shackleton convocou todos os homens antes que fossem dormir e leu em voz alta o contrato que haviam assinado.

Os homens dormiram até as oito da noite e estavam a caminho uma hora depois. Embora as condições do gelo parecessem ficar cada vez piores, às cinco e vinte da manhã seguinte, depois de uma parada de apenas uma hora para comer à uma, haviam percorrido quatro gratificantes quilômetros. Mas Shackleton estava incerto quanto à condição do gelo, e depois que o acampamento foi armado saiu com o trenó de Hurley para reconhecer o caminho à frente. Os dois homens chegaram a um fragmento de iceberg e subiram. A visão que tiveram do alto confirmava os medos de Shackleton. Pela distância de três quilômetros, o gelo era definitivamente intransponível – atravessado por trechos de mar aberto e juncado com restos de cristas de pressão fragmentadas. Além do mais, o gelo estava perigosamente fino. Os dois voltaram para o acampamento em torno das sete horas e Shackleton anunciou, a contragosto, que não conseguiriam avançar mais. A maioria dos homens recebeu a notícia com profundo desânimo. Não que não esperassem, mas ouvir o próprio Shackleton dizer que estavam derrotados não parecia natural – e era um tanto assustador.

Nenhum deles, porém, sentiu a derrota tão intensamente quanto o próprio Shackleton, para quem a ideia de desistir era abominável. Escreveu em seu diário naquela noite, com uma pontuação caracteristicamente peculiar:

> Recolhido mas não consigo dormir. Pensei muito sobre tudo & decidi recuar para gelo mais seguro: é a única coisa segura a fazer... Estou ansioso: Com um grupo tão grande & dois barcos em más

condições, não podemos fazer nada: Não gosto de recuar mas a prudência recomenda essa decisão: Todos trabalhando bem, menos o carpinteiro: Nunca vou me esquecer dele neste momento de cansaço e tensão.

A retirada começou às sete da noite. Voltaram cerca de 500 metros até uma banquisa relativamente sólida e armaram o acampamento. Todos foram acordados cedo na manhã seguinte. A maioria dos homens foi enviada à procura de focas, enquanto Shackleton e Hurley exploravam à procura de um caminho para nordeste e Worsley conduzia o trenó de McIlroy à procura de um caminho para o sul. Nenhum dos grupos encontrou uma opção segura.

Shackleton percebera que o gelo em torno deles vinha se partindo um pouco. Assim que voltou ao acampamento, ordenou que a bandeira de convocação geral fosse hasteada imediatamente para convocar os grupos de caçadores. Depois a expedição recomeçou a retirada, percorrendo dessa vez cerca de um quilômetro até uma banquisa muito plana e pesada. Mesmo aqui, porém, não estavam a salvo. Uma fenda cheia de neve foi descoberta no gelo na manhã seguinte, de modo que transferiram o acampamento uns 100 metros na direção do centro da banquisa, à procura de gelo razoavelmente estável. Mas não havia gelo nessas condições.

Worsley descreveu a situação:

Todas as banquisas das redondezas parecem estar saturadas pelo mar até quase a superfície, de modo que basta penetrar dois centímetros abaixo da superfície de uma banquisa de dois metros de profundidade para que a água brote quase imediatamente no buraco.

Mas o que deixava os homens mais perturbados era que estavam encurralados. Greenstreet explicou que

parece que não podemos avançar mais nem podemos voltar para o Acampamento Oceânico, porque as banquisas se desintegraram consideravelmente depois que passamos por elas.

O dia seguinte era 31 de dezembro. McNeish escreveu: "*Hogmany* [a festa escocesa do ano-novo] & bem triste, à deriva no gelo, em vez de gozar os prazeres da vida como a maioria das pessoas. Mas, como diz o ditado, é preciso que existam alguns idiotas no mundo."

James escreveu:

Véspera de ano-novo, a segunda no gelo & mais ou menos na mesma latitude. Pouca gente está passando o ano-novo de modo mais estranho...

Macklin anotou:

Último dia de 1915... amanhã começa 1916: gostaria de saber o que trará para nós. Nesse momento do ano passado previmos que a esta altura já teríamos quase acabado a travessia do continente.

Finalmente, Shackleton escreveu:

Último dia do ano velho: que o novo nos traga boa sorte, uma saída segura destes tempos ansiosos & tudo de bom para as pessoas que amamos, tão longe daqui.

PARTE III

I

Worsley batizou o lugar de "Acampamento Marca-Passo", mas não parecia um nome especialmente apropriado. Trazia implícito que só haviam parado temporariamente e que em breve estariam novamente a caminho. Mas ninguém acreditava realmente que tornariam a encetar a jornada.

Ao cabo de cinco dias de luta exaustiva, estavam subitamente desocupados. Não havia quase nada a fazer, além de pensar. E havia tempo demais para pensar.

Ao que parece, muitos deles finalmente perceberam pela primeira vez quanto a sua situação era desesperada. Mais corretamente, tomaram consciência de seu próprio despreparo, de como estavam totalmente impotentes. Até a marcha que os trouxera do Acampamento Oceânico, haviam cultivado inconscientemente a atitude que Shackleton se esforçava incessantemente para manter, uma fé básica em si mesmos – na capacidade que tinham de, caso fosse necessário, aplicar sua força e sua determinação para vencer qualquer obstáculo e, de alguma forma, vencê-lo.

Mas depois houvera a caminhada, uma jornada que deveria levá-los a percorrer cerca de 300 quilômetros. No entanto, ao fim de apenas cinco dias e de escassos 15 quilômetros em linha reta na direção noroeste, não tinham mais como avançar e foram até forçados a recuar. Um vento forte poderia tê-los feito percorrer facilmente a mesma distância em 24 horas. Assim, agora estavam parados no Acampamento Marca-Passo, desiludidos e humildemente convencidos de como na verdade eram meros pigmeus diante das forças com que se defrontavam, por mais força e determinação que mobilizassem. Essa constatação, além de humilhante, era assustadora.

Sua meta ainda era escapar, mas agora não sabiam como fazê-lo. Jamais escapariam. Só se o gelo decidisse permitir que escapassem. Por enquanto, porém, estavam reduzidos a uma total impotência; não havia meta nem mesmo um pequeno objetivo que pudessem pretender atingir. Estavam diante de uma incerteza total. O certo é que sua posição era decididamente pior do que já fora. Haviam abandonado uma quantidade considerável de provisões, além de um dos barcos. E, embora a banquisa em que estavam acampados fosse adequada, não se comparava à banquisa gigante do Acampamento Oceânico.

"Começamos a atravessar um tempo de ansiedade", escreveu Macklin no dia do ano-novo, "porque até agora não vimos nenhum sinal de abertura na banquisa, e o gelo quebrado e misturado com água e neve é inavegável pelos nossos barcos. Se não conseguirmos sair daqui bem depressa, nossa posição vai ficar bem séria, porque, se for o caso de viajarmos no outono para a ilha Paulet de trenó, onde vamos arranjar comida para os cães e comida para nós se por acaso não encontrarmos o depósito de víveres da ilha? As focas vão ter desaparecido para passar o inverno, e pode ser que tenhamos de passar por algumas dificuldades de Greely."*

Muitos deles faziam um esforço sincero para demonstrar otimismo, mas sem muito sucesso. Havia poucas razões para otimismo. A temperatura permanecia em torno do ponto de congelamento, de modo que durante o dia a superfície das banquisas se transformava num verdadeiro lodaçal. Eram obrigados a andar enfiando as pernas até os joelhos na mistura de água com neve e gelo, e muitas vezes os homens afundavam até a cintura num buraco invisível. Assim, suas roupas estavam permanentemente encharcadas, e seu único consolo era enfiar-se na umidade comparativamente suportável de seus sacos de dormir a cada noite.

A situação dos suprimentos também estava longe de ser tranquilizadora. Restavam apenas provisões plenas para 50 dias a um quilo por pessoa – e já ficara muito para trás o tempo em que consideravam essa reserva amplamente suficiente para garantir sua retirada do banco de gelo. Podiam contar com a suplementação de seus mantimentos com focas e pinguins, mas havia uma quantidade decepcionante de caça disponível – nada de parecido com o que esperavam para essa época do

---

* O explorador americano Adolphous Greely passou os anos de 1881 a 1884 no Ártico. Dezessete de seus 24 homens morreram de fome quando o navio de resgate não conseguiu chegar até onde estavam.

ano. No dia 1º de janeiro, porém, o ano-novo aparentemente trouxe uma mudança de sorte. Mataram e levaram para o acampamento cinco focas e um pinguim-imperador.

Ao voltar de uma expedição de caça, Orde-Lees, andando de esqui pela superfície desfeita do gelo, estava quase chegando ao acampamento quando uma cabeça ameaçadora e arredondada saiu da água bem à sua frente. Orde-Lees virou-se e fugiu, usando seus bastões de esquiador com toda a força e gritando para Wild trazer a carabina.

O animal – um leopardo-marinho – saiu da água e partiu em seu encalço, saltando sobre o gelo com o balanço peculiar de cavalo de brinquedo das focas em terra firme. Parecia um pequeno dinossauro, com um pescoço longo que lembrava uma serpente.

Com meia dúzia de saltos, o leopardo-marinho havia quase alcançado Orde-Lees quando inexplicavelmente deu meia-volta e tornou a mergulhar na água. Àquela altura, Orde-Lees já tinha quase alcançado o lado oposto da banquisa; estava chegando a uma superfície segura de gelo quando a cabeça do leopardo-marinho tornou a emergir subitamente da água, bem à sua frente. O animal vinha seguindo sua sombra no gelo. Deu um bote selvagem tentando atingir Orde-Lees com a boca aberta, revelando uma enorme quantidade de dentes afiados. Os gritos de Orde-Lees por socorro se transformaram em berros, enquanto ele se virava e fugia às pressas de seu atacante.

O animal tornou a saltar para fora da água, partindo atrás de sua presa, quando Wild chegou com a carabina. O leopardo-marinho viu Wild e virou-se para atacá-lo. Wild apoiou-se num joelho e atirou várias vezes no animal que se lançava sobre ele. Estava a menos de dez metros quando finalmente caiu.

Foram necessárias duas juntas de cães para trazer a carcaça para o acampamento. Media mais de três metros e meio de comprimento, e avaliaram que pesava 500 quilos. Era uma espécie predadora de foca, e só lembrava um leopardo por seu pelo manchado – e por sua disposição. Quando foi esquartejado, bolas de pelo de cinco e oito centímetros de diâmetro foram encontradas em seu estômago – restos de focas que devorara. O maxilar do leopardo-marinho, com mais de 20 centímetros de largura, foi dado a Orde-Lees como lembrança de seu encontro.

Naquela noite, em seu diário, Worsley observou: "Um homem desarmado a pé na neve macia e funda não teria qualquer possibilidade contra um animal desses, já que são capazes de se deslocar aos saltos, com um movimento ondulante, a uns dez quilômetros por hora. Atacam sem ser provocados, vendo o homem do mesmo modo como veem pinguins ou focas."

Os grupos de caçadores continuaram a operar no dia seguinte, embora o tempo relativamente quente e abafado mantivesse a superfície do gelo em estado pastoso. Quatro focas foram capturadas e levadas para o acampamento. Enquanto eram carneadas, Orde-Lees chegou de uma expedição em esquis e anunciou que havia encontrado e abatido outras três. Mas Shackleton respondeu que o grupo já tinha suprimentos para um mês e mandou que as focas abatidas fossem deixadas onde estavam.

Muitos homens achavam difícil compreender a atitude de Shackleton. Greenstreet escreveu que achava

> bastante errado... já que as coisas aconteceram de um modo bem diferente do que ele previu até agora e é bem melhor estarmos preparados para a possibilidade de termos de passar o inverno aqui.

Greenstreet tinha razão. Como a maioria dos outros, achava que a armazenagem de toda a carne possível era a coisa mais prudente a fazer, como pensaria qualquer pessoa comum. Mas Shackleton não era uma pessoa comum. Era um homem que acreditava completamente em sua própria invencibilidade e para quem a derrota refletiria sua incompetência pessoal. O que poderia ser um ato razoável de cautela para uma pessoa comum era para Shackleton uma detestável confissão de que o fracasso era uma possibilidade.

Essa autoconfiança inabalável de Shackleton tomava a forma de otimismo. E funcionava de duas maneiras: inflamava as almas de seus homens; como dizia Macklin, simplesmente estar em sua presença era uma experiência. Era isso que fazia de Shackleton um grande líder.

Ao mesmo tempo, porém, o egoísmo básico que dava origem a essa enorme confiança em si mesmo ocasionalmente o impedia de ver a realidade. Ele esperava tacitamente que os homens que o cercavam refletissem seu extremo otimismo e era capaz de ser quase petulante se eles não o fizessem. Essa atitude, achava ele, punha em dúvida a ele e à sua capacidade de levá-los de volta à segurança.

Assim, a mera sugestão de trazer a carne das três focas podia ser vista por Shackleton como um ato de deslealdade. Em outra ocasião, talvez ignorasse o incidente. Mas ele estava com uma sensibilidade extremada. Tudo que ele empreendera – a expedição, a salvação do *Endurance* e duas tentativas de caminhar até terra firme – fracassara miseravelmente. Além disso, as vidas de 27 outros homens estavam em suas mãos.

Estou muito cansado [escreveu certo dia]. Acho que é a tensão. [Depois], estou ansioso para descansar, livre de pensamentos.

As coisas não melhoraram nos dias seguintes. O tempo estava cada vez pior, o que parecia impossível. Durante o dia, as temperaturas chegavam a três graus positivos, com longos períodos de queda de neve úmida, misturada com chuva, "um típico chuvisco escocês", como dizia Worsley. Não havia praticamente nada a fazer, exceto ficarem deitados nas barracas, tentando dormir, jogando cartas – ou simplesmente pensando na fome que sentiam.

Apareceu um *skua*, uma espécie de gaivota [escreveu Macklin]. Ele se instalou em nosso depósito de lixo – vísceras de foca, etc. – e se fartou até não poder mais – gaivota de sorte.

James, na barraca de Shackleton: "estudei um pouco de física tentando lembrar parte dos meus estudos teóricos", mas logo se cansou. Os ocupantes da barraca de Wild precisaram mudar os sacos de dormir de posição, porque o calor de seus corpos estava derretendo a neve, roubando-lhes o derradeiro conforto que representava um lugar seco para dormir. Até mesmo o banjo de Hussey perdeu o encanto para alguns. McNeish queixou-se: "Hussey está nos atormentando com as seis músicas que sabe tocar no banjo."

Shackleton anotou no dia 9 de janeiro: "Estou ficando preocupado com todo o grupo." E com razão. Fazia quase um mês que não havia ventos mais fortes que simples brisas, e mesmo assim vindas do norte. E durante a semana anterior haviam abatido apenas duas focas. Assim, estavam praticamente parados, enquanto suas reservas de carne se tornavam cada vez mais escassas. A avaliação de Shackleton, segundo a qual elas durariam um mês, demonstrou ter sido bastante exagerada. Ao final de apenas dez dias no Acampamento Marca-Passo, a tensão começou a se manifestar. Greenstreet escreveu:

A monotonia da vida aqui está dando nos nervos. Nada a fazer, nenhum lugar para ir, nenhuma mudança de paisagem, na comida ou em nada. Que Deus nos mande logo mar aberto, ou vamos todos ficar malucos.

Então, no dia 13 de janeiro, correu o boato de que Shackleton estaria pensando em mandar sacrificar os cães para diminuir o consumo de alimentos. Entre os homens, as reações variaram da simples resignação ao choque ultrajado. Debates tempestuosos sobre o valor dos cães em comparação com a comida que consumiam irromperam àquela noite em todas as barracas. Mas o fator fundamental subjacente a essas discussões era que, para muitos deles, os cães eram mais que força de tração a ser usada em suas viagens; havia uma ligação emocional profunda. Era a necessidade humana básica de amar alguma coisa, o desejo de exprimir alguma ternura naquele lugar desolado. Embora os cães fossem animais maldosos, traiçoeiros uns com os outros, sua devoção e sua lealdade para com os homens estavam acima de dúvidas. E os homens correspondiam com um afeto que ultrapassava de muito o que sentiriam em circunstâncias comuns.

Diante da ideia de perder Grus, um cãozinho nascido um ano antes a bordo do *Endurance*, Macklin refletiu:

Ele é um cãozinho ótimo, trabalhador e de boa índole. E também crio, alimento e treino esse cãozinho desde que ele nasceu. Lembro de ter levado Grus para passear quando era filhotinho em meu bolso, deixando de fora só o focinho que ia ficando coberto de gelo. Eu costumava levar Grus comigo quando conduzia o trenó, e ainda bem novinho ele se interessava muito pelo comportamento dos cães.

Mesmo em circunstâncias melhores, já seria uma notícia perturbadora. Nas circunstâncias presentes, porém, ela foi amplificada no espírito de alguns homens quase ao ponto da catástrofe. Em sua amargura, alguns, como Greenstreet, inclinavam-se a pôr a culpa em Shackleton – com alguma razão:

> ... a atual escassez de comida [escreveu Greenstreet] se deve simples e somente à recusa do chefe em trazer focas que já estavam abatidas para o acampamento, recusando-se até mesmo a deixar Orde-Lees ir buscá-las... Seu otimismo sublime chega ao ponto de ser na minha opinião uma absoluta idiotice. Tudo sempre ia dar certo, e não se levava em conta a possibilidade de as coisas acontecerem de outro modo, e por isso estamos aqui.

Shackleton não falou nada quanto a sacrificar cães na manhã seguinte. Em vez disso, mandou que os homens transferissem o acampamento, porque a banquisa onde se encontravam vinha se derretendo a um ritmo preocupante. A fuligem produzida pelo fogão de gordura se espalhara por toda a superfície do gelo e vinha retendo o calor do sol. Ao meio-dia, os homens começaram a construir um caminho feito de neve e blocos de gelo para servir de ponte por sobre a fenda que os separava de uma outra banquisa que ficava cerca de 150 metros a sudeste. A mudança acabou à tarde. Batizaram sua nova localização de "Acampamento Paciência".

Depois, numa voz baixa, inalterada, Shackleton ordenou que Wild abatesse a tiros os cães de sua junta, bem como os de McIlroy, Marston e Crean.

Não houve nenhum protesto nem discussão. Os quatro condutores atrelaram obedientes seus cães e os levaram a cerca de 500 metros do acampamento. Depois, voltaram sozinhos, com a exceção de McIlroy, ele e Macklin iam ajudar Wild.

Cada cão era retirado por sua vez de seus arreios e levado atrás de uma barreira de grandes montículos de gelo. Lá, Wild fazia o animal sentar-se na neve, segurava o focinho com a mão esquerda e aproximava o cano de seu revólver da cabeça do cão. A morte era instantânea.

Depois que cada cão era abatido, Macklin e McIlroy arrastavam seu corpo alguns metros e voltavam para as juntas que os esperavam para buscar outro. Nenhum dos cães parecia perceber o que estava acontecendo, e todos seguiram os homens sem suspeitar de nada para trás dos montículos de gelo, ao encontro da morte, com a cauda abanando. Quando acabaram, os três homens cobriram de neve a pilha de corpos de cães e voltaram para o acampamento andando lentamente.

Shackleton decidiu poupar a junta de cãezinhos de um ano de Greenstreet "por enquanto" e também concedeu uma trégua de um dia às juntas de Hurley e Macklin, para que pudessem ser usadas em uma viagem de volta ao Acampamento Oceânico, a fim de buscar parte da comida que fora deixada lá.

Os dois trenós foram preparados, e Hurley e Macklin partiram às seis e meia daquela noite. Foi uma viagem exaustiva, com quase dez horas de duração, porque precisavam viajar quase o tempo todo sobre neve macia e profunda e gelo partido, e os cães afundavam até a barriga.

Como escreveu mais tarde Macklin:

O caminho era tão ruim que eles não aguentavam meu peso, e eu tinha que descer e ir chapinhando ao lado dos trenós. Os cães também caíam o tempo todo, e assim que um deles caía ou pesava nos arneses, toda a junta parava. Nessas ocasiões, todos eles se deitavam, e só muita violência e um tratamento vigoroso faziam algum efeito para pô-los em movimento. Várias cristas de pressão precisaram ser quebradas com picaretas e pás. Finalmente, com todos os cães quase mortos de cansaço, chegamos ao Acampamento Oceânico em torno das quatro da manhã.

Encontraram o lugar quase alagado. Para chegar ao ponto onde estavam os mantimentos, precisaram fazer uma ponte de tábuas. Ainda assim, conseguiram reunir duas cargas de cerca de 200 quilos cada, compostas de legumes enlatados, tapioca, *pemmican* para cães e geleia. Prepararam para si mesmos uma boa refeição de ensopado de carne enlatada, alimentaram os cães e partiram de volta às seis e meia.

A viagem de volta foi comparativamente fácil, porque podiam seguir seus próprios rastros. Os cães puxaram magnificamente, embora o velho Bos'n, o cão de guia da junta de Macklin, estivesse tão exausto que vomitava constantemente e mal se aguentava de pé. Os dois trenós chegaram ao Acampamento Paciência à uma da tarde, e os cães "caíram na neve", escreveu Macklin, "e alguns deles não se levantaram sequer para comer".

Deitado em seu saco de dormir à noite, Macklin, exausto, registrou os acontecimentos daquele dia em seu diário. Com a mão cansada, concluiu sua entrada: "Meus cães vão ser sacrificados amanhã."

2

A duas barracas dali, o velho Chippy McNeish também estava escrevendo em seu diário. Fora um dia desanimador de tempo abafado, sem vento, e o carpinteiro estava cansado. Desde o começo da manhã se ocupara em revestir as juntas dos barcos com sangue de foca para conservá-las calafetadas depois que os barcos entrassem na água. "Nenhum vento de nenhum tipo", escreveu. "Ainda esperamos uma brisa de SW para nos soltar antes da chegada do inverno."

Na manhã seguinte, três focas foram avistadas, e Macklin foi enviado com Tom Crean para pegá-las. Quando voltaram, Shackleton disse a Macklin que seus cães ainda não seriam sacrificados, já que agora o grupo tinha um suprimento razoável de carne. A junta de Hurley, porém, inclusive o cão de guia, Shakespeare, o maior de todos os cães da expedição, foi abatida. Wild, como sempre, foi encarregado da execução, e levou os cães até uma banquisa distante para matá-los. Mais tarde, Macklin achou um dos cães ainda vivo, e imediatamente sacou sua faca e acabou com a vida do animal.

Em torno das três da tarde, o vento começou a mudar aos poucos para sudoeste e o ar ficou mais frio. Ao longo de toda a noite, a temperatura caiu, e a brisa de sudoeste se manteve firme durante todo o dia seguinte. À noite, Shackleton escreveu, quase com medo: "Isso pode ser a mudança de nossa sorte." Àquela altura, ninguém falava mais do vento de modo ligeiro. "Fala-se dele com reverência", observou Hurley, "e sempre que se faz algum comentário a respeito deve-se bater na madeira."

Aparentemente, alguém batera na madeira certa. O vento chegou no dia seguinte, um verdadeiro vendaval de sudoeste, enchendo o ar de neve e fazendo estalar a lona das barracas com sua violência. Os homens ficaram encolhidos em seus sacos de dormir, extremamente desconfortáveis mas radiosos de felicidade. "Oitenta quilômetros por hora", registrou McNeish exultante, "mas é bem-vindo & ainda muito mais – contanto que as barracas aguentem." O vento soprou furioso até o dia 19 de janeiro, sem perder o ímpeto. Shackleton, o homem do otimismo sem freios, procurou conter-se, limitando-se a frases prudentes, a fim de evitar quebrar de algum modo o encanto daquele vento glorioso. "Devemos estar avançando consideravelmente para o norte", disse com um extremo autocontrole.

No dia 20, como a tempestade continuasse, alguns dos homens começaram a ficar cansados da umidade trazida pela neve, que, impelida pelo vento, se infiltrava nas barracas.

Nunca estamos satisfeitos [escreveu Hurley], e agora esperamos que venha um dia de bom tempo. Tudo em nossas barracas está ficando muito molhado, e a oportunidade de poder pôr as coisas para secar nos traria grande satisfação.

Mas a maioria deles suportava alegremente as péssimas condições, satisfeitos por saber que deviam estar avançando bastante para o norte.

Ninguém quer se arriscar a uma avaliação de qual pode ser a nossa distância [escreveu Shackleton, arriscando-se mais], mas já faz quatro dias que o vento sopra e não dá o menor sinal de enfraquecer, e devemos ter percorrido uma boa distância para o norte. Lees & Worsley são os únicos pessimistas do acampamento, mas esse vento forte chegou até mesmo a fazer Lees sugerir que servíssemos bifes maiores, devido à distância percorrida.

No dia seguinte, os ventos continuaram muito fortes, com rajadas de até 110 quilômetros por hora. Mas durante a manhã o sol apareceu duas vezes por entre as nuvens. Worsley estava a postos com o seu sextante, e James estava ao seu lado com o teodolito para medir o ângulo do sol. Fizeram suas medidas, trabalharam nos cálculos e anunciaram o resultado.

"Maravilhoso, incrível, esplêndido", escreveu Shackleton. "Lat. 65º43'

Sul – deriva de 117 quilômetros para o norte. É a melhor notícia que tivemos em um ano inteiro: não podemos estar a mais de 270 quilômetros da ilha Paulet. Todos receberam a notícia com vivas. O vento continua. Talvez consigamos mais uns 15 quilômetros com ele. Graças a Deus. À deriva ainda inteiramente molhados nas barracas, mas não importa. Comemos bolinhos para comemorar a passagem do círculo." Haviam ultrapassado o Círculo Polar Antártico, que ficara quase um grau de latitude inteiro para trás.

A tempestade amainou no dia seguinte e o sol brilhou. Todos emergiram de suas barracas, felizes de estar vivos. Pegaram os remos dos barcos e enfiaram-nos no gelo, estendendo cordas entre eles. Penduraram sacos de dormir, cobertores, botas e lonas de forrar o chão. "Parecia o dia da lavagem de roupas", escreveu McNeish de bom humor.

Mais tarde, Worsley mediu novamente sua posição e descobriu que estavam a 65º32 1/2' Sul e 52º4' Oeste – mais 18 quilômetros para o norte em 24 horas. Assim, o deslocamento total desde o começo do vendaval chegava a 135 quilômetros – em seis dias. Além do mais, a deriva para o leste, afastando-os da terra, não passava de uns míseros 24 quilômetros.

À noite, o vendaval se esgotara, e o vento mudou para o norte. Mas ninguém se importou. Agora, precisavam justamente de vento do norte para abrir o banco de gelo, de modo que pudessem lançar os barcos ao mar. O vento continuou de norte no dia seguinte, sem enfraquecer perceptivelmente o banco de gelo. Continuaram a esperar.

No dia seguinte, Worsley subiu num iceberg de 20 metros de altura um pouco a sudeste. Voltou com a notícia de que a banquisa em que o Acampamento Oceânico fora armado aparentemente havia sido impelida mais para perto durante a tempestade e agora estava a menos de dez quilômetros de distância. Com o binóculo, vira o velho depósito da casa do leme e o terceiro barco, o *Stancomb Wills*. É mar aberto? Worsley sacudiu a cabeça. Nada, respondeu, só um trecho pequeno ao sul.

Mesmo assim, a abertura viria – tinha que vir. Um nevoeiro denso se instalou no dia 25 de janeiro, e a McNeish parecia um "nevoeiro de mar", indicando a presença de oceano livre de gelo nas proximidades. Shackleton também achava que era um nevoeiro de mar. Mas ainda assim a abertura não vinha, e o chefe sentia que sua paciência ficava cada vez mais tênue.

No dia 26, depois de um dia inteiro de monotonia inalterável, pegou seu diário e escreveu no espaço previsto para aquele dia:

Esperando
Esperando
Esperando.

Mas quando uma semana inteira se passou, a maioria dos homens abandonou suas esperanças. Não viam qualquer mudança no banco de gelo. Na verdade, parecia até mais compacto que antes, aglomerado pela força dos ventos, talvez comprimido contra alguma massa de terra desconhecida a norte ou a noroeste. A sensação de iminência diminuiu gradualmente, e a atmosfera no acampamento voltou a ser dominada pela resignação contrafeita.

Felizmente, os homens se mantinham razoavelmente ocupados. Em sua nova posição, a caça era abundante e todos se dedicavam a caçar focas e a transportá-las de trenó para o acampamento. No dia 30 de janeiro, oito dias depois do fim da tempestade, já haviam acumulado um estoque de 11 carcaças. Shackleton decidiu mandar os trenós de Macklin e de Greenstreet em outra viagem ao Acampamento Oceânico. Já que Greenstreet, que vinha sofrendo um ataque de reumatismo havia duas semanas, não podia fazer a viagem, seu trenó foi confiado a Crean. Os dois homens receberam a ordem de trazer qualquer coisa de valor que encontrassem.

Dessa vez, as condições para a passagem dos trenós estavam bem melhores, e a viagem demorou menos de dez horas. Voltaram trazendo algumas provisões desencontradas, inclusive uma quantidade de latas de arenque, 30 quilos de cubos de caldo de carne e uma grande quantidade de tabaco. Também trouxeram uma boa quantidade de livros, entre eles vários volumes da *Encyclopaedia Britannica*, especialmente bem recebidos. Até mesmo McNeish, presbiteriano devoto, admitiu que seria muito bom ler alguma coisa além de sua Bíblia, que já tivera a oportunidade de reler do começo ao fim várias vezes.

Shackleton passou os dois dias seguintes observando atentamente os movimentos do banco de gelo e depois decidiu que um grupo de 18 homens comandado por Wild partiria bem cedo no outro dia para trazer o *Stancomb Wills*. A notícia foi recebida com grande alívio. Por algum tempo, muitos dos homens, especialmente os marinheiros, vinham manifestando grande apreensão em relação à conveniência de tentar acomodar todo o grupo em apenas dois barcos.

> Fiquei muito satisfeito [escreveu Worsley]. Se for o caso de usar os barcos, vamos estar muito mais seguros em três; só com dois seria uma impossibilidade prática chegar ao fim de uma viagem de barco de qualquer tamanho com os 28 homens vivos.

O grupo dos trenós foi acordado à uma hora da manhã seguinte e partiu depois de um farto desjejum, levando com eles um trenó de barco vazio. Foi uma viagem fácil, com tantos homens, e chegaram em duas horas e dez minutos. Wild nomeou Hurley cozinheiro, e James, seu "imediato e mexedor geral da boia". Juntos, fizeram uma refeição com tudo que encontraram, uma mistura de *pemmican* dos cães, feijões, couve-flor e beterraba em lata, cozidos juntos num latão de gasolina vazio. Macklin achou a comida "muito boa", e James assinalou com satisfação que fora "um grande sucesso".

O grupo iniciou a volta ao Acampamento Paciência às seis e meia da manhã e, embora sua carga estivesse consideravelmente mais pesada, andaram num bom ritmo. Ao meio-dia estavam a um quilômetro e meio do objetivo. Shackleton e Hussey foram ao seu encontro com um grande bule de chá quente – "o melhor chá que já tomei", escreveu James. O *Stancomb Wills* chegou são e salvo no acampamento à uma da tarde.

Shackleton imediatamente perguntou a Macklin se ele estava cansado demais para iniciar outra viagem ao Acampamento Oceânico, dessa vez com os cães, para trazer mais um carregamento de suprimentos. Macklin concordou e partiu às três da tarde, com Worsley e Crean, que assumira a responsabilidade pela junta de filhotes. A menos de três quilômetros do Acampamento Oceânico, a viagem foi interrompida por largos trechos de mar aberto. Worsley tentou desesperadamente convencer os condutores dos trenós a seguirem em frente. Percorreu as margens das banquisas, indicando caminhos possíveis para atravessar que, na verdade, eram "francamente impossíveis", escreveu Macklin. "Fiquei com pena, mas teria sido uma tolice continuar naquelas circunstâncias."

Worsley escreveu em seu diário naquela noite que ficara muito desapontado por eles terem sido obrigados a voltar, mas acrescentou: "Fiquei muito satisfeito de o banco de gelo ter se mantido sólido o tempo suficiente para trazer o terceiro barco."

E anotou também:

Acho que os estômagos de muitos de nós estão ficando revoltados com a dieta excessiva de carne. Acredito que logo vamos ficar acostumados, mas acho que seria melhor se misturássemos sempre alguma gordura à carne. Muitos de nós estão sofrendo de, para usar um termo delicado, flatulência, & o que poderia ser descrito como tripas queixosas.

Na verdade, não era nada engraçado. Em razão de suas rações reduzidas, quase todos os homens sofriam de prisão de ventre, o que complicava bastante o que já era uma tarefa penosa. O procedimento normal, sempre que alguém sentia a necessidade, era se afastar, sob a proteção de uma crista de pressão próxima – mais para proteger-se do vento do que para garantir privacidade –, e fazer o que era necessário o mais rapidamente possível. Como um dos artigos de que precisaram se privar depois de abandonar o *Endurance* fora papel higiênico, viram-se obrigados a substituí-lo pelo único material de que dispunham – o gelo. Assim, quase todos eles apresentavam esfoladuras, e infelizmente o tratamento era impossível, uma vez que todas as pomadas e a maioria dos remédios se encontravam agora no fundo do mar de Weddell.

Quando fazia muito frio, também eram muito incomodados pelos olhos lacrimejantes. As lágrimas corriam pelo nariz e formavam um pingente de gelo na ponta, que mais cedo ou mais tarde precisava ser retirado. Por mais cuidado que se tomasse, um pouco de pele sempre saía com ele, deixando uma ferida cronicamente aberta na ponta do nariz.

A viagem até o Acampamento Oceânico para trazer o *Stancomb Wills* mudou a atitude de muitos homens. Até então, ainda permanecia algum vestígio de esperança de que o banco de gelo abrisse. Mas puderam observar, durante a viagem de 18 quilômetros, que o gelo estava mais compacto do que nunca. Os dias de otimismo se acabaram; a única coisa a fazer era esperar.

Dia após dia se passavam, arrastando-se num nevoeiro cinzento e monótono. As temperaturas eram altas e os ventos, fracos. A maioria dos homens gostaria de passar todo o tempo dormindo, mas havia um limite para o número de horas que se conseguia passar dentro do saco de dormir. Todos os passatempos disponíveis foram explorados ao máximo, e muitas vezes mais ainda do que isso. No dia 6 de fevereiro, James escreveu:

Hurley & o chefe jogam religiosamente uma série de seis jogos de pôquer a dois toda tarde. Acho que os dois consideram o jogo um dever, mas de qualquer maneira ajuda a passar uma hora. O pior é ter que matar o tempo. Parece um desperdício, mas não há mais nada a fazer.

Os dias ficaram tão iguais entre si que qualquer ocorrência fora do comum, por menor que fosse, passou a gerar um intenso interesse.

Ficamos com muita saudade de casa hoje à noite [escreveu James dia 8 de fevereiro] com o cheiro de um galho que achamos hoje [preso a algas] e queimamos no fogo. Qualquer cheiro novo, ou um cheiro que traga velhas associações, é irresistível para nós. É provável que nós mesmos estejamos com um cheiro forte, & chamássemos a atenção de gente estranha, já que faz quase quatro meses que não tomamos banho...
 Agora [continuou ele], ficamos observando os panos de nossa barraca com a máxima atenção, para ver qual deles fica abaulado pela ação do vento... O que eu queria era estar num lugar onde a direção do vento não tivesse a menor importância.
 Também estamos sofrendo de *amenomania* (literalmente, *loucura do vento*) [escreveu mais tarde]. Essa doença pode assumir duas formas: ou a pessoa apresenta uma ansiedade mórbida em relação à direção do vento, e discorre permanentemente a respeito, ou então adquire uma espécie de delírio provocado pelo fato de passar tempo demais ouvindo outros *amenomaníacos*. A segunda forma é mais cansativa para o ouvinte. Eu já tive as duas.

Além do vento, só havia um assunto capaz de desencadear com certeza uma discussão – comida. No início de fevereiro, já fazia quase duas semanas que não capturavam nenhuma foca e, embora seu suprimento de carne ainda fosse razoável, o estoque de gordura para cozinhar estava assustadoramente baixo – e só duraria mais cerca de dez dias. No dia 9 de fevereiro, Shackleton escreveu: "Nenhuma foca. Preciso reduzir o consumo de gordura... quem me dera terra firme e seca debaixo dos pés."

No dia seguinte, um grupo de homens foi escalado para proceder a escavações no depósito de lixo do acampamento, a fim de recuperar toda a gordura possível que ficara presa aos ossos que haviam sido jogados fora. As barbatanas de foca foram cortadas, e as cabeças decapitadas das focas foram esfoladas e raspadas para retirar qualquer vestígio de gordura que contivessem. Mas a quantidade obtida foi insignificante, e assim Shackleton reduziu a ração dos homens, limitando a bebida quente a uma porção por dia – uma dose de leite em pó quente no desjejum. O que restava de queijo foi servido no dia seguinte, e cada homem recebeu um cubo com uma polegada de aresta. McNeish comentou: "Fumei até ficar enjoado hoje à tarde tentando enganar a fome."

Vinham esperando o aniversário de Shackleton, no dia 15 de fevereiro, quando lhes fora prometida uma boa refeição.

Mas, devido à escassez [escreveu Macklin], não foi possível. Vamos comer um bolinho feito com farinha e *pemmican* dos cães, e ainda assim a expectativa é grande.

Então, na manhã de 17 de fevereiro, quando a situação do estoque de gordura estava ficando realmente desesperadora, alguém viu um bando de pinguins-de-adélia – cerca de 20 – tomando sol não muito longe do acampamento. Um grupo de homens pegou qualquer arma que estivesse à mão – cabo de machado, picaretas, pedaços de remos quebrados – e avançou com todo o cuidado, quase de gatinhas. Cercaram o bando em silêncio, cortando o caminho de fuga das aves em direção à água. Quando todos estavam em posição, saíram correndo, golpeando furiosamente os pinguins que grasnavam, atarantados. Capturaram ao todo 17 pinguins. Outros bandos pequenos foram vistos durante a manhã, e grupos de homens foram enviados em sua captura. Antes que um denso nevoeiro se instalasse no começo da tarde haviam caçado um total de 69 pinguins. Mais tarde, sentados em suas barracas, cercados pelo nevoeiro, os homens ouviam os pinguins em todas as direções, chamando e reclamando com sua voz rouca. "Se o tempo estivesse claro", escreveu Worsley, "provavelmente teríamos visto centenas de pinguins."

A despeito daquele esforço bem-vindo à despensa do grupo, o jantar daquela noite foi frugal, composto, como anotou McNeish, de "corações, fígados, olhos, línguas, pés & sabe Deus o que mais de pinguim cozido, com um copo de água" para acompanhar. "Acho que nenhum de nós vai ter pesadelos por ter comido em excesso."

Depois do jantar, ergueu-se um vendaval de nordeste, com uma forte nevasca. Continuou no dia seguinte, forçando os homens a permanecer em suas barracas. Mas o grasnar dos pinguins continuava sem parar. O tempo finalmente abriu no dia 20 de fevereiro, e assim que ficou claro os homens saíram de suas barracas — e até parecia que estavam no meio de uma colônia de pinguins. Milhares deles cobriam o gelo em todas as direções, correndo pelas banquisas, mergulhando na água e fazendo um alarido infernal. Provavelmente estavam migrando para o norte, e o Acampamento Paciência felizmente ficava em sua rota.

Todos os homens se dedicaram ao massacre, matando todos os pinguins que conseguiram. À noite haviam abatido, esfolado, estripado e cortado 300 pinguins. Na manhã seguinte, os homens viram que a migração seguira adiante, tão subitamente quanto chegara. Mas, embora apenas 200 pinguins tenham sido avistados, conseguiram abater cerca de 50. Depois disso, por vários dias, pequenos grupos de pinguins desgarrados continuaram a aparecer, e em 24 de fevereiro o grupo de homens já havia abatido cerca de 600. O pinguim-de-adélia, porém, é uma ave pequena, sem muita carne, e a quantidade de comida obtida não era nem de longe tão considerável como se poderia supor. Além disso, tem muito pouca gordura.

Ainda assim, o súbito aparecimento dos pinguins afastara, por algum tempo, a ameaça mais séria que pairava sobre eles — a fome. Afastado o perigo iminente da fome, seus pensamentos se voltaram novamente para sua saída do gelo.

Greenstreet observou:

Agora, praticamente só comemos carne. Bifes de foca, ensopado de foca, bifes de pinguim, ensopado de pinguim, fígado de pinguim – que aliás é muito bom. O chocolate em pó já acabou há algum tempo e o chá está quase no fim. Daqui a pouco vamos estar bebendo só leite [em pó]. A farinha também está quase acabando, e agora só é usada misturada com o *pemmican* dos cachorros para fazer bolinhos, muito gostosos. Nossa distância da ilha Paulet é de uns 150 quilômetros, o que quer dizer que já percorremos 3/4 da distância que tínhamos pela frente quando acampamos nas banquisas. Gostaria de saber se algum dia nós vamos conseguir chegar lá.

Macklin escreveu:

Acabamos de completar um terço do ano no gelo, à deriva, ao sabor dos caprichos da natureza. Gostaria de saber se algum dia vamos voltar para casa.

E James, sempre um cientista, disse a mesma coisa em termos usados em laboratório:

Criamos teorias de todos os tipos baseadas às vezes nas condições do gelo que vemos em torno de nós, mas quase sempre essas teorias não têm base alguma. Não consigo deixar de me lembrar da Teoria da Relatividade. De qualquer modo, só temos um horizonte de alguns quilômetros, & o mar de Weddell tem mais ou menos 500 mil quilômetros quadrados [na verdade, tem uma área de mais de dois milhões de quilômetros quadrados]. Um micróbio numa única molécula de oxigênio sendo soprada em meio a um vento forte teria mais ou menos tanta possibilidade quanto nós de prever onde ele provavelmente iria parar.

3

Fazia pouco mais de um mês que acabara o vendaval do sul. Haviam percorrido cerca de 110 quilômetros, com uma deriva média diária de pouco mais de três quilômetros. A direção geral era noroeste, mas a deriva diária era um movimento errático, inconstante, às vezes para noroeste, às vezes para oeste, até mesmo para o sul, e, por algum tempo, para o norte em linha reta. Mas estavam se aproximando definitivamente da extremidade da península de Palmer.

Worsley passava muitas horas por dia exposto ao frio, no cume de um pequeno fragmento de iceberg, olhando ansiosamente na direção oeste, esperando avistar terra firme. No dia 26 de fevereiro, viu o que "pode ser o monte Haddington mostrado por refração, 30 quilômetros além de sua posição normal".

Todos queriam acreditar nisso, mas poucos conseguiram, e menos ainda McNeish. "O capitão diz que viu terra", escreveu, "mas sabemos que ele é um mentiroso." Worsley, na verdade, era culpado de uma ânsia de ter seus desejos atendidos. O monte Haddington, na ilha James Ross, estava mais de 170 quilômetros a oeste da posição em que eles se encontravam.

O ano de 1916 era bissexto, e Shackleton aproveitou a fraca desculpa oferecida pelo dia 29 de fevereiro para soerguer o moral de seus homens. Celebraram uma "Festa de Solteiros" com uma "comilança" muito contida. "Pela primeira vez, em muitos dias", escreveu Greenstreet, "acabei uma refeição sem vontade de começar a comer tudo de novo."

E assim entraram à deriva em março. No dia 5, Greenstreet escreveu:

Dia após dia, com muito pouco, ou nada, para aliviar a monotonia. Damos várias voltas correndo em torno da banquisa, fazendo exercícios, mas ninguém pode ir muito longe, porque para todos os efeitos estamos numa ilha. Não há praticamente nada de novo para ler e nada para falar, todos os assuntos já estão quase esgotados... Nunca pensei qual é o dia da semana, menos quando é domingo, porque aos domingos comemos fígado de pinguim com bacon no desjejum, e é a melhor refeição da semana, mas logo não vou mais saber quando é domingo, porque o bacon já está acabando. O gelo em volta de nós está mais ou menos igual ao modo como esteve nos últimos quatro ou cinco meses, e com as temperaturas baixas que temos tido à noite, i. e., menos de 18 abaixo de zero, os trechos de mar aberto ficam cobertos de gelo novo, que nem serve para andar e nem dá passagem para os barcos. A minha opinião é de que as chances de chegar à ilha Paulet são de mais ou menos uma em dez...

De fato, as chances de chegar à ilha Paulet pareciam mais remotas a cada dia. Agora, ela estava exatamente a 146 quilômetros de distância. Mas ficava no rumo WNW, e a deriva das banquisas onde a expedição estava acampada tomara um rumo praticamente fixo para o norte. A menos que houvesse uma modificação radical no movimento do gelo rumo ao norte, parecia que eles simplesmente passariam ao largo da ilha Paulet. E não havia nada que pudessem fazer, exceto esperar, no desamparo.

Shackleton estava tão aplicado em procurar formas de fazer o tempo passar quanto qualquer outro. Seu companheiro de barraca, James, notou no dia 6 de março que

o chefe acabou de descobrir um novo uso para a gordura de foca: está limpando aplicadamente as costas de nosso baralho com ela. As cartas ficaram tão sujas que algumas estão quase irreconhecíveis. Mas a gordura realmente limpa tudo. Na verdade, a foca é um animal muito útil.

Mas o pior eram os dias de mau tempo. Neles, a única coisa que restava a fazer era ficar dentro das barracas. E para evitar que ficassem cheias de neve os homens restringiam as saídas e as entradas aos que "precisavam atender a chamados da natureza". O dia 7 de março foi assim, com uma forte brisa soprando de sudoeste e uma forte nevasca. Macklin descreveu as condições na barraca nº 5:

... somos oito morando nela, apertados como sardinhas... Clark está com um resfriado quase insuportável – funga o dia inteiro e quase nos deixa malucos quando somos obrigados a ficar dentro da barraca junto com ele. Lees e Worsley discutem o tempo todo, ou ficam falando de assuntos triviais, e o resto não pode fazer nada para sair de perto. À noite, Lees tem um ronco abominável, e Clark e Blackboro também, mas não tanto... nessas horas, com Clark fungando no meu ouvido, o único alívio é pegar meu diário e escrever...

Então, no dia 9 de março, sentiram o balanço – o inegável, inconfundível, movimento do oceano. Dessa vez não era apenas o desejo de sentir. Todos podiam ver, e sentir, e ouvir.

Primeiro perceberam, de manhã cedo, estalidos rítmicos, estranhos, no banco de gelo. Os homens se reuniram fora das barracas para olhar e viram. Os fragmentos soltos de gelo em volta da banquisa se afastavam e se aproximavam novamente, de 10 a 15 centímetros de cada vez. As banquisas maiores se erguiam quase imperceptivelmente – não mais que dois centímetros – e depois, lentamente, desciam.

Os homens se reuniram em grupos animados, mostrando uns aos outros o que era perfeitamente óbvio para todos – um movimento suave e preguiçoso que se espalhava por toda a superfície do banco de gelo. Alguns pessimistas disseram que se tratava de uma oscilação da maré causada por alguma condição atmosférica. Mas Worsley levou seu cronômetro até a beira da banquisa e cronometrou o intervalo entre os movimentos de subida – 18 segundos, um intervalo curto demais para ser atribuído a uma subida da maré. Não podia haver dúvida – era o movimento do mar aberto.

Mas a que distância estaria? Eis a questão.

A que distância [ponderou James] o balanço do mar pode fazer-se sentir através do gelo denso? A experiência sugere que não pode ser uma distância muito grande, mas é claro que nunca examinamos o mar com minúcia comparável à que empregamos agora...

Longas discussões especulativas foram travadas o dia inteiro, enquanto Worsley, agachado à beira da banquisa, continuava a cronometrar o movimento vertical infinitamente lento do gelo. À noite, todos estavam convencidos de que o mar aberto estava a, no máximo, 50 quilômetros de distância. Só Shackleton parecia perceber no balanço uma ameaça nova e muito mais grave do que qualquer outra que já haviam enfrentado. Escreveu naquela noite: "Só ficarei mais confiante quando aparecer mar aberto."

Sabia que não conseguiriam escapar se o movimento aumentasse com o banco de gelo ainda fechado. A ação do mar espatifaria e quebraria as banquisas, finalmente reduzindo o gelo a pequenos fragmentos, nos quais não poderiam mais acampar, mas através dos quais também não poderiam navegar.

Antes de se recolher, Shackleton examinou mais uma vez o acampamento para verificar com os próprios olhos se as barracas e os barcos não estavam próximos demais, de modo que seu peso total pudesse por si só quebrar a banquisa. Uma vantagem adicional dessa precaução era que, enquanto seu equipamento estivesse espalhado por uma vasta área, não corriam muito risco de perder grande quantidade de equipamento com a abertura de uma fenda.

Os homens saíram das barracas se arrastando na manhã seguinte, esperando constatar que o balanço do mar aumentara. Na verdade, porém, não havia a mínima sugestão sequer de movimento na banquisa, e o gelo estava tão fechado como antes. Uma decepção que chegou às raias do desespero atingiu quase todo o grupo. Era o primeiro sinal do mar aberto, a promessa eletrizante da fuga que esperavam havia tanto tempo, que aparecera brevemente diante deles – e depois desaparecera.

Naquela tarde, Shackleton comandou um treinamento para ver com que rapidez os barcos podiam ser removidos dos trenós e carregados com víveres em caso de emergência. Os homens fizeram o que podiam, mas seus nervos estavam à flor da pele e houve várias discussões violentas. E as coisas não melhoraram quando os víveres foram colocados nos barcos, e todos puderam ver como eram na verdade pateticamente escassos seus suprimentos. Certamente, o excesso de carga não seria um dos seus problemas. Depois do treinamento, os homens voltaram contrariados para suas barracas, mal falando uns com os outros.

> Nada a fazer, a ver ou a dizer [escreveu James], a cada dia que passa, ficamos mais taciturnos.

Até o surgimento do balanço do mar, muitos dos homens passaram meses lutando para não deixar a esperança invadir seus espíritos. Em sua maioria, haviam se convencido não apenas de que o grupo teria que passar o inverno nas banquisas como ainda de que esse era um destino bastante suportável.

Mas então viera o balanço do mar – a prova física de que havia realmente alguma coisa além de sua ilimitada prisão de gelo. E todas as defesas que haviam tomado o cuidado de construir para evitar a esperança desabaram. Macklin, que lutara o tempo todo para permanecer teimosamente pessimista, achou impossível conter-se por mais tempo. Desistiu de controlar-se no dia 13 de março, dizendo:

> Estou completamente obcecado pela ideia de escapar... Já estamos há mais de quatro meses no gelo – um tempo de inutilidade absoluta e total para todos. Não há absolutamente nada a fazer além de passar o tempo da melhor maneira possível. Até mesmo em casa, com os teatros e todo tipo de diversão, mudanças de cenários e de pessoas, uma inatividade de quatro meses seria tediosa: pode-se imaginar como é para nós. Ficamos esperando as refeições não pelo que vamos comer, mas pelo fato de serem mudanças que ocorrem ao longo do dia. Em toda a volta vemos, dia após dia, a mesma brancura ininterrupta, sem nenhum tipo de modificação.

Uma sensação crescente de desespero começou a contaminar a todos. James escreveu no dia seguinte:

> Alguma coisa decisiva precisa acontecer logo &, seja o que for, vai ser melhor do que continuar na inatividade. Já é o quinto mês depois que o navio naufragou. Quando desembarcamos, achamos que estaríamos em terra firme em um mês! "O homem põe, e..."* se aplica aqui como uma vingança.

Até mesmo os ventos fortes que aquela tarde sopraram do sul não conseguiram melhorar a disposição geral do grupo. Todos achavam cada vez mais

---

* Por alguma razão, James omitiu a segunda parte do ditado "O homem põe, e Deus dispõe" (*Man proposes, God disposes*).

difícil suportar os efeitos dos vendavais – muito embora soubessem, como escreveu Worsley em seu diário, que "estamos provavelmente avançando para o NORTE à incrível velocidade de quase dois quilômetros por hora!".

As rajadas da ventania, continuava Worsley,

> sacodem e balançam nossa pobre barraca como se quisessem reduzi-la a farrapos. A barraca estremece, drapeja e chacoalha o tempo todo... O material está tão fino que a fumaça de nossos cachimbos e cigarros se espalha, gira e balança no ar a cada rajada do vento que sopra lá fora.

Durante a noite, a cada hora um homem saía para cumprir seu turno de vigia e outro voltava, rastejando para entrar e tentando sacudir a neve das roupas no escuro antes de entrar em seu saco de dormir. Invariavelmente, o vigia que voltava acordava quase todos os outros. Como se poderia dormir, perguntava Worsley, com coisas como "neve na cara, pés na barriga, o trovejar rouco do vento, o barulho feito pela barraca e o fole roufenho do ronco do coronel"?

Naquela noite, enquanto a ventania varria o banco de gelo, impelindo-os ao mesmo tempo para o norte, James anotou, sombrio: "A ilha Paulet provavelmente já se encontra ao sul de nossa posição."

4

Para piorar as coisas, o problema da alimentação – especialmente da gordura para cozinhar – estava se aproximando de novo do ponto crítico. Fazia três semanas que não abatiam uma foca, e o escasso estoque de gordura extraída dos pinguins já estava quase esgotado. As provisões recuperadas do navio também se encontravam quase no fim. No dia 16 de março, a farinha que restava foi usada, transformada em bolinhos de *pemmican* dos cães, e muitos homens passaram mais de uma hora mordiscando lentamente para fazer durar a sua porção.

Inevitavelmente, os antigos ressentimentos contra a recusa de Shackleton em recolher toda a caça possível quando estava à mão reapareceram. Até mesmo Macklin, que evitara criticar a política de Shackleton no passado, teve uma reação tão forte que criou um código para poder comentar o assunto em seu diário sem temer que seus pensamentos fossem lidos por outras pessoas.

No dia 17, escreveu em código:

Acho que o chefe foi um tanto imprevidente ao não reunir toda a comida possível enquanto a caça era farta. Valia o risco. [E depois, no dia 18]: Lees reclamou do chefe alguns dias atrás por não ter trazido toda a comida possível [do Acampamento Oceânico] para o caso de termos de passar o inverno no gelo. O chefe reagiu, dizendo: "Vai fazer bem a algumas dessas pessoas passar fome, o maldito apetite deles é grande demais!"

À medida que passavam os dias, as rações tiveram que ser constantemente reduzidas. O chá e o café haviam acabado e, devido à escassez de gordura para servir de combustível a fim de derreter o gelo e fazer água, só recebiam uma porção de leite em pó "muito diluído" por dia. Era servida no desjejum, com cinco onças [cerca de 140 gramas] de carne de foca. O almoço era frio, um quarto de marmita de caldo de carne congelado e um biscoito de lata. O jantar consistia em um prato de ensopado de foca ou de pinguim.

A maioria dos homens sentia a escassez de comida quase como uma dor física. O desejo compulsivo que seus corpos sentiam de mais combustível para queimar a fim de fazer frente ao frio causava uma fome permanente, canina. E o tempo estava ficando cada vez pior, com temperaturas noturnas que chegavam a cair a $-23°$. Assim, justamente quando sua necessidade de calorias era maior, eram forçados a se contentar com menos do que nunca. Muitos homens descobriram que algumas horas depois de comer precisavam deitar-se em seus sacos de dormir para conseguir evitar ficar tremendo até que a refeição seguinte devolvesse algum calor a seus corpos.

Houve algumas tentativas ousadas de fazer piadas sobre canibalismo.

Greenstreet e eu [escreveu Worsley] ficamos nos divertindo à custa de Marston. Marston é o sujeito mais gordo do acampamento, e nós nos mostramos muito solícitos em relação ao seu bem-estar e à sua condição, fazendo grandes demonstrações ostensivas de generosidade, oferecendo-lhe velhos ossos de pinguim que já roemos até não deixar nenhuma carne presa a eles. Imploramos a ele que não emagreça, e chegamos até a ponto de selecionar as partes de seu corpo, discutindo quem vai ficar com os melhores bocados. Depois de algum tempo, ele fica tão aborrecido que assim que nos vê chegando perto procura se afastar o mais rápido possível.

Era uma tentativa um tanto discutível de fazer humor com a situação, porque havia certa pertinência no tema. E o próprio Worsley, além desses dolorosos esforços para fazer graça, se tornara calado e mal-humorado.
No dia 22 de março, a situação de comida ficou tão crítica que Shackleton disse a Macklin que seus cães precisariam ser abatidos no dia seguinte, para que o grupo pudesse comer a comida reservada a eles. Macklin reagiu com indiferença:

Confesso que não acho que eles vão ter mais muita utilidade para nós. O Acampamento Oceânico aparentemente desapareceu. Só temos mais dez dias de gordura para combustível – espero que consigamos pegar mais focas, ou a situação vai ficar realmente muito ruim.

A manhã do dia 23 começou fria, com franjas de nevoeiro esparsas por sobre o gelo. Shackleton acordou cedo para fazer exercícios. Andou até a beira da banquisa e, quando o nevoeiro se dissipou um pouco, viu um objeto preto bem longe, a sudoeste. Olhou por alguns minutos, e depois voltou correndo para a sua barraca e despertou Hurley. Os dois voltaram até a beira da banquisa e ficaram olhando durante vários minutos através do nevoeiro.
Havia de fato alguma coisa – e era terra firme.
Shackleton imediatamente correu de volta para o acampamento, indo de barraca em barraca, gritando: "Terra à vista! Terra à vista!" A reação foi estranha. Alguns homens saltaram para fora das barracas para ver com seus

próprios olhos, mas outros – cheios de frio, decepcionados e cansados de confundir icebergs distantes com terra firme – recusaram-se a deixar seus sacos de dormir, pelo menos antes que a visão fosse confirmada.

Mas dessa vez não era um iceberg distante nem uma miragem. Era uma das ilhotas Danger, identificáveis, segundo as *British Antarctic Sailing Directions* (Orientações Britânicas para a Navegação na Antártida), por seus montes de topo chato que se erguiam bruscamente da água. Encontrava-se a exatamente 67 quilômetros de distância; apenas 30 quilômetros além ficava o que fora seu destino, a ilha Paulet.

Os homens ficaram algum tempo contemplando a terra firme, até que o nevoeiro que se tornava cada vez mais espesso cortou sua visão. No começo da tarde, porém, o tempo ficou claro, revelando à distância, além das ilhotas Danger, a base negra de uma cordilheira cujos picos estavam ocultos por nuvens baixas. Worsley identificou o mais alto como o monte Percy na ilha Joinville, na ponta externa da península de Palmer.

A ilha estava cerca de 90 quilômetros praticamente a oeste do ponto em que se encontravam – quase em ângulo reto com a direção de sua deriva. "Se o gelo se abrisse, poderíamos chegar à terra em um dia", escreveu Hurley.

Mas não havia um homem sequer entre eles que ainda acreditasse que o gelo ia se abrir. Ao contrário. Havia pelo menos 70 icebergs à vista, muitos deles encostados em terra, e por enquanto eles pareciam impedir que o banco de gelo ou se abrisse ou derivasse muito para o norte. Se os barcos fossem lançados ao mar, provavelmente seriam esmagados em questões de minutos. Além disso, atravessar o gelo de trenó era impensável. O banco estava transformado numa densa massa de fragmentos de banquisa mil vezes mais traiçoeiros que três meses antes, quando só conseguiram cobrir cerca de 15 quilômetros desde o Acampamento Oceânico.

Assim, a visão de terra firme só era mais uma evocação da situação de desamparo em que se encontravam. A atitude de Greenstreet foi tipicamente cínica:

> É bom pensar que existe alguma coisa além de neve e gelo no mundo, mas não consigo ver qual é a razão de tanta agitação, uma vez que não ficamos nem um pouco mais próximos de sair daqui. O que eu pre-

feriria ver seria um bando de focas perto daqui, para conseguirmos carne e combustível.

Por mais frustrante que fosse, porém, a visão de terra firme era boa, como assinalou James, ainda que apenas porque "faz quase 16 meses que não vimos uma pedra preta". Macklin lucrou especialmente com a descoberta, porque, na agitação, Shackleton aparentemente esqueceu a decisão de mandar sacrificar seus cães.

"Queira Deus", escreveu Shackleton naquela noite, "que logo possamos desembarcar em terra." Mas restava muito pouca terra em que eles pudessem desembarcar. A deriva os levara até o extremo norte da península de Palmer, e chegar à terra firme na península parecia agora praticamente impossível.

Entre o ponto onde se encontravam e o mar aberto, e os vagalhões do cabo Horn que reinavam na temida passagem de Drake – o trecho de oceano mais tempestuoso do planeta –, só restavam dois postos avançados, como se fossem duas sentinelas, do continente antártico – as ilhas Clarence e Elephant, cerca de 190 quilômetros ao norte. Depois delas, não havia mais nada.

O dia 24 de março foi claro, banhado de sol, e os picos da ilha Joinville estavam claramente visíveis. James, olhando para além do gelo denso e impraticável, não pôde refrear-se e comentou:

É enlouquecedor pensar que qualquer pequena jangada nos levaria até a terra firme em um ou dois dias & que o tempo todo as coisas permaneçam na mesma situação de sempre, tornando qualquer movimento impossível. Estamos todos muito calados e absortos na barraca & não se conversa muito. Há uma sensação de expectativa no ar, o que causa muita preocupação.

A sensação de expectativa cresceu mais tarde naquele dia, quando duas fendas apareceram em sua banquisa, a apenas cerca de 30 metros dos barcos. Felizmente, não se alargaram.

Logo depois do amanhecer do dia seguinte, um súbito vento forte começou a soprar de sudoeste. Mas só durou até o meio da tarde, quando o vento parou de repente e o tempo clareou. O sol se pôs em meio a um céu tempestuoso, com aglomerados escuros de nuvens passando diante do sol. A ilha Joinville apareceu novamente a ré, embora distante e indistinta.

O frio extremo trazido pelo vendaval do sul continuou noite adentro e todos sofreram muito. Parecia que seus corpos não tinham sequer o calor suficiente para aquecer seus sacos de dormir.

O suprimento de gordura que tinham dava para menos de uma semana, de modo que a partir do dia 5 de março a ração de 140 gramas de carne de foca frita servida no desjejum foi cortada. Em seu lugar, cada homem geralmente recebia um bolo de 250 gramas de *pemmican* (espécie de conserva) para cães frio e meia porção de leite em pó; nos dias mais frios acrescentavam-se alguns torrões de açúcar. O almoço era composto de um biscoito e três torrões de açúcar, e o jantar, a refeição dita quente do dia, consistia em ensopado de foca ou de pinguim, "cozido pelo mínimo de tempo possível". Os homens nunca recebiam água para beber. Se alguém estivesse com sede, enchia uma latinha de neve, geralmente uma lata de tabaco, e a punha junto ao corpo para derreter, ou ficava com ela no saco de dormir. Mas uma lata de tabaco cheia de neve dava apenas uma ou duas colheres de sopa de água.

No dia 26 chegou a Shackleton a notícia de que vários homens haviam pegado pedaços de gordura e carne de pinguim no depósito e estavam tentando comê-los – crus e congelados. Shackleton imediatamente ordenou que o suprimento restante de víveres fosse guardado bem à frente de sua barraca.

Além disso, Macklin recebeu a instrução de catar qualquer coisa que fosse adequada para o consumo humano na pilha de restos de carne usada para alimentar os cães. Macklin separou tudo, "menos o que estava fedendo demais para que se pudesse cogitar comer". "Era um conjunto repelente de pedaços de carne", assinalou Macklin, "e, infelizmente, se não encontrarmos mais focas, vamos ter de comer aquilo tudo cru."

Parecia também que logo os cães precisariam ser comidos. Até então, eles tinham sido poupados porque ainda havia uma possibilidade remota de fazerem uma última viagem até o Acampamento Oceânico em busca dos suprimentos que restavam. Depois que voltassem dessa viagem, ou se ficasse evidente que a viagem era impossível, os cães precisariam ser abatidos e comidos.

"Eu não hesitaria em comer cão cozido ou assado", escreveu Macklin, "mas não consigo imaginar comê-los crus."

Durante vários dias, muitos homens insistiram energicamente com Shackleton para que os deixasse arriscar uma viagem desesperada ao Acampamento Oceânico, que agora mal se via a uns dez quilômetros de distância. Ainda havia lá uma quantidade de 250 a 300 quilos de *pemmican* para cães, além de 25 quilos de farinha. Embora estivesse gravemente preocupado com o estado de seus suprimentos, Shackleton não conseguiu decidir-se a enviar os condutores dos trenós para atravessar um gelo obviamente muito traiçoeiro. Quase continuamente ouviam-se os sons da pressão, aparentemente causada pelo fato de o gelo estar sendo acumulado contra a curva da península de Palmer. O barulho ressoava através do gelo, e em quase todas as direções podia-se ver o movimento das banquisas. "Espero que o nosso gelo não venha a quebrar", comentou Greenstreet, "porque em toda a volta não se vê nenhuma outra banquisa decente."

Os inúmeros icebergs das proximidades também apressavam a desintegração geral do gelo. Com seu calado profundo, os icebergs pareciam ser afetados por correntes submarinas erráticas. De tempos em tempos, um deles parava de navegar na mesma velocidade lenta junto com o resto do banco de gelo e, de repente, tomava um rumo próprio, moendo o gelo à sua frente e afastando sem esforço qualquer coisa que houvesse em seu caminho, deixando um rastro de banquisas quebradas e reviradas. E não havia como prever que rumo esses colossos desarvorados tomariam.

No dia 27 de março, Worsley notou que um imenso iceberg se deslocava inexplicavelmente para nordeste, "e um iceberg veio do norte na direção de nossa banquisa, percorrendo oito quilômetros em quatro horas, mas felizmente passou ao largo, a leste".

A viagem para o Acampamento Oceânico tornava-se menos viável a cada momento, e Shackleton decidiu que era a última oportunidade que teriam. Um tanto a contragosto, disse a Macklin à noite que deixasse tudo pronto para uma eventual partida na manhã seguinte bem cedo. Macklin já se recolhera, mas ficou tão satisfeito com a notícia que se levantou e passou algum tempo trabalhando para preparar os arreios e deixar o trenó pronto para a viagem. Mas ao amanhecer o gelo estava em grande movimento e um denso nevoeiro se espalhara. Shackleton chegou à barraca nº 5 na hora do desjejum para informar a Macklin que decidira que não fariam a viagem. Foi uma decepção terrível, culminando uma noite horrenda de tempo úmido e nevoento, durante a qual ninguém dormira muito bem.

Mal Shackleton acabara de sair, Macklin travou uma discussão com Clark por alguma razão fútil e os dois quase imediatamente prorromperam em gritos. A tensão contaminou Orde-Lees e Worsley e desencadeou uma áspera troca de blasfêmias entre eles. Em meio àquilo tudo, Greenstreet deixou cair o leite em pó. Virou-se para Clark, culpando-o pelo acidente, por ter desviado sua atenção por um instante. Clark tentou protestar, mas Greenstreet fê-lo calar-se aos berros.

Depois, Greenstreet parou para tomar fôlego e no mesmo momento sua raiva se dissipou e ele se reduziu ao silêncio. Todos os outros que estavam na barraca também ficaram em silêncio, olhando para Greenstreet, com os cabelos desgrenhados, a barba crescida, o rosto sujo de fuligem de gordura, com a caneca vazia na mão, olhando desolado para a neve que absorvera sofregamente seu leite precioso. A perda era tão trágica que ele parecia a ponto de prorromper em pranto.

Sem falar, Clark estendeu a mão e derramou um pouco de leite na caneca de Greenstreet. Depois na de Worsley, de Macklin, de Rickenson e Kerr, de Orde-Lees e finalmente na de Blackboro. Acabaram de tomar o leite em silêncio.

Pouco depois do desjejum, duas focas foram avistadas, e grupos de caçadores foram organizados às pressas. O primeiro grupo capturou a que estava mais perto, e os outros estavam a pouca distância de sua presa quando Shackleton, sentindo que o gelo estava muito perigoso, ordenou que voltassem para o acampamento.

No caminho de volta, Orde-Lees desmaiou de fome. Como de costume, comera apenas metade de sua ração no desjejum – 60 gramas de *pemmican* para cães e um torrão e meio de açúcar –, com a intenção de guardar o resto para mais tarde. Depois de alguns minutos de descanso, porém, recuperou-se e foi capaz de se levantar e voltar andando até o acampamento.

Mais tarde, o tempo nevoento transformou-se em pura chuva e a temperatura subiu para 0,5 grau positivo. A maioria dos homens se enfiou em seus sacos de dormir e ficou neles enquanto a chuva continuava a cair – durante a noite e todo o dia seguinte. Macklin descreveu a chuvarada:

Um riacho se formou e, correndo por baixo do saco de dormir, deixou-o completamente ensopado, o fundo inteiramente encharcado, e as luvas, meias e outras coisas também ficaram totalmente molhadas... No momento em que estou sentado escrevendo, a água está pingando do teto da barraca, e todos os recipientes disponíveis – latas vazias, etc. – estão sendo usados para evitar que os nossos sacos de dormir fiquem mais molhados ainda. Só alcançamos um resultado parcial, porque as gotas caem por quatro vezes mais pontos do que o número de recipientes que conseguimos reunir. Estendi minha capa por cima do saco de dormir e quando se forma uma poça grande nela eu a levanto cuidadosamente e derramo a água na neve ao lado. É muito aborrecido manter uma vigilância constante... Peço a Deus que nos mande um tempo seco logo, porque a situação está terrível. Nunca vi tamanha depressão dos espíritos como a que reina na nossa barraca hoje.

Mais tarde, a chuva se transformou em neve e às cinco horas da tarde parou totalmente. James ficou de vigia naquela noite das nove às dez e, enquanto andava pela banquisa, achou que havia detectado um movimento no gelo. Olhando mais de perto, viu um "balanço bastante claro" elevando lentamente a banquisa. Contou o que vira a Shackleton, que ordenou às sentinelas que ficassem especialmente atentas.

Às cinco e vinte da manhã seguinte, a banquisa rachou.

5

O pequeno Alf Cheetham estava de guarda, e saiu correndo por entre as barracas.

– Rachou! – gritava. – Rachou! Acordem logo!

Em segundos, todos os homens saíram aos trambolhões das barracas. Viram duas rachaduras, uma ao comprido da banquisa e outra perpendicular à primeira. Além disso, todo o banco de gelo subia e descia ao ritmo de um balanço bem marcado do mar.

Correram para o *James Caird*, retiraram o gelo dos esquis congelados de seu trenó e empurraram-no para o centro da banquisa. A essa altura, a rachadura que dividia a banquisa ao meio já tinha em alguns pontos uma largura de cerca de seis metros e podia-se ver que as duas partes se deslocavam lentamente para a frente e para trás, obedecendo à influência do balanço do mar. A carne que tinham armazenado estava do outro lado. Vários homens saltaram a fenda no ponto em que era mais estreita e atiraram a carne por cima do trecho de mar aberto.

Às seis e quarenta e cinco da manhã, toda a carne já estava do mesmo lado da fenda em que se encontravam, e interromperam o trabalho para o desjejum. Estavam esperando que a comida ficasse pronta quando a banquisa tornou a rachar, dessa vez exatamente por baixo do *James Caird*, a 30 metros das barracas. Nem foi necessário dar ordens. Os homens correram para o barco e, rapidamente, trouxeram-no para mais perto da área das barracas. Finalmente puderam tomar o desjejum – o costumeiro bolo de *pemmican*, seis torrões de açúcar e meia caneca de leite.

Mal tinham acabado de tomar o desjejum quando, através do nevoeiro, distinguiram uma forma estranha, deslocando-se livremente por um fragmento próximo da antiga banquisa que os homens ocupavam. Wild correu para pegar a carabina na barraca, apoiou-se num dos joelhos e atirou. O animal deu um salto e caiu lentamente no gelo. Vários homens correram para o ponto onde caíra – um leopardo-marinho com mais de três metros de comprimento.

Com uma bala, ao que parecia, Wild mudara a perspectiva de vida de todos os membros da expedição. A seus pés havia praticamente 500 quilos de carne e um estoque de gordura que duraria pelo menos duas semanas. Shackleton anunciou que comeriam o fígado do leopardo-marinho no almoço.

Com excelente disposição, o grupo enviou os trenós puxados por cães para trazerem o troféu para o acampamento. Quando foi esquartejado, encontraram em seu estômago quase 50 peixes ainda não digeridos, que foram separados para serem comidos no dia seguinte. Eram nove horas quando terminaram.

Shackleton chamou Macklin e lhe disse que chegara o momento de sacrificar os cães. Macklin não protestou, porque na verdade não havia mais razão para poupá-los. A possibilidade de chegar ao Acampamento Oceânico era mais remota do que nunca diante da nova ruptura que acabava de ocorrer no gelo, e já que tinham capturado o leopardo-marinho não precisavam mais correr o risco de empreender a viagem.

Acompanhado por Wild, Macklin conduziu os cães até a boca de uma fenda onde ficava a antiga cozinha. No caminho passaram pelo que fora o depósito de restos de carne. Songster, um cão velho e teimoso, abocanhou uma cabeça de pinguim, e Bos'n agarrou um osso. Deixaram que ficassem com as presas.

Macklin quase passava mal cada vez que desatrelava um cão e contornava com ele a proteção de um monte de gelo. Como da vez anterior, Wild fazia o cão sentar-se na neve, colocava o cano do revólver quase encostado em sua cabeça e puxava o gatilho. Songster morreu com a cabeça do pinguim na boca, e Bos'n, com o osso nos dentes. Quando todos os cães acabaram de ser abatidos, Macklin esfolou e estripou as carcaças, preparando-as para serem comidas. A junta de filhotes de Crean também foi morta e esfolada.

De volta ao acampamento, havia quase uma atmosfera de festa, à espera do primeiro almoço quente que comeriam em mais de duas semanas. Sugeriram experimentar a carne de cachorro, e Shackleton concordou. Crean cortou pequenos nacos de seu cão Nelson, e Macklin fez o mesmo com Grus.

Quando a carne ficou pronta, Crean distribuiu-a entre os homens. Foi primeiro até a barraca de Shackleton, enfiando sua cabeça irlandesa curtida. "Trouxe um pedaço de Nelson para o senhor provar", disse com ar travesso.

A carne dos cães foi por unanimidade aclamada.

A carne é deliciosa [escreveu McNeish]. É um pitéu para nós depois de tanto tempo comendo só carne de foca. [James achou-a] surpreendentemente boa e saborosa. [Worsley disse que o pedaço de Grus que comeu] era bem melhor que o leopardo-marinho. [E Hurley chegou ao ponto de dizer que era] extraordinariamente macia e saborosa, especialmente Nelson, que parecia vitela.

Por toda a manhã, o balanço do mar continuara, e até mesmo aumentara um pouco, de modo que na hora do almoço Shackleton anunciou que entrariam imediatamente num sistema de "turno alternado", de quatro por quatro horas. Shackleton ficaria encarregado do primeiro turno, e Wild, do outro. Assim, metade do grupo estaria sempre de serviço, completamente vestido, com todo o equipamento amarrado e pronto a ser transportado de um momento para outro. Dois dos homens de serviço ficariam o tempo todo percorrendo toda a extensão da banquisa, procurando rachaduras ou qualquer outro perigo. Os outros poderiam ficar em suas barracas.

Durante o dia apareceu um número cada vez maior de sinais de uma abertura iminente. Pombos e andorinhões pairavam acima das cabeças, e Worsley avistou uma esplêndida procelária gigantesca, inteiramente branca e com duas faixas negras atravessadas nas asas – sinal definitivo de que estavam bem próximos do mar aberto. Clark avistou uma água-viva na abertura entre duas banquisas e afirmou categoricamente que essas criaturas só eram encontradas nas proximidades do mar livre de gelo. Esses indícios, e mais um céu negro de água a noroeste, a presença do balanço do mar e a temperatura relativamente alta, de mais de um grau acima de zero, levaram Worsley a afirmar: "Parece muito promissor." Mas depois acrescentou: "Às vezes a esperança engana."

Por volta das três da tarde começou a chover, e às oito, quando principiava o turno de serviço comandado por Wild, choveu forte. Wild e McIlroy passaram todo o período que durou seu turno de serviço instalados na barraca nº 5, e, a despeito das condições terríveis de superlotação e umidade, reinava uma atmosfera acolhedora. Todos adoravam ouvir novas histórias, em vez das narrativas batidas dos mesmos invariáveis companheiros de barraca.

Pouco depois da entrada dos recém-chegados, os homens se permitiram o luxo de riscar um fósforo. "Prontos?", perguntou Wild, enquanto os fumantes se punham a postos com seus cachimbos e cigarros. Em seguida, o precioso fósforo foi aceso, lançando seu clarão sobre o círculo de rostos barbados. Mechas individuais de fio de corda alcatroado foram acesas com o fósforo; depois todos se recostaram, dando baforadas satisfeitas.

Wild contou uma série de histórias sobre suas façanhas passadas com as mulheres, e McIlroy se mostrou à altura de sua reputação como o membro mais cosmopolita da expedição, explicando a um público atento suas receitas para a preparação de vários coquetéis, inclusive um afrodisíaco de efeito garantido chamado "Carícias de Amor". Além disso, a noite passou sem novidades. Ao amanhecer, a chuva cessara e o vento mudara para o sul, soprando frio e seco. O balanço do mar foi aos poucos se tornando mais fraco.

A despeito de todos os sinais encorajadores, o banco de gelo exibiu poucas mudanças ao longo de todo o dia e na manhã do dia seguinte. À tarde apareceu uma faixa de "céu de água" muito escuro a sudoeste, estendendo-se ao longo de todo o céu até nordeste, mas em vista do vento sul parecia improvável que surgisse uma abertura súbita no gelo, de modo que Shackleton considerou seguro cancelar os turnos alternados de serviço. No entanto, as sentinelas foram mantidas, dia e noite.

Aquela noite, exatamente às oito horas, quando Macklin substituía Orde-Lees como sentinela, a banquisa ergueu-se inesperadamente por efeito do movimento do mar e rachou, a meio metro da barraca de Wild. Macklin e Orde-Lees se encarregaram de dar o alarme juntos.

No entanto, todos se haviam recolhido, confiando em que o gelo não se partiria, e a emergência pegou-os quase que totalmente desprevenidos. Houve uma grande confusão enquanto todos se vestiam em meio à total escuridão das barracas, tentando achar as roupas certas e calçar as botas que se haviam congelado no frio de sete graus abaixo de zero. Mesmo depois que os homens conseguiram sair de suas barracas houve muita confusão em torno da natureza precisa do problema e de onde estava o perigo. Tateavam no escuro, entrechocando-se e enfiando os pés em buracos invisíveis no gelo. Mas a ordem foi finalmente restaurada. Os barcos foram trazidos para mais perto das barracas, e o estoque de carne, que novamente ficara separado dos homens por uma fenda, foi recuperado na escuridão.

Shackleton ordenou que os turnos alternados de serviço tornassem a entrar em vigor e que os homens que não estivessem em serviço se recolhessem "prontos para tudo" – inteiramente vestidos, incluindo luvas e gorros.

Era difícil dormir. Ao longo de toda a noite, a banquisa se deslocava sensivelmente ao sabor do forte movimento do oceano, subindo e descendo cerca de 30 centímetros de cada vez, e os repetidos baques que sentiam cada vez que ela se chocava com outras banquisas eram francamente assustadores. Todos sabiam que a banquisa estava reduzida a dimensões tão pequenas que, caso tornasse a rachar, era quase inevitável que algo – ou alguém – viesse a cair na fenda aberta e fosse provavelmente esmagado.

Quando a manhã raiou, porém, o vento sul amainou, e pouco antes do meio-dia o balanço do mar tinha desaparecido. Ao meio-dia, pela primeira vez nos últimos seis dias, Worsley conseguiu obter uma medida com o sextante. A posição em que se encontravam era 62º33' Sul, 53º37' Oeste. Por mais incrível que pudesse parecer, a deriva os empurrara 45 quilômetros para o norte em seis dias, a despeito dos ventos desfavoráveis que sopravam do norte durante cinco dias. Obviamente, o gelo estava sob a influência de uma corrente para o norte.

Era dia 3 de abril, 49º aniversário de McLeod. O grupo acabara de brindar à sua saúde no almoço quando uma cabeça de leopardo-marinho emergiu junto à borda da banquisa. McLeod, que era baixo e forte, aproximou-se do animal e começou a agitar os braços para imitar um pinguim. O leopardo-marinho aparentemente se deixou convencer, porque pulou para fora da água e investiu contra McLeod, que fez meia-volta e saiu correndo. O leopardo-marinho deu mais dois ou três saltos para a frente e depois parou, aparentemente para examinar as outras criaturas que havia naquela banquisa. Sua distração foi fatal. Wild fora buscar a carabina na barraca. Fez mira e atirou, e mais 500 quilos de carne foram acrescentados à despensa.

Assim, a quantidade de provisões cresceu consideravelmente. Ao mesmo tempo, como as porções servidas a cada homem aumentaram, o moral de todo o grupo também melhorou. Os resmungos sombrios e mal-humorados de alguns dias antes, quando se viram diante da perspectiva de comer carne crua de foca estragada, desapareceram, e ocasionalmente a atenção dos homens até se voltara para questões que ultrapassavam a esfera da mera sobrevivência. Na tarde do aniversário de McLeod, Worsley e Rickenson travaram uma longa e rumorosa discussão sobre o tema aparentemente remoto da limpeza das fazendas de gado leiteiro da Nova Zelândia em comparação com as da Inglaterra.

Embora todos estivessem plenamente conscientes de que sua situação ser tornava mais crítica a cada momento, era muito mais fácil enfrentar o perigo com o estômago razoavelmente cheio.

A banquisa onde se encontravam, que antes media um quilômetro e meio de diâmetro, tinha agora menos de 200 metros de comprimento. Estava cercada de mar aberto quase o tempo todo e era constantemente ameaçada pelo balanço do mar e por colisões com outras banquisas e blocos de gelo. A ilha Clarence ficava cerca de 110 quilômetros ao norte da posição onde se encontravam, e, embora aparentemente estivessem avançando em sua direção, estavam preocupados com a inflexão gradual para oeste de sua deriva, que tendia a se tornar cada vez mais pronunciada. Se isso ocorresse, seriam levados para o mar alto depois de atravessar o canal de Loper, o golfo de cerca de 130 quilômetros de largura situado entre as ilhas Elephant e Rei George.

Seria duro [escreveu McNeish], depois de passar à deriva por esses estreitos, sermos empurrados para o mar. [E James observou]: Muita expectativa o tempo todo. Estamos perto de alguma coisa, sem dúvida. Se tudo correr bem, logo estaremos em terra firme. O que mais precisamos é de uma abertura no gelo. O perigo principal que corremos é sermos empurrados além dessas ilhas junto com o banco de gelo fechado. Nossa meta são as ilhas Clarence e Elephant...

Foi impossível usar o sextante no dia seguinte, úmido e encoberto, com ondas desagradavelmente altas fazendo a banquisa balançar. No entanto, no dia 5 de abril Worsley conseguiu obter a medida de sua posição – e ela revelava que estavam se dirigindo diretamente para o mar alto.

6

De alguma forma, em dois dias, sua deriva se desviara para o oeste e os fizera cobrir a incrível distância de 33 quilômetros em 48 horas, a despeito dos ventos contrários.

O grupo todo ficou espantado com a notícia. No intervalo de um minuto, todas as suas ideias precisaram ser modificadas. Sua meta era até então a ilha Clarence ou a ilha Elephant – mas agora isso não era mais possível. As ilhas estavam fora de questão. "Isso prova a existência de uma forte corrente para oeste", disse Hurley, "e põe a ilha Elephant além de nossas esperanças de desembarque em terra firme."

Abruptamente, a atenção do grupo tornou a voltar-se para a ilha Rei George, a oeste.

Agora, queremos ventos E ou NE para nos levar bastante para oeste antes que avancemos demais para o norte [escreveu James]. É impressionante como as perspectivas podem passar de muito favoráveis a bastante desfavoráveis em dois dias... As conversas agora ou morrem inteiramente ou só falam de ventos e derivas.

Havia muitos que duvidavam que até mesmo ventos fortes de leste pudessem impelir o gelo suficientemente para oeste antes de serem empurrados para o mar alto, onde o gelo seria indiscutivelmente dissolvido, deixando-os na melhor das hipóteses à deriva nos barcos, expostos à fúria das tempestades na passagem de Drake. "Deus queira que isso não aconteça", escreveu Greenstreet, "porque duvido que sobrevivêssemos."

De noite, deitados em seus sacos de dormir, podiam sentir que o gelo estava em movimento pelos sons horríveis da pressão que ouviam à toda volta. O dia seguinte esteve encoberto até o anoitecer e não puderam obter a medida de sua posição. Mas durante a noite de 6 de abril o céu clareou e ainda estava razoavelmente claro ao amanhecer. À distância, praticamente no rumo norte, avistaram um enorme iceberg. Mas, à medida que o sol foi se levantando, viram que a parte superior do iceberg estava envolta em nuvens. Nenhum iceberg era tão alto assim – era uma ilha. Mas qual ilha?

Devido à sua deriva estimada para noroeste, muitos homens acharam que era a ilha Elephant; outros afirmaram que devia ser a ilha Clarence. O que os deixava intrigados era que viam uma e não a outra, já que as duas deveriam estar a uma distância mais ou menos igual do ponto onde se encontravam. A facção que acreditava tratar-se da ilha Clarence finalmente ganhou, com base no fato de que os picos daquela ilha tinham cerca de 1.700 metros de altura, pelo menos 600 metros mais altos que qualquer elevação da ilha Elephant, e portanto seriam visíveis a uma distância muito maior.

Na hora do desjejum, as nuvens haviam se adensado, cobrindo a visão de terra. Mas ao meio-dia Worsley conseguiu usar o sextante, afastando qualquer dúvida de que o que haviam avistado era a ilha Clarence, a cerca de 80 quilômetros de distância. E o que era mais importante: a posição demonstrava que o desvio para oeste de sua deriva cessara e que haviam avançado mais de 12 quilômetros praticamente direto para o norte nos últimos dois dias. Uma enorme onda de alívio se espalhou por todo o grupo.

... o resultado final [escreveu James] é que as ilhas Elephant e Clarence ainda são nosso objetivo, e como nosso vento é agora de SW as perspectivas são um pouco melhores por enquanto. O gelo se fechou um pouco mais durante a noite e está simplesmente coalhado de animais. Podemos ver e ouvir baleias esguichando em toda volta absolutamente o tempo todo. Uma assassina especialmente feia levantou a cabeça e examinou nossa banquisa. Os pinguins não param de grasnar... e às vezes um bando enorme passa nadando por um trecho de mar aberto com seus saltos característicos, parecendo pulgas enormes pulando na superfície da água, bonitos à luz do sol. Vimos cerca de 20 focas... ao mesmo tempo hoje de manhã. Bandos de procelárias nos sobrevoam, com algumas procelárias gigantes e gaivotas.

Ainda assim, o maldito banco de gelo não se abria.

Queira Deus que consigamos desembarcar em terra firme aqui [escreveu Macklin], para ficarmos livres da deriva incontrolável desse banco de gelo, que não podemos saber para onde nos leva, por maiores que sejam os esforços que tentemos fazer... Mas estamos nas mãos de um Poder Superior e, pobres mortais que somos, não podemos fazer nada por nós mesmos contra essas forças colossais da natureza. Se não conseguirmos desembarcar em terra, o que é bastante provável, acho que um bom plano poderia ser fazer uma tentativa de nos transferirmos para um iceberg. Muitos de nós conversamos a respeito e já desejamos isso há algumas semanas, mas é claro que há opiniões que pesam mais.

As opiniões de Ernest Shackleton. Ele era radicalmente contra acampar num iceberg, a menos que isso se tornasse inevitável. Sabia que os icebergs, a despeito de sua aparente solidez, podiam perder o equilíbrio se uma de suas partes derretesse mais depressa que outra, e podiam virar de cabeça para baixo de um momento para o outro, imprevisivelmente.

Ao longo de toda a noite, o grasnido rouco dos pinguins, pontuado pelo som explosivo dos esguichos dos cardumes de baleias, criava um verdadeiro pandemônio. Quando finalmente amanheceu, o tempo estava claro, com ventos moderados do oeste. Novamente podia-se ver a ilha Clarence, e à esquerda dela, muito ao longe, a cadeia de picos da ilha Elephant. Worsley contou dez picos.

Mas a posição relativa à ilha Clarence se alterara consideravelmente depois da noite anterior. Agora estavam praticamente ao norte, o que indicava que sua deriva fizera com que se deslocassem para leste. Ao meio-dia, a medida que Worsley tomou com o sextante confirmou esse fato. Durante as últimas 24 horas, mal haviam avançado para o norte – no máximo três quilômetros. Em compensação, avançaram 25 quilômetros para leste.

Era quase inacreditável. O banco de gelo fizera meia-volta. Dois dias antes haviam ficado chocados quando souberam que estavam derivando para oeste; agora, viam-se diante do fato de que viajavam rapidamente para leste – para longe de qualquer terra. "Se o vento não mudar para leste", escreveu Greenstreet, "vamos passar inteiramente ao largo das ilhas."

Havia também vagas perigosamente altas vindas de noroeste, percorrendo toda a extensão do banco de gelo como colinas móveis de água, que elevavam sua banquisa quase um metro cada vez que passavam. Orde-Lees chegou a ficar enjoado.

O movimento do gelo para leste podia ser claramente percebido se o comparassem com o movimento mais lento dos icebergs. O gelo que predominava no banco fora reduzido a fragmentos tão pequenos que ultrapassava qualquer obstáculo que se encontrasse em seu caminho, como se seguisse ao sabor de uma correnteza de rio.

Aquela noite, por volta das dezoito e quarenta e cinco, McNeish estava escrevendo em seu diário. "Desde ontem as vagas estão grandes", registrou. "Mas não nos fazem mal, [porque] nossa banquisa está quebrada em pedaços pequenos. Ela sobe e desce com..." Nunca chegou a acabar a frase.

Ouviu-se uma forte pancada, e a banquisa rachou justo debaixo do *James Caird*. Worsley estava de sentinela e gritou pedindo ajuda. Todos saíram correndo de suas barracas e agarraram o *James Caird* no momento em que a fenda começava a alargar-se. Os outros dois barcos, que estavam em outra parte da banquisa, foram trazidos às pressas. Quando acabaram, a banquisa havia sido reduzida a um triângulo de gelo com os lados medindo aproximadamente 100 por 120 por 90 metros.

Pouco depois da meia-noite, o vento mudou de oeste para sudeste e ficou consideravelmente mais fraco. Quase imediatamente apareceram longos trechos de mar aberto, à medida que as banquisas iam se afastando. Mas isso não durou muito. Ao amanhecer, o gelo tornara a se fechar, embora o céu ao norte se mostrasse negro como nanquim. As vagas ficaram mais fortes, e os homens precisavam se agarrar a alguma coisa quando andavam de um lugar para outro.

Novamente na hora do desjejum o gelo tornou a se afastar misteriosamente. As banquisas pequenas se transformaram em manchas brancas flutuando na superfície escura e fria da água. No entanto, enquanto o grupo observava, ansioso, o gelo tornou a se fechar. As vagas ficaram ainda mais altas, e a banquisa onde estavam começou a sofrer abalos mais sérios. No meio da manhã, pela terceira vez, trechos de mar aberto apareceram inexplicavelmente em meio ao banco de gelo e foram ficando cada vez maiores.

Às dez e meia, a voz de Shackleton ressoou no gelo:

– Desarmem as barracas e preparem os barcos!

Os homens se lançaram ao trabalho. Em dez minutos, as barracas estavam desarmadas, os sacos de dormir reunidos e guardados na proa dos barcos. Depois, um de cada vez, os barcos foram empurrados em seus trenós até a beira da banquisa.

Craque!

Novamente a banquisa se partira ao meio, dessa vez exatamente no ponto onde a barraca de Shackleton se encontrava dez minutos antes. As duas metades se afastaram rapidamente, separando o *Stancomb Wills* e uma grande quantidade de suprimentos do resto do grupo. Quase todos saltaram por cima da brecha que aumentava rapidamente e trouxeram de volta o escaler e as provisões.

Depois ficaram esperando... divididos entre o desejo quase irreprimível de lançar os barcos à água sem levar em conta o risco e o conhecimento de que, se o fizessem, não haveria como voltar atrás. Por menor que fosse, a sua banquisa era a única banquisa decente à vista. Se a abandonassem, e se o banco de gelo se fechasse antes que conseguissem chegar a outro ponto onde pudessem acampar, não teriam como escapar.

Em meio a toda aquela atividade, Green cumprira metodicamente todos os seus deveres. Preparara uma sopa oleosa de carne de foca e uma porção de leite em pó quente. Cada homem pegou sua ração e comeu de pé, observando atentamente o gelo o tempo todo. Era meio-dia e meia, e os trechos de mar aberto estavam um pouco maiores. Todos olharam para Shackleton.

Por enquanto, o banco de gelo estava aberto – mas ficaria assim por quanto tempo? E por quanto tempo eles aguentariam ficar onde estavam? A banquisa imensa onde antes ficava o Acampamento Paciência agora fora reduzida a um retângulo irregular de gelo com menos de 50 metros de comprimento. Quanto tempo ainda levaria para ser reduzida a pequenos fragmentos sob seus pés?

Às doze e quarenta, Shackleton deu a ordem em voz baixa:

– Lancem os barcos.

A banquisa fervilhou de atividade. Green correu para o fogão e apagou o fogo. Outros homens pegaram pedaços de lona e amarraram pacotes de carne e de gordura. O resto do grupo correu para os barcos.

O *Dudley Docker* foi retirado de seu trenó e abaixado até a água. Depois, com todos passando os víveres de mão em mão, foi carregado com caixas de provisões, um saco de carne, o fogão de gordura e a velha barraca nº 5. Um trenó vazio foi baixado para a água e amarrado à sua popa. Depois, o *Stancomb Wills* foi rapidamente baixado para a água e carregado, e finalmente o *James Caird*.

Era uma e meia da tarde quando as tripulações subiram a bordo dos três barcos; pegaram todos os remos disponíveis e saíram remando com toda a força na direção do mar aberto.

Assim que se afastaram do Acampamento Paciência, o gelo começou a se fechar.

PARTE IV

I

Os primeiros minutos foram cruciais... e enlouquecedores. Os remadores faziam o possível para remar no mesmo ritmo, mas estavam sem prática e eram atrapalhados por sua própria ansiedade. O gelo que os cercava prendia os remos, e as colisões eram inevitáveis. Havia homens acocorados na proa de cada um dos barcos, tentando afastar com uma vara os blocos maiores de gelo, mas muitos deles eram mais pesados que os próprios barcos.

As bordas levantadas do *James Caird* e do *Dudley Docker* eram um estorvo adicional. Por causa delas, os bancos haviam ficado baixos demais para permitir que se remasse direito, e, embora os quatro remadores de cada barco tivessem se sentado sobre caixotes de suprimentos, remar continuava muito difícil.

O trenó puxado pelo *Dudley Docker* ficava toda hora preso em pedaços de gelo, e depois de alguns minutos Worsley cortou, com raiva, o cabo que o prendia ao barco.

Ainda assim, para sua surpresa e a despeito de suas dificuldades e das forças que teimavam em retê-los, avançavam sensivelmente. O gelo parecia cada vez mais solto. Era difícil dizer se o banco de gelo estava se abrindo ou se estavam cada vez mais distantes do gelo que cercava o Acampamento Paciência. De qualquer maneira, por enquanto, a sorte estava do lado deles.

O céu encoberto estava coalhado de aves – pombos, andorinhas-do-mar, fulmares e procelárias antárticas, prateadas e brancas aos milhares. A quantidade de aves era tão grande que seus excrementos choviam sobre os barcos e obrigavam os remadores a ficar de cabeça abaixada. Também havia baleias por toda parte. Subiam à superfície de todos os lados, às vezes assustadoramente perto – sobretudo as baleias assassinas.

O *James Caird* ia à frente, com Shackleton ao leme. À medida que o gelo permitia, ele estabeleceu um curso no rumo noroeste. Depois vinha

Worsley pilotando o *Dudley Docker*, e depois Hudson no *Stancomb Wills*. O som de suas vozes marcando as remadas misturava-se aos gritos das aves que coalhavam o céu e ao som das ondas que percorriam o banco de gelo. A cada remada, os remadores controlavam melhor o ritmo.

Ao cabo de 15 minutos, o Acampamento Paciência perdeu-se em meio à confusão de gelo que deixaram para trás. Mas o Acampamento Paciência não tinha mais a menor importância. A banquisa escurecida pela fuligem que fora a prisão daquele grupo por quase quatro meses – que eles conheciam nos menores detalhes, como os condenados conhecem suas celas; que acabaram detestando, mas por cuja preservação rezaram tantas vezes – agora pertencia ao passado. Estavam nos barcos... estavam realmente nos barcos, e nada mais tinha a menor importância. Já não pensavam mais no Acampamento Paciência, nem em qualquer das horas que haviam passado lá. Havia apenas o presente, e ele significava remar... ir embora... escapar.

Com mais 30 minutos, entraram numa área de gelo muito espalhado, e às duas e meia da tarde já estavam a mais de um quilômetro e meio de distância do acampamento. Mesmo que quisessem, não conseguiriam mais encontrá-lo. Seu rumo levou-os para perto de um iceberg alto, de cume achatado, que recebia um castigo terrível das vagas de noroeste. O mar se quebrava contra seus flancos azulados, lançando espuma a 20 metros de altura.

No momento em que o ultrapassaram perceberam um ruído surdo e rouco que se tornava cada vez mais alto. Olhando para estibordo, viram um fluxo de pequenos blocos de gelo que avançava em grande turbulência, lembrando uma torrente de lava, com mais de meio metro de altura e a largura de um rio pequeno, vindo para cima deles a ESE. Era uma *tide rip*, fenômeno que ocorre quando a direção da maré é oposta à da corrente, produzindo uma contracorrente que, naquele caso, capturara uma massa de gelo e a impelia para a frente a uma velocidade de cerca de 3 nós.

Por um instante, não acreditaram no que seus olhos estavam vendo. Depois, Shackleton virou a proa do *James Caird* para bombordo e gritou para que os dois outros barcos o seguissem. Os remadores cravaram os pés no fundo dos barcos e puxaram os remos com toda a força para escapar daquela torrente de gelo. Ainda assim, ela estava chegando cada vez mais perto. Os remadores, colocados de frente para a popa, olhavam diretamente para a torrente de gelo que chegava quase ao nível de seus olhos enquanto avançava na direção dos barcos. Os homens que não estavam remando incentivavam os remadores, marcando a cadência para eles e batendo os pés ao mesmo tempo. O *Dudley Docker* era o barco mais difícil de remar e por duas vezes quase foi alcançado, mas conseguiu manter-se a salvo.

Ao final de 15 minutos, quando as forças dos remadores já começavam a lhes faltar, a torrente de gelo deu sinais de estar se espalhando. Cinco minutos depois pareceu perder a força e em pouco tempo desapareceu tão misteriosamente quanto surgira. Homens descansados pegaram os remos, e Shackleton pôs o *James Caird* novamente num rumo noroeste. O vento virou gradualmente para sudeste, de modo que soprava de popa, e ajudou muito seu progresso.

A posição em que se encontravam quando os barcos foram lançados à água era 61º56' Sul e 53º56' Oeste, perto da extremidade leste do trecho conhecido como estreito de Bransfield. O estreito de Bransfield tem cerca de 300 quilômetros de comprimento por 100 de largura e se encontra entre a península de Palmer e as ilhas Shetland do Sul. Liga a perigosa passagem de Drake às águas do mar de Weddell e é um lugar muito traiçoeiro. Foi batizado em honra de Edward Bransfield, que, em 1820, conduziu um pequeno brigue chamado *Williams* pelas águas que hoje levam seu nome. Segundo os ingleses, Bransfield foi o primeiro homem a pôr os olhos no continente antártico.

Nos 96 anos que transcorreram entre a descoberta de Bransfield e aquela tarde de 9 de abril de 1916, quando os homens de Shackleton conduziam seus barcos em meio ao gelo, muito pouco se aprendera sobre as condições de navegação nessas águas pouco frequentadas. Ainda hoje, as *Sailing Directions for Antarctica* (Orientações de Navegação para a Antártida), do Departamento de Marinha dos Estados Unidos, ao descreverem as condições no estreito de Bransfield, começam com uma explicação para justificar a "escassez" de informações sobre a área.

Acredita-se [diz o livro do Departamento de Marinha] que existam correntes fortes e erráticas, chegando às vezes a uma velocidade de 6 nós. São muito pouco afetadas pelos ventos, de modo que surge muitas vezes uma condição conhecida pelos marinheiros como "mar cruzado" – quando o vento sopra numa direção e as correntes andam em outra. Nessas ocasiões, grandes massas de água – de um, dois, três metros de altura – sobem bruscamente, como ocorre com as ondas quando são repelidas por um anteparo e colidem na volta com mais ondas que vêm chegando na direção original. O mar cruzado é extremamente perigoso para barcos pequenos.

Além disso, as condições climáticas no estreito de Bransfield são invariavelmente péssimas. Alguns relatórios dizem que o céu só aparece entre as nuvens dez por cento do tempo. As nevascas são intensas, e ventos fortes são comuns: começam em meados de fevereiro e vão se tornando mais frequentes e violentos à medida que o inverno antártico vai se aproximando.

Os barcos em que o grupo se lançou a esse mar assustador eram bastante sólidos, mas nenhum barco aberto poderia estar realmente à altura da viagem que tinham pela frente. O *Dudley Docker* e o *Stancomb Wills* eram cúteres – barcos pesados, de popa quadrada, feitos de carvalho maciço. Seus construtores noruegueses os chamavam de "barcos baleeiros de arpoar baleias-negras" (*dreperbåts*), porque foram originalmente planejados para a caça daquelas baleias. Na proa de cada um deles havia um poste robusto para se amarrar a corda do arpão. Tinham 21 pés e 9 polegadas [6,60 m] de comprimento, com largura máxima de 6 pés e 2 polegadas [1,90 m], e contavam com três assentos, ou bancos, e mais pequenos conveses na proa e na popa. Também comportavam mastros grossos a que se poderia prender uma vela; mas eram basicamente barcos a remo e não haviam sido desenhados para velejar. A única diferença efetiva entre os dois era que McNeish acrescentara aos costados do *Dudley Docker* tábuas que aumentaram a altura de suas bordas em cerca de 20 centímetros.

O *James Caird* era uma baleeira de duas proas, com 22 pés e 6 polegadas [6,85 m] de comprimento e 6 pés e 3 polegadas [1,93 m] de largura. Fora construído na Inglaterra segundo especificações de Worsley, com tabuado de pinheiro do Báltico por sobre uma estrutura de olmo americano e carvalho inglês. Embora fosse um pouco maior que os outros dois barcos, era mais leve e mais ágil devido aos materiais empregados em sua construção. McNeish levantara seus costados cerca de 40 centímetros, de modo que mesmo carregado suas bordas ficavam cerca de 60 centímetros acima do nível da água. Assim, o *Caird* era de longe o barco mais seguro dos três.

Em termos de peso, nenhum dos barcos estava sobrecarregado. O *Wills* levava oito homens, o *Docker*, nove, e o *Caird,* onze; em águas menos agitadas, com carga menos volumosa, cada um deles poderia carregar pelo menos o dobro de ocupantes. Mas naquela situação os barcos estavam desconfortavelmente cheios. As barracas e os sacos de dormir enrolados ocupavam uma quantidade desproporcional de espaço. Havia também caixas de suprimentos e uma quantidade considerável de pertences pessoais – o que no fim das contas mal deixava espaço disponível para os próprios homens.

Ao longo de toda a tarde, enquanto se mantinham no rumo noroeste, os três barcos fizeram um excelente progresso. Havia cinturões de gelo razoavelmente espessos, mas nenhum denso o suficiente para bloquear sua passagem. Pouco depois das cinco começou a escurecer. Shackleton chamou os outros barcos, dizendo-lhes que ficassem perto até que achassem um lugar adequado para acampar. Remaram até mais ou menos cinco e meia, quando chegaram a uma banquisa plana e pesada com cerca de 200 metros de comprimento, que Shackleton achou sólida o suficiente para nela acamparem. Fizeram umas seis tentativas até conseguirem puxar os barcos, em meio ao pronunciado balanço do mar, a salvo para o gelo. Eram seis e quinze quando terminaram o desembarque. Green instalou seu fogão de gordura, enquanto o resto do grupo armava as barracas, exceto a nº 5, que estava tão gasta que Shackleton deu a seus ocupantes permissão para dormir nos barcos.

O jantar consistiu em 100 gramas de *pemmican* para cães e dois biscoitos para cada um. Terminaram em torno das oito da noite, e todos, menos o sentinela, se recolheram. Fora um dia cansativo mas animado. Pela estimativa de Worsley, haviam avançado cerca de sete milhas para o noroeste. Embora a distância não fosse muito impressionante, o fato de que haviam finalmente partido nos barcos era a realização de um sonho.

Depois de cinco meses e meio no gelo, estavam enfim a caminho, "fazendo alguma coisa por nós mesmos", como disse Macklin. Adormeceram quase imediatamente.

"Está rachando!" O grito da sentinela soou poucos minutos depois de o último homem se recolher. Os homens exaustos saíram de suas barracas, alguns sem nem mesmo se darem ao trabalho de se vestir. Mas era um alarme falso; não havia rachadura, e os homens voltaram para seus sacos de dormir.

Por volta das onze horas, Shackleton sentiu uma estranha desconfiança, vestiu-se e saiu da barraca. Notou que o movimento do mar aumentara e que a banquisa onde estavam havia virado de bordo e agora recebia as vagas de frente. Estava observando havia pouco tempo quando ouviu um baque surdo e a banquisa rachou debaixo de seus pés – e diretamente sob a barraca nº 4, na qual dormiam os oito tripulantes do castelo da proa.

Quase que instantaneamente, as duas partes da banquisa se afastaram, a barraca desabou e ouviu-se um som de queda na água. Os tripulantes saíram arrastando-se de sob a lona.

– Está faltando alguém – gritou um deles.

Shackleton correu e começou a retirar a barraca de cima da fenda. No escuro, ouvia que debaixo dela havia sons abafados, como os de um homem se engasgando. Quando finalmente tirou a barraca do caminho, viu uma silhueta informe debatendo-se na água – um homem em seu saco de dormir. Estendeu o braço para o saco de dormir e com um fortíssimo puxão tirou-o da água. Um instante depois, as duas metades da banquisa partida tornaram a se unir com um baque violento.

O homem que estava dentro do saco de dormir era Ernie Holness, um dos foguistas. Estava inteiramente ensopado mas vivo, e naquele momento não foi possível cuidar melhor dele porque a rachadura estava se abrindo novamente, dessa vez muito depressa, separando os ocupantes da barraca de Shackleton e os homens que estavam dormindo no *Caird* do resto do grupo. Um cabo foi lançado de um lado para o outro e os dois grupos de homens, puxando com força, conseguiram tornar a unir as duas partes. O *Caird* foi empurrado apressadamente para o outro lado, e os homens pularam um a um para a parte maior da banquisa. Shackleton esperou até que todos os demais estivessem em segurança, mas, quando chegou a sua vez de atravessar as partes da banquisa, elas tornaram a se afastar. Agarrou a corda e tentou tornar a aproximar à força os dois pedaços de gelo, mas só a sua força não foi suficiente. Em 90 segundos desapareceu na escuridão.

Por um tempo aparentemente longo, ninguém disse nada; depois, no meio da escuridão, ouviram a voz de Shackleton.

– Ponham um barco na água – gritou.

Wild acabara de dar a mesma ordem. O *Wills* foi empurrado para o mar e meia dúzia de voluntários embarcou às pressas. Empunharam os remos e remaram na direção da voz de Shackleton. Finalmente conseguiram avistar sua silhueta na escuridão e encostaram na banquisa onde ele se encontrava. Shackleton saltou para bordo do *Wills* e voltaram para o acampamento.

Depois disso, dormir estava fora de questão. Shackleton mandou que o fogão de gordura fosse aceso. Então, voltou sua atenção para Holness, que tremia incontrolavelmente em suas roupas ensopadas. Mas não havia roupas secas para lhe dar, porque só tinham as roupas que cada um trazia no corpo. Para evitar que Holness congelasse, Shackleton mandou que não parasse de se mexer até que suas roupas secassem. Durante o resto da noite, os homens se revezavam, andando para cima e para baixo com ele. Os companheiros ouviam o estalar de suas roupas congeladas e o tinido dos cristais de gelo que caíam dele. Embora não tenha se queixado uma vez sequer do estado de suas roupas, Holness resmungou horas a fio porque perdera seu tabaco na água.

2

Às cinco da manhã, os primeiros sinais de claridade marcaram o fim da noite. Era dia 10 de abril.

Ao romper do dia, o tempo não estava animador – encoberto e enevoado, com fortes ventos de leste trazendo nevascas intermitentes que caíam sobre a água gelada. Não se via nem a ilha Clarence nem a ilha Elephant, e Worsley calculou que as ilhas se encontravam na direção geral norte, entre 45 e 65 quilômetros de distância. O vento de leste havia reunido novas massas de gelo em torno da banquisa onde estavam e eles pareciam novamente encurralados.

Mas havia sinais de abertura, e depois do desjejum prepararam tudo para partir depressa. Shackleton decidiu tornar os barcos mais leves abandonando algumas ferramentas para trabalhar no gelo e várias caixas de legumes secos. Pouco antes das oito da manhã, o banco de gelo começou a se abrir, e às oito e dez Shackleton deu a ordem de lançar os barcos à água.

O mar estava batido, com vagas altas, que faziam os barcos balançar violentamente e tornavam o exercício de remar extremamente difícil. Mas logo o gelo começou a se abrir e em mais ou menos uma hora se encontraram numa vasta extensão de mar aberto, tão ampla que mal conseguiam ver o gelo de qualquer lado. Foi uma visão bem recebida depois de mais de um ano vendo só gelo até o horizonte. Shackleton mandou passar adiante a ordem de içar velas.

O *Caird* estava aparelhado com dois mastros, para uma vela mestra e uma mezena, mais uma pequena bujarrona na proa. O *Docker* tinha apenas uma catita, e o *Wills* só possuía uma pequena vela mestra e uma bujarrona. Assim, os barcos tinham muitas diferenças em matéria de velame – e os resultados se tornaram evidentes logo depois de as velas serem içadas. O *Caird* adernou para bombordo sob o efeito do vento, adiantando-se bastante em relação aos outros dois barcos. Embora o *Docker* fosse um pouco mais veloz que o *Wills*, a diferença era pequena, e nenhum dos barcos era capaz de velejar contra o vento. O *Caird* era obrigado a se retardar para não se distanciar muito dos outros.

No meio da manhã, os barcos chegaram à borda de um banco de gelo que se estendia numa linha longa e compacta, aparentemente na mesma direção da corrente. As banquisas, velhas e sólidas, haviam resistido a anos de pressão e tinham finalmente escapado aos limites do mar de Weddell para terminar dissolvidas nos limites exteriores da Antártida. Suas margens, ao invés de novas e aguçadas nos pontos onde tivessem acabado de se quebrar, eram desgastadas e erodidas pela água. Por mais de uma hora, os barcos avançaram para oeste costeando essa linha de velhas banquisas, e então, pouco depois das onze horas, descobriram uma passagem e os barcos a atravessaram, a remo.

Perceberam imediatamente que deviam estar em mar aberto. Ironicamente, era o momento com que vinham sonhando desde o tempo do Acampamento Oceânico – mas a realidade era muito diferente do sonho. Assim que os barcos emergiram da proteção da barreira do banco de gelo foram golpeados pela plena força do vento e por um mar alto, revolto, que corria de nordeste. A espuma gelada caiu sobre eles enquanto tentavam avançar para NNE. Rajadas geladas golpeavam seus rostos, e o vento penetrante parecia ainda mais frio devido à falta de sono dos homens. No *Docker*, Orde-Lees e Kerr desabaram na pilha de sacos de dormir, terrivelmente enjoados.

Ainda assim, os homens quase não se queixavam. Sabiam que em algum ponto além do nevoeiro, provavelmente não mais de 40 quilômetros ao norte, havia terra firme, e estavam avançando na direção dela e se aproximando cada vez mais. Quando chegou a hora do almoço, Shackleton permitiu que fosse servida uma refeição reforçada de biscoitos, rações frias reservadas originalmente para os homens que fariam a travessia do continente, *pemmican* de cães e seis torrões de açúcar.

No começo da tarde, porém, o vento ficou consideravelmente mais forte, e os barcos começaram a fazer água a um ritmo inquietante. Por mais de uma hora, Shackleton manteve um curso nordeste, confiando em que os barcos se mostrariam de algum modo à altura daqueles mares. Mas em torno das duas horas percebeu que era arriscado demais seguir em frente e ordenou que voltassem para trás da proteção do banco de gelo.

Os barcos deram a volta e correram para o sul a favor do vento. Chegaram à beira do banco de gelo em minutos e seguiram para oeste, procurando uma banquisa na qual pudessem atracar. O maior pedaço de gelo que encontraram era o que Worsley descreveu como uma "banquisa-iceberg", uma massa espessa de gelo azul-escuro com cerca de 30 metros de lado, que em alguns pontos chegava a uma altura de mais de quatro metros acima do nível da água. Flutuava sozinha, isolada do resto do banco de gelo, e obviamente estava à deriva havia muito tempo. O mar erodira suas bordas, criando à sua volta um cinturão de gelo desfeito.

Os perigos da noite que haviam passado em claro ainda estavam vívidos demais na memória de Shackleton para que ele voltasse a correr os mesmos riscos. O grupo teria que passar a noite nos barcos. Atracaram ao lado da "banquisa-iceberg" e enfiaram os remos no gelo. Então, amarraram os cabos dos barcos aos remos, e os barcos ficaram um pouco afastados para esperar a noite.

Depois de alguns momentos, porém, o vento ficou mais forte de nordeste, e o mar, revolto. Os barcos começaram a se chocar violentamente uns contra os outros e havia o risco de os remos que os prendiam à banquisa soltarem-se. Além disso, o vento varria a superfície do iceberg, levantando quantidades de neve que atirava diretamente nos rostos dos homens. Depois de cerca de meia hora desse sofrimento, Shackleton não tinha outra escolha. Para que os homens pudessem dormir – e precisavam dormir –, a única alternativa era acampar no gelo. Relutante, deu a ordem.

Manobraram os barcos ao longo da banquisa-iceberg e cerca de metade do grupo saltou para o gelo. Os víveres e equipamentos foram rapidamente desembarcados. Depois, veio a enorme dificuldade para puxar os barcos para o gelo. O gelo nas bordas da banquisa-iceberg era íngreme e estava se desfazendo, erguendo-se a cerca de um metro e meio acima do nível da água. Assim, os barcos precisavam ser içados quase que verticalmente, enquanto os homens puxavam a uma distância segura, afastados da beira.

O *Wills* foi o primeiro, e conseguiram içá-lo sem incidentes. O *Docker* não foi tão fácil. Estava a meio caminho quando o gelo cedeu e Bill Stevenson, um dos foguistas, caiu na água gelada. Meia dúzia de homens o puxou para cima. O *Caird* veio por último, e a beira da banquisa tornou a ceder. Shackleton, Wild e Hurley conseguiram no último instante segurar o barco antes de caírem no mar. Eram mais de três e meia quando conseguiram finalmente deixar os barcos em lugar seguro, e àquela altura os homens estavam quase esgotados. Mal dormiam havia 36 horas. Desacostumadas com os remos, suas mãos estavam cobertas de bolhas e com algumas feridas produzidas pelo frio. As roupas, ensopadas com a espuma que caía sobre eles nos barcos. E, quando desenrolaram os sacos de dormir, descobriram que estavam encharcados.

Mas a única coisa que importava era o sono. Depois de um jantar de *pemmican* frio, leite e dois torrões de açúcar, se enrolaram, completamente vestidos, em seus sacos de dormir. Alguns deles, antes de fechar os olhos, fizeram um último esforço para registrar brevemente os acontecimentos do dia em seus diários. Worsley escreveu: "Calculo que avançamos hoje dez milhas [para noroeste], e a corrente deve nos levar bastante para o oeste empurrados pela brisa de leste." E Hurley registrou o pensamento que dominava seus espíritos: "... queira Deus que [esta banquisa] permaneça inteira toda a noite."

Por algum milagre permaneceu, mas muito antes do amanhecer perceberam que alguma coisa estava errada. Quando o sol nasceu, contemplaram um espetáculo aterrorizante da natureza.

Durante a noite, o vento atingira quase a força de um vendaval e, de algum ponto do nordeste, grandes quantidades de gelo haviam se acumulado em torno deles. Agora, estendia-se sem interrupção até o horizonte em todas as direções. Fragmentos de iceberg e banquisa despedaçados com milhares de formas diferentes obliteravam toda a superfície da água. E, do noroeste, vagas com dez metros de altura, estendendo-se de horizonte a horizonte, percorriam o banco em longas linhas implacáveis, separadas por mais ou menos um quilômetro. Quando chegava à crista das ondas, a banquisa-iceberg era erguida a alturas que pareciam vertiginosas e depois caía em vales nos quais não se via o horizonte. No ar soava um ronco surdo, abafado – o rugido do vento e o rumor das vagas batendo com um som rouco no gelo, junto com os entrechoques trovejantes dos blocos e banquisas de gelo.

Devido a seu tamanho, o iceberg onde estavam andava mais lentamente do que o resto do banco, que se chocava contra ele e o golpeava de todos os lados, enquanto as vagas o minavam, desgastando suas beiras. Periodicamente, fragmentos se soltavam de um dos lados e outros eram arrancados por fragmentos de banquisa atirados contra o iceberg pelo mar. A cada impacto, o iceberg estremecia assustadoramente.

Era precisamente a situação que Shackleton temia desde que o balanço do mar surgira no Acampamento Paciência. O iceberg se desfazia debaixo de seus pés e podia partir-se ou virar de cabeça para baixo a qualquer momento. Apesar disso, lançar os barcos ao mar teria sido uma loucura. Seriam despedaçados em questão de minutos.

A cena exercia sobre eles um tipo de satisfação horrenda. Os homens observavam, tensos e ao mesmo tempo conscientes de que no momento seguinte poderiam ser atirados ao mar e esmagados, se afogar ou então flutuar até que a centelha da vida se enregelasse em seus corpos. Ainda assim, a grandeza do espetáculo que contemplavam era inegável.

Ao vê-lo, muitos deles tentaram traduzir seus sentimentos por escrito, mas não conseguiram achar as palavras adequadas. Na lembrança de Macklin persistiam os versos da *Morte d'Arthur*, de Tennyson:

... Nunca vi nem verei, aqui ou em qualquer outro lugar, até morrer, mesmo que vivesse três vidas de homens mortais, tamanho milagre...
[... *I never saw, nor shall see, here or elsewhere, till I die, not though I live three lives of mortal men, so great a miracle...*]

Shackleton subiu numa elevação de três metros e meio numa das extremidades do iceberg, da qual podia ver a extensão ilimitada de gelo. Aqui e ali, muito longe, via-se uma linha ou uma pequena mancha escura denunciando a existência de um trecho ou uma pequena extensão de mar aberto. A única esperança do grupo era que uma dessas aberturas se aproximasse e cercasse o iceberg, tornando sua saída possível. Mas sempre que um trecho de mar aberto se aproximava acabava se afastando para um dos lados, ou então desaparecendo quando o gelo se fechava. Esperaram horas – oito, nove, dez da manhã. Os barcos estavam prontos desde o amanhecer, e os víveres e os equipamentos à mão para serem embarcados imediatamente.

Os homens observavam Shackleton no alto da pequena elevação. De baixo, a linha desafiadora de seu queixo era acentuada, mas as olheiras denunciavam a tensão a que estava submetido. Ocasionalmente, gritava para que ficassem prontos. Uma oportunidade se aproximava. Os homens corriam para os barcos e ficavam à espera, mas depois de algum tempo Shackleton olhava para eles e balançava a cabeça. A oportunidade se fora.

Enquanto esperavam, o iceberg vinha sendo gradual e sistematicamente destruído. No final da manhã, uma vaga enorme chocou-se contra ele e um fragmento com cerca de cinco metros de comprimento caiu no mar, deixando uma plataforma de gelo semissubmersa. A plataforma era permanentemente varrida pelas ondas, o que aumentava muito a pressão sofrida pelo iceberg, impedindo que acompanhasse naturalmente o movimento do mar. Havia uma grande probabilidade de que o iceberg se partisse horizontalmente e que toda a sua parte superior fosse arrancada.

Chegou o meio-dia. O iceberg ficara menor, mas o gelo continuava fechado. A única mudança era que as ondas estavam mais altas. Serviu-se um pouco das rações originalmente reservadas à parte da expedição que faria a travessia, e os homens comeram de pé, reunidos em pequenos grupos, conversando em voz baixa. Em torno de uma hora da tarde, um pensamento assustador começou a se espalhar pelo grupo. E se chegasse a noite antes que o gelo se abrisse? Com os golpes que vinha sofrendo, certamente o iceberg não conseguiria durar até a manhã seguinte. Seriam atirados ao mar durante a noite.

Os homens fizeram piadas desanimadas sobre aquela possibilidade, tentaram resignar-se ou simplesmente procuravam não pensar nisso. Greenstreet pegou seu diário e tentou escrever: "... um momento de muita ansiedade, enquanto nossa banquisa balança violentamente, sendo..." A entrada do diário acaba no meio da frase. Não adiantava; não conseguia concentrar-se naquilo.

Pouco antes das duas horas, quando só restavam cerca de três horas de claridade, o grupo caiu num silêncio sombrio. Várias aberturas haviam passado ao largo, longe demais para beneficiarem o grupo de alguma forma. Observavam Shackleton enquanto ele acompanhava a aproximação de mais uma abertura vinda do norte, mas ninguém acreditava mais que lhes seria favorável.

Ouviu-se um grito excitado. O mar estava se abrindo na direção oposta. Viraram-se e olharam. O que viram era quase inacreditável. O gelo se afastava misteriosamente, como se estivesse sob a influência de alguma força invisível. Enquanto olhavam, redemoinhos e ondulações apareceram na superfície da água. Uma corrente inesperada surgira, aparentemente vinda das profundezas do oceano, e fora desviada pela ampla massa submersa de seu iceberg. Os homens começaram a pular, apontando e gesticulando freneticamente para a abertura de água escura que se alargava em torno do iceberg.

– Lancem os barcos! – gritou Shackleton enquanto descia correndo de seu ponto de observação. – Embarquem os suprimentos de qualquer maneira.

Mãos ansiosas agarraram os barcos, e os homens correram para a beira do iceberg. A superfície da água estava um metro e meio abaixo deles, e os homens quase deixaram os barcos cair dentro da água. Saltaram para bordo, e os suprimentos foram rapidamente carregados. Houve um mau momento, quando a plataforma de gelo se ergueu e ameaçou fazer virar o *Docker*, mas o barco conseguiu evitar o perigo e em cinco minutos haviam partido.

Remaram para o centro da abertura e de lá conseguiram ver outra abertura além de uma pequena faixa de gelo fragmentado. Atravessaram o gelo, e então o banco de gelo, como sempre sem explicação, começou a se dissipar, deixando uma ampla extensão de mar aberto em torno deles.

Até então seu destino era ou a ilha Clarence ou a ilha Elephant – onde conseguissem chegar primeiro. Eram a escolha mais lógica, as áreas mais próximas de terra firme. Quando os barcos foram lançados no Acampamento Paciência, a ilha Clarence se encontrava a apenas cerca de 60 quilômetros ao norte. Navegando para noroeste, haviam reduzido a distância para 40 quilômetros a NNE, segundo os cálculos de Worsley. No entanto, fazia dois dias que haviam usado o sextante pela última vez, e durante aquele período os ventos fortes de nordeste os tinham feito provavelmente percorrer uma distância considerável para oeste. Além disso, as maiores extensões de mar aberto se estendiam para sudoeste – na direção da ilha Rei George, a cerca de 120 quilômetros de distância. Shackleton tomou a decisão na hora: abandonariam o esforço para chegar à ilha Clarence ou Elephant e aproveitariam o vento favorável para chegar à ilha Rei George.

De qualquer maneira, era um destino muito mais desejável. Tanto a ilha Clarence quanto a ilha Elephant eram remotas, e, que Shackleton soubesse, nunca haviam sido visitadas. Mas da ilha Rei George, numa série de viagens de ilha a ilha, a maior das quais com 30 quilômetros, o grupo chegaria finalmente à ilha Deception, cerca de 150 quilômetros além. Nela, os restos de um vulcão extinto constituíam um porto excelente, e o lugar era uma escala frequente de navios baleeiros. Acreditavam também que havia um depósito de alimentos na ilha Deception para ser usado por quem necessitasse. O que era mais importante era que, nela, havia uma pequena capela rudimentar construída pelos caçadores de baleias. Mesmo que nenhum barco aportasse na ilha, Shackleton tinha certeza de que poderiam demolir a igreja e usar a madeira para construir um barco suficientemente grande para acomodar todos eles.

Mantiveram um curso sudoeste por toda a tarde. Por volta das três e meia, Shackleton fez um sinal do *Caird* para que içassem as velas, e, quase que imediatamente, as desigualdades entre os três barcos ficaram mais uma vez patentes. O *Caird* movia-se bem pelo mar, seguido pelo *Docker*, mas o *Wills* se arrastava atrás deles, ficando cada vez mais atrasado. Depois de algum tempo, Shackleton parou o *Caird* sob a proteção de um trecho de gelo e gritou para Worsley que voltasse para buscar o *Wills*. O *Docker* levou quase uma hora para voltar para barlavento e retornar para junto do *Caird* rebocando o *Wills*.

Quando os três barcos tornaram a se reunir, a noite caía rapidamente, e Shackleton ficou com medo de uma colisão com o gelo. Os barcos recolheram as velas e continuaram a avançar a remo. À última luz do dia encontraram uma banquisa e pararam ao seu lado. Mas não acampariam essa noite – nem nunca mais, no que dependesse de Shackleton. Haviam aprendido sua lição duas vezes, e nunca mais voltariam a dormir no gelo. O único homem a desembarcar foi Green, que levou seu fogão de gordura e os víveres para a banquisa. Preparou ensopado de foca e aqueceu um pouco de leite. Os homens comeram sentados nos barcos.

Quando acabaram, tornaram a zarpar. Os barcos seguiam amarrados, um atrás do outro, tendo o *Docker* à frente. E o grupo começou a remar, muito devagar, no rumo sudoeste. Revezavam-se nos remos, com dois remadores de cada vez. Outros ficavam de vigia nas popas dos barcos, observando a borda do banco de gelo, de modo que os barcos continuassem encobertos por sua proteção, e atentos à procura de icebergs ou banquisas maiores que pudessem destruir os barcos. Começara a nevar – flocos grandes, úmidos, que se agarravam a tudo e derretiam. A neve duplicava o desconforto dos vigias, que forçavam os olhos contra o vento para ver blocos de gelo à deriva na escuridão.

O período de trabalho nos remos era curto, de modo que os homens ficassem pouco tempo sem remar. Era o único modo de se aquecer. Os que não estavam remando ou de vigia faziam o que podiam para manter o sangue circulando. Mas dormir estava fora de cogitação, porque não havia espaço para se estender. O fundo de todos os barcos estava tão atopetado de víveres e equipamentos que mal havia espaço para os pés dos passageiros. Os sacos de dormir e as barracas ocupavam quase todo o espaço nas proas, e os dois bancos em que os remadores se sentavam precisavam ficar desimpedidos. Isso só deixava um pequeno espaço a meia-nau para os homens que não estavam de serviço sentarem num pequeno grupo compacto, bem juntos, para aproveitarem o calor.

Ao longo de toda a noite, a súbita erupção da água perto deles e um som parecido com o de uma válvula de vapor sendo aberta sob pressão denunciavam a proximidade de baleias. E elas se transformaram na principal preocupação durante aquela noite longa e escura. Haviam visto muitas vezes as baleias deslocando enormes fragmentos de banquisas quando emergiam para respirar. E a capacidade que as baleias tinham de discriminar entre o fundo de uma banquisa e os fundos brancos dos barcos era extremamente discutível.

Em torno das três da manhã, o grupo ficou subitamente eletrizado ao ouvir um grito quase histérico de Hudson: "Uma luz! Uma luz!" Ele apontava para noroeste. Todos os homens se esticavam, olhando na direção indicada por Hudson. Mas a expectativa só durou um instante cruel – até conseguirem perceber a insensatez daquilo. Depois, tornaram a se acomodar, amaldiçoando Hudson por sua estupidez e por ter despertado suas esperanças. Hudson insistia em afirmar que vira a luz, e passou minutos desconsolado, resmungando que ninguém acreditava nele.

Em torno das cinco da manhã, o céu começou a clarear. Logo irrompeu a aurora do dia 12 de abril, num esplendor radiante ao longo do horizonte. O sol começou a se erguer num céu sem nuvens, e a mera visão de seu brilho pareceu mudar toda a feição das coisas. Remaram ao longo de uma grande banquisa, e Green tornou a desembarcar para preparar um pouco de ensopado de foca e de leite quente. Depois do desjejum, zarparam e içaram as velas, rumando para sudoeste em condições perfeitas – amplos trechos de mar aberto protegidos por uma linha de gelo em que centenas de focas dormiam estendidas.

Por volta de dez e meia, Worsley pegou seu sextante. Depois, apoiando-se no mastro do *Docker*, fez uma medida cuidadosa – a primeira que fazia desde que deixaram o Acampamento Paciência. Ao meio-dia, repetiu o ritual, enquanto os barcos esperavam o resultado. Todos estavam virados para Worsley enquanto ele fazia seus cálculos sentado no fundo do *Docker*. Observavam sua expressão quando as duas linhas de posição foram calculadas para se obter a posição atual. Levou muito mais tempo do que costumava, e aos poucos um ar intrigado foi substituído por uma expressão preocupada. Percorreu novamente seus cálculos; depois, levantou lentamente a cabeça. Shackleton trouxera o *Caird* para o lado do *Docker*, e Worsley mostrou-lhe a posição – 62°15' Sul, 53°7' Oeste.

Estavam 200 quilômetros a leste da ilha Rei George e 100 quilômetros a sudeste da ilha Clarence – 35 quilômetros mais longe de terra que no momento em que lançaram os barcos na água no Acampamento Paciência três dias antes!

3

Haviam navegado continuadamente no rumo oeste, impelidos por ventos fortes de leste – e apesar disso, na verdade, avançaram na direção oposta. Estavam a 30 quilômetros de seu ponto de partida e 80 quilômetros a leste do ponto onde acreditavam que estariam.

A notícia foi tão dolorosa que alguns se recusaram a acreditar. Não era possível. Worsley tinha cometido algum erro. Mas não. Ele usou o sextante pela terceira vez no começo da tarde, e os resultados que obteve mostraram que a ilha Joinville, que haviam perdido de vista na semana anterior, agora se encontrava a apenas 130 quilômetros de distância.

Estavam sob a influência de alguma corrente desconhecida ou imperceptível que se deslocava para leste – uma corrente com uma força tão tremenda que conseguira empurrá-los de volta contra a ação de ventos fortes.

Para chegar à ilha Rei George precisariam navegar contra aquela corrente, e assim, pela terceira vez, Shackleton anunciou que se destinavam a um ponto diferente. Dessa vez seria a baía Hope, a cerca de 200 quilômetros de distância, na ponta da península de Palmer, além da ilha Joinville. Os barcos foram orientados para o rumo sul, e os homens caíram num silêncio absoluto, exaustos e desanimados, depois de verem desfazer-se totalmente suas esperanças de desembarcar logo em terra firme.

No final da tarde, o vento aumentou de NNW, e os barcos chegaram a um trecho de mar coberto de fragmentos esparsos de gelo, que no entender de Shackleton poderiam vir a causar-lhes problemas no escuro. Assim, deu ordem para que pusessem os barcos à capa, de frente para o vento, de modo a reduzir seu deslocamento ao mínimo possível. Worsley insistiu para que continuassem usando os remos, mas Shackleton recusou. Tentaram encontrar uma banquisa onde pudessem deixar os barcos amarrados durante a noite. Mas não havia nenhuma – nem mesmo um bloco de gelo grande o suficiente para acomodar Green e seu fogão. O melhor que encontraram foi uma pequena banquisa à qual conseguiram amarrar o *Docker* com o *Wills* amarrado a ele e o *Caird* por último. Até mesmo isso foi difícil em meio à forte ondulação do mar, que fazia tanto os barcos quanto a banquisa balançarem violentamente. Levaram quase uma hora para amarrar os barcos.

As lonas das barracas foram estendidas sobre cada um dos barcos, e com grande dificuldade conseguiram acender os pequenos fogareiros Primus [fogareiro a álcool] para esquentar o leite. Beberam-no quase fervendo, aglomerados sob as lonas das barracas batidas pelo vento. Estavam gozando o luxo daquele raro momento de calor quando uma nova ameaça apareceu. Grandes blocos de gelo começaram a passar em torno da banquisa, dirigindo-se para seu lado de estibordo, onde os barcos estavam amarrados.

As lonas foram afastadas, e os homens, usando todos os remos e ganchos disponíveis, postaram-se em torno de cada barco, empurrando os blocos de gelo que se aproximavam ou mantendo-os à distância para que a ondulação do mar não os fizesse colidir com os barcos. A luta poderia ter continuado a noite inteira. Em torno das nove horas, porém, num intervalo de apenas alguns minutos, o vento mudou bruscamente para sudoeste. Imediatamente a banquisa deixou de servir como abrigo e tornou-se, em vez disso, um obstáculo a barlavento; os barcos estavam sendo impelidos contra suas margens aguçadas. Shackleton gritou que precisavam se afastar, e os remadores assumiram rapidamente as suas posições. Acontecera tão depressa, e o vento estava tão forte, que não houve sequer tempo de soltar e enrolar o cabo do *Docker* que os prendia à banquisa: foram obrigados a cortá-lo. Remaram freneticamente até que afinal se viram livres da banquisa.

Novamente começara a cair uma neve espessa e úmida. A temperatura também baixou, com o vento que soprava do polo. Pouco tempo depois, a superfície do mar estava se congelando, formando placas flexíveis que mais tarde se transformariam em "panquecas de gelo".

Shackleton ordenou que o *Docker* seguisse à frente. O *Caird* foi amarrado à sua popa, e o *Wills* fechava a fila. Dois remos foram estendidos do *Docker* para manter a fila de barcos de frente para o vento e evitar que viessem a colidir entre si. Às dez estavam em posição.

Pela segunda noite seguida não dormiram, embora alguns homens se amontoassem na esperança de gerar o calor suficiente para lhes permitir cochilar alguns momentos. Mas fazia frio demais. Os termômetros de Hussey estavam guardados, de modo que não podiam saber ao certo qual era a temperatura, mas Shackleton calculou que fosse de 20 graus abaixo de zero. Chegavam a ouvir a água congelando. A neve caía no gelo recém-formado produzindo pequenos estalidos, e o próprio gelo dava estalos sibilantes cada vez que se erguia pelo efeito da ondulação do mar.

As roupas de todos os homens, que estavam sentados quase imóveis, congelaram. Além de molhadas de espuma e de neve, também estavam gastas e saturadas com o óleo secretado pelos seus próprios corpos ao longo de seis meses de uso constante. Cada vez que alguém mudava de posição, mesmo que só ligeiramente, sua pele entrava em contato com uma superfície nova, não aquecida, de seus trajes. Todos se esforçavam por ficar sentados em absoluta imobilidade, mas era impossível. O cansaço, a falta de comida, o exercício e a tensão os enfraqueceram a tal ponto que quanto mais tentavam ficar imóveis mais tremiam – e era seu próprio tremor que os mantinham acordados. Era melhor remar. Shackleton, a bordo do *Caird*, acreditava que alguns de seus homens não sobreviveriam àquela noite.

Cem vezes, ao que parece, perguntaram a Worsley que horas eram. A cada vez, ele enfiava a mão por baixo da camisa e tirava o cronômetro que carregava pendurado no pescoço para mantê-lo aquecido. Segurando-o junto ao rosto, lia seus ponteiros à luz fraca da lua, que brilhava através de nuvens esparsas carregadas de neve. Com o passar do tempo, tornou-se uma espécie de brincadeira de mau gosto – ver quem aguentava mais tempo sem tornar a perguntar que horas eram. Cada vez que alguém finalmente sucumbia à tentação, todas as cabeças se levantavam para esperar a resposta de Worsley.

Mas a manhã acabou rompendo, afinal. E à luz do dia a tensão das longas horas de escuridão estava estampada em todos os rostos. As faces estavam cavadas e pálidas, os olhos injetados pela espuma salgada e pelo fato de só terem dormido uma única noite nos últimos quatro dias. As barbas emaranhadas haviam ficado cobertas de neve e se congelaram numa massa branca. Shackleton percorreu seus rostos à procura de uma resposta para a pergunta que mais o atormentava: quanto ainda seriam capazes de aguentar? Não havia uma resposta que se aplicasse a todos. Alguns homens pareciam a ponto de entrar em colapso, enquanto outros demonstravam uma inconfundível determinação de resistir. Pelo menos, todos haviam sobrevivido àquela noite.

Pouco depois do nascer do sol, o vento mudou para sudeste e ficou consideravelmente mais forte. Shackleton disse a Worsley que trouxesse o *Docker* para perto do *Caird*. Depois de uma conferência apressada, anunciaram que, pela quarta vez, seu destino fora mudado. Devido ao vento de sudeste, iam tentar novamente chegar à ilha Elephant, agora 150 quilômetros a noroeste – se Deus mantivesse o vento firme até sua chegada.

Depois de redistribuir os mantimentos para que o *Wills* ficasse menos carregado, os barcos içaram as velas e partiram, com o *Caird* à frente. Navegaram por entre as banquisas, e os homens se revezavam inclinados na proa, tentando afastar os blocos de gelo. Mesmo assim houve uma série de colisões, e o *Caird* sofreu um pequeno rombo ao se chocar contra um bloco muito avantajado. Felizmente, o buraco no casco ficava acima da linha de flutuação, mas Shackleton ordenou que os barcos reduzissem a velocidade para evitar novas avarias.

Os fogareiros foram novamente acesos e preparou-se uma nova ração de leite quente. Além disso, Shackleton disse que todos podiam comer quanto quisessem, para compensar o frio e a falta de sono. No entanto, isso não era possível para alguns homens, que ainda por cima enfrentavam o sofrimento adicional do enjoo. Orde-Lees era quem estava pior, ou pelo menos quem mais se queixava. Mas poucos sentiam pena dele. Orde-Lees trabalhara bem menos que os demais desde que haviam partido nos barcos. Muitas vezes, quando chegava seu turno nos remos, suplicava a Worsley que o dispensasse, alegando que estava passando mal ou que não era muito bom remador. Como sempre, Worsley tinha dificuldades em ser severo, e como o tempo todo havia muitos homens apresentando-se como voluntários para remar, para se manterem aquecidos, Orde-Lees foi dispensado de seu turno várias vezes. Nas raras ocasiões em que recebeu uma ordem direta ou foi levado pela vergonha a assumir um dos remos, conseguia mostrar uma inépcia tão grande que isso lhe valia ser rapidamente substituído. Muitas vezes, quando estava remando à frente de Kerr, mantinha-se fora do ritmo o suficiente para, cada vez que se inclinava para trás depois da remada, chocar-se com os dedos de Kerr às suas costas. Maldições, ameaças – nada fazia efeito. Parecia que não estava escutando. Finalmente, Kerr pedia a Worsley que substituísse Orde-Lees.

Quando Shackleton disse que todos poderiam comer uma quantidade ilimitada de alimento, os homens do *Docker* vingaram-se de Orde-Lees assegurando-se de que ele os visse comer à farta, na esperança de que isso o fizesse sentir-se pior.

Em torno das onze horas, os blocos de gelo espalhados foram ficando ainda mais esparsos, embora os barcos continuassem a se defrontar com grandes extensões de gelo recém-formado. Num certo ponto, as "panquecas de gelo" estavam coalhadas de milhares de pequenos peixes com cerca de 15 centímetros, que aparentemente haviam sido mortos por uma corrente fria. Vastas quantidades de fulmares e procelárias mergulhavam para catar os peixinhos no gelo.

O tempo todo o vento estava aumentando de intensidade. No final da manhã se transformara quase num vendaval e impelia os barcos à frente a uma velocidade notável.

Pouco antes do meio-dia atravessaram a linha do banco de gelo e chegaram ao mar aberto.

A mudança foi de tirar a respiração. As vagas de noroeste, que até então haviam sido amortecidas pelo banco de gelo, agora avançavam contra os barcos com sua imensidão sem peias. O curso que seguiam ficava bem de frente para a direção em que as vagas se deslocavam e em poucos minutos estavam subindo uma montanha de água com uma encosta de quase um quilômetro de comprimento. Quando chegaram ao cume, o vento uivava, soprando a espuma em franjas delgadas e finíssimas. Depois começaram a descer, uma descida lenta mas íngreme, rumo ao vale que os levaria até a próxima onda. O ciclo se repetiu vezes sem conta. Em pouco tempo perderam de vista o banco de gelo, e ocasionalmente um ou outro dos barcos desaparecia por trás de uma daquelas gigantescas montanhas móveis de água.

Era como se tivessem emergido subitamente em pleno infinito. Tinham o oceano à sua volta, uma vastidão hostil e deserta. Shackleton pensou nos versos de Coleridge:

Só, só, totalmente, totalmente só,
Só no mar vasto.

[*Alone, alone, all, all alone,*
Alone on a wide wide sea.]

O aspecto do grupo era lamentável – três barquinhos, coalhados com o que restava de uma expedição portentosa, carregando 28 homens em péssimo estado numa tentativa final, desesperada, de sobreviver. Mas dessa vez não havia como voltar atrás, e todos sabiam disso.

Os homens se agarravam aos costados dos barcos enquanto avançavam. Embora estivessem fazendo um progresso considerável, eram obrigados a conquistá-lo da maneira mais difícil. Tanto o *Docker* quanto o *Wills* faziam água o tempo todo. Os homens estavam voltados para a popa, com o vento diretamente em seus rostos – uma posição um pouco melhor do que ficar de frente para a proa, situação em que seriam atingidos pela espuma que quebrava nos costados dos barcos.

No meio da tarde o vento ficou ainda mais forte, de modo que Shackleton ordenou que as velas fossem enrizadas, e continuaram assim até o final da tarde. Ao pôr do sol, Worsley encostou o *Docker* no *Caird* e insistiu para que continuassem, mas Shackleton se opôs terminantemente. Já era muito difícil, disse, manter os barcos juntos à luz do dia; à noite, seria impossível. Rejeitou até a sugestão feita por Worsley de juntarem-se e continuarem a remo noite adentro.

Shackleton estava convencido de que a melhor chance que tinham de chegar em segurança seria permanecerem juntos. Tanto o *Caird* como o *Wills* dependiam amplamente do talento de Worsley como navegador, e

Shackleton estava plenamente consciente de que o *Wills* precisava de cuidados constantes. Além de o próprio barco ser o menos adequado dos três a navegar em alto-mar, Hudson, que o comandava, era um dos homens que mais acusava os efeitos da tensão e estava ficando obviamente enfraquecido, tanto física quanto mentalmente. Shackleton estava certo de que o *Wills* se perderia caso se separasse dos outros.

Decidiu que os três barcos passariam a noite à capa. Mandou que o *Docker* lançasse uma âncora flutuante, e o *Caird* foi amarrado à popa do *Docker*, com o *Wills* logo atrás. Trabalhando com os dedos endurecidos pelo frio, Worsley, Greenstreet e McLeod amarraram três remos e esticaram um pedaço de lona sobre a armação obtida. O aparelho foi amarrado a um cabo longo e lançado ao mar. Esperavam que a âncora flutuante funcionasse como um freio, mantendo as proas dos barcos contra o vento ao ser arrastada pelo mar. Quando a âncora flutuante ficou na posição, as tripulações dos três barcos se acomodaram para esperar pela manhã.

Foi a pior de todas as noites. Assim que a escuridão se aprofundou, o vento aumentou e a temperatura caiu ainda mais. Novamente, não tinham como saber a temperatura exata, mas é provável que fosse de pelo menos 22 graus abaixo de zero. Fazia tanto frio que a água do mar que caía sobre eles se congelava quase assim que se encostava em seus corpos. Antes mesmo que a escuridão ficasse completa, perceberam claramente que a âncora flutuante não conseguiria mantê-los de frente para o vento. Os barcos caíam constantemente nos cavados entre as vagas, para os quais eram empurrados de lado pelo movimento do mar. Os barcos, os homens – tudo ficava molhado, e depois congelava. A maioria dos homens tentava abrigar-se sob as lonas das barracas, mas o vento as arrancava o tempo todo de suas mãos.

No *Caird*, conseguiram abrir espaço suficiente para quatro homens se amontoarem de cada vez numa pilha de sacos de dormir reunida na popa e se revezarem tentando dormir em vão. No *Docker*, porém, só havia espaço suficiente para os homens ficarem sentados em posição ereta, muito juntos, com os pés apertados entre as caixas de suprimentos. A água do mar que entrava a bordo corria pelo fundo do barco, e, como a maioria dos homens usava botas de feltro, seus pés passaram a noite toda mergulhados na água gelada. Faziam o possível para esvaziar os barcos, mas a água chegava às vezes à altura de seus tornozelos. Para evitar que seus pés congelassem, ficavam o tempo todo mexendo os dedos dos pés dentro das botas. O melhor que podiam esperar era que a dor nos pés continuasse, porque se a dor parasse, por mais que o desejassem, isso significaria que os pés estavam ficando congelados. Depois de algum tempo, eles precisavam de uma concentração extrema para continuar a mexer os dedos dos pés – seria tão fácil parar!

À medida que as horas se arrastavam e sua agonia se tornava mais aguda, os homens do *Docker* reagiram com a única arma pateticamente ridícula de que dispunham – imprecações. Amaldiçoaram e xingaram tudo o que podiam – o mar, o barco, a espuma, o frio, o vento, e muitas vezes amaldiçoavam e xingavam uns aos outros. No entanto, suas imprecações tinham certo tom de súplica, como se estivessem implorando, numa espécie de oração, para serem libertados desse sofrimento úmido e gelado. Acima de tudo, amaldiçoaram e insultaram Orde-Lees, que pegara a única capa de chuva do barco e se recusava a abrir mão dela. Ele se acomodara na posição mais confortável do barco, empurrando Marston para um lado, e se recusava a mudar de lugar. Ou ignorava ou era indiferente às maldições e aos insultos que lhe lançavam. Depois de algum tempo, Marston desistiu e foi para a popa, onde ficou sentado ao lado de Worsley, junto ao leme. Por algum tempo, só se ouvia o gemido do vento no cordame. Depois, para dar vazão à sua raiva, Marston começou a cantar. Cantou uma canção, esperou algum tempo, e depois cantou outra. Finalmente, repetiu vezes sem conta numa voz cansada, quase sumida, uma canção com um refrão sem sentido.

Ao longo da noite sentiram-se incomodados pela necessidade de urinar com frequência. O frio intenso era certamente um fator que provocava essa condição, e os dois médicos acreditavam que era agravada pelo fato de que estavam continuamente molhados, o que os fazia absorver grandes quantidades de água pela pele. Qualquer que fosse a razão, precisavam deixar o relativo conforto da lona que os abrigava e caminhar até o lado de estibordo do barco várias vezes durante a noite. A maioria dos homens também estava com diarreia por causa da dieta de *pemmican* cru, e às vezes saíam correndo até a borda do barco e, segurando firme nas cordas, sentavam-se na amurada congelada. Invariavelmente, o mar gelado os molhava por trás.

De todos, porém, o barco em pior situação era o *Wills*. Às vezes fazia água até os joelhos. O pequeno Wally How, o marinheiro, achava impossível tirar do espírito o medo de que uma baleia assassina virasse o barco e os jogasse na água. Stevenson, o foguista, de tempos em tempos enterrava o rosto nas mãos e chorava. Blackboro, que insistira em usar as botas de couro a fim de preservar seu par de botas de feltro para o que achava que seria o futuro, ficou com os pés totalmente insensíveis ao cabo de algumas horas. E Hudson, que estava no timão havia quase 72 horas sem descanso, passou a sentir uma dor na nádega esquerda que se tornava cada vez mais intensa, enquanto aquela parte de seu corpo inchava. Depois de algum tempo, só conseguia ficar sentado de lado, e o movimento do barco era para ele uma verdadeira agonia. Também sofria de ferimentos nas mãos provocados pelo frio.

O cabo que ligava o *Wills* ao *Caird* se esticava e afrouxava alternadamente, caindo na água e tornando a elevar-se no ar gelado. Com o passar das horas, foi acumulando um revestimento cada vez mais espesso de gelo. As vidas dos oito homens a bordo do *Wills* dependiam daquele cabo. Caso se partisse, e parecia quase certo que isso iria acontecer, o *Wills* cairia no cavado entre duas vagas sucessivas e submergiria ao peso da água acumulada antes que sua tripulação conseguisse livrar sua vela do gelo e içá-la.

Todos os barcos estavam cobertos de gelo, mas o *Wills* carregava um peso extremo. A água o invadia, banhando a pilha de sacos de dormir na proa e deixando-a revestida de uma camada de gelo. O gelo formava massas perto da proa de tanto o barco mergulhar a cada onda, fazendo-o ficar mais pesado, de modo que aproximadamente a cada meia hora, ou menos, alguns homens tinham de ser mandados para tirar o gelo da proa, senão eles afundariam.

Finalmente, para todo o grupo, havia a sede. Deixaram a banquisa de modo tão abrupto que não haviam levado gelo a bordo para ser derretido e transformado em água para beber. Não bebiam nada desde a manhã anterior e estavam começando a ficar desesperados de sede. As bocas estavam secas, e os lábios, feridos pelo frio, começaram a inchar e a rachar. Alguns homens, quando tentavam comer, achavam impossível engolir, e a fome fazia com que ficassem enjoados.

4

Por volta das três da manhã o vento ficou mais fraco e às cinco se transformara numa brisa leve. Gradualmente, o mar se acalmou.

O céu estava claro, e finalmente o sol surgiu com um brilho inesquecível, rompendo um nevoeiro rosado no horizonte, fazendo renascer a vida dentro de cada um dos homens. Ficaram assistindo enquanto a luminosidade crescente apagava o desespero extremo e sombrio da noite que agora, pelo menos, chegara ao fim.

Quando o sol subiu um pouco mais, viram a estibordo da proa os picos da ilha Clarence e, um pouco depois, a ilha Elephant, bem à frente – a Terra Prometida, a não mais de 50 quilômetros de distância. Na alegria daquele momento, Shackleton chamou Worsley para cumprimentá-lo por seus talentos de navegador, e Worsley, endurecido de frio, baixou os olhos, orgulhoso e constrangido.

Chegariam à terra firme ao cair da noite – contanto que não perdessem um minuto sequer. Shackleton, impaciente para entrar em ação, deu ordem para partirem imediatamente. Mas não era tão simples assim. A luz da manhã mostrava os efeitos da noite. Muitos rostos estavam marcados pelos feios círculos brancos das ulcerações causadas pelo frio, e quase todos estavam atingidos por furúnculos provocados pela água salgada, inflamações que produziam uma supuração cinzenta e de aparência coagulada cada vez que se rompiam. McIlroy, do *Wills*, mandou avisar a Shackleton que Blackboro aparentemente perdera os pés, porque ele fora incapaz de restabelecer a circulação neles. E o próprio Shackleton estava com uma aparência lamentável. Sua voz, geralmente forte e clara, ficara rouca de exaustão. Tanto o *Docker* quanto o *Wills* estavam cobertos de gelo, por dentro e por fora. Levaram mais de uma hora quebrando uma quantidade do gelo acumulado suficiente para permitir-lhes que velejassem.

No momento de puxar para bordo a âncora flutuante, Cheetham e Holness se inclinaram na proa do *Docker* tentando desatar o nó congelado do cabo com os dedos tão endurecidos pelo frio que mal conseguiam movê-los. Enquanto tentavam, o *Docker* subiu a face de uma vaga e depois mergulhou de proa ao descer do outro lado. Holness não conseguiu afastar a cabeça a tempo e dois de seus dentes foram arrancados pela âncora flutuante. Ficou com os olhos cheios de lágrimas, que rolaram por sua barba e se congelaram. Os dois homens desistiram de desatar a âncora flutuante; cortaram o cabo que a ligava ao barco e a puxaram para bordo, mesmo toda coberta de gelo.

Os remos haviam ficado cobertos de gelo, colando-se às amuradas dos barcos, e era preciso quebrar o gelo para soltá-los. Os homens tentaram romper aquele revestimento congelado, mas dois dos remos ficaram tão escorregadios que deslizaram pelas forquetas e caíram no mar.

Finalmente, os barcos partiram às sete. Os homens receberam uma ração de nozes e biscoitos, mas sua sede era tão intensa que poucos deles foram capazes de comer. Shackleton sugeriu que tentassem mastigar carne de foca crua, para engolir o sangue. Pedaços de carne crua foram distribuídos, e depois de alguns minutos mascando e sugando os homens conseguiram obter uma quantidade suficiente de suco sanguinolento para pelo menos engolir. Mas se dedicaram a isso com tamanha voracidade que Shackleton percebeu que seu estoque de carne logo se esgotaria e ordenou que a carne de foca só fosse entregue quando alguém parecesse estar a ponto de perder a razão devido à sede.

As velas foram içadas, e, ao mesmo tempo, os homens puseram os remos na água e começaram a remar, visando à ponta oeste da ilha Elephant, para aproveitar a brisa leve que soprava de sudoeste.

No *Docker*, tanto Macklin quanto Greenstreet tiraram as botas e viram que seus pés estavam afetados pelo frio, os de Greenstreet bem mais que os de Macklin. Para surpresa geral, Orde-Lees ofereceu-se para massagear os pés de Greenstreet. Massageou-os por muito tempo; depois abriu a camisa e colocou os pés quase congelados de Greenstreet junto ao calor de seu peito nu. Após algum tempo, Greenstreet começou a sentir dor, à medida que o sangue voltava a circular pelos vasos contraídos.

Remaram horas a fio, e o contorno da ilha Elephant ficava cada vez maior. Ao meio-dia haviam coberto quase metade da distância: à uma e meia da tarde encontravam-se a menos de 25 quilômetros de seu destino. Não dormiam havia quase 80 horas e seus corpos estavam esgotados pela exposição ao tempo e pelo esforço, quase ao ponto do esgotamento do último vestígio de vitalidade. Mas a convicção de que tinham que desembarcar ao cair da noite provocou o surgimento de uma força nascida do desespero. Era remar ou morrer, e, ignorando a sede terrível, puxaram os remos com o que pareciam ser suas últimas forças.

Às duas da tarde, os picos nevados da ilha Elephant, com mais de mil metros de altura, ergueram-se abruptamente da água bem à frente deles, provavelmente a menos de 15 quilômetros de distância. Uma hora depois, porém, a ilha ainda estava na mesma posição, à frente deles, nem mais perto nem mais longe. Por mais que remassem, estavam parados, aparentemente sob o efeito de uma forte corrente que se opunha a seu avanço. O vento mudara para o norte, de modo que também tinham que enfrentar um vento contrário, e as velas precisaram ser baixadas.

Shackleton, que ficava cada vez mais ansioso para desembarcar o grupo, reuniu os barcos e mandou que fossem amarrados um atrás do outro, com o *Docker* à frente. Aparentemente, achava que isso aumentaria a sua velocidade. Mas não adiantou. Em torno das quatro horas, o vento mudou para oeste. Apressadamente, recolheram os remos e içaram as velas, tentando aproveitar o vento. Mas para o *Wills* era impossível, e o *Caird* teve que rebocá-lo. Praticamente não avançavam contra a corrente.

Em torno das cinco da tarde, o vento cessou. Imediatamente tornaram a pegar os remos e remaram freneticamente na tarde que caía, tentando chegar à terra firme antes que anoitecesse. Meia hora mais tarde, porém, o vento subitamente irrompeu de WSW e 15 minutos depois já soprava a quase 80 quilômetros por hora. Worsley encostou o *Docker* no *Caird*. Gritando para poder ser ouvido acima da força do vento, disse a Shackleton que seria melhor se os barcos se separassem para tentar chegar independentemente à terra em algum ponto da costa sul da ilha Elephant.

Dessa vez, Shackleton concordou com a separação; pelo menos, deu a Worsley permissão para seguir em frente por sua própria conta. O *Wills*, porém, ficou amarrado à popa do *Caird*, e Shackleton recomendou a Worsley que fizesse todo o possível para que não se perdessem de vista. Estava escuro quando o *Docker* se afastou. A ilha estava próxima, mas era impossível dizer quanto – talvez a 15 quilômetros, talvez menos. No céu havia uma imagem pálida e fantasmagórica, a luz da lua brilhando através das nuvens e refletida pelas geleiras da ilha. Era a única indicação que havia de sua meta, enquanto os barcos seguiam em frente aos trancos em meio ao mar cruzado. Às vezes, o vento soprava com tanta força que precisavam soltar os cabos que seguravam as velas para evitar que os barcos virassem. Os homens a bordo do *Caird* estavam abaixados para evitar a espuma carregada pelo vento, mas no *Docker*, e especialmente no *Wills*, não havia como escapar.

Os timoneiros sofriam a pior sorte, e em torno das oito da noite Wild, que vinha pilotando o *Caird* havia 24 horas sem descanso, começou a acusar os efeitos da tensão. Shackleton ordenou que McNeish o substituísse, mas o carpinteiro também estava exausto. Depois de cerca de meia hora no leme, embora o vento gelado batesse em suas roupas e a espuma o atingisse no rosto e o deixasse totalmente ensopado, a cabeça de McNeish pendeu para a frente e ele adormeceu. No mesmo instante, a popa do *Caird* se deslocou para estibordo e uma vaga enorme varreu o barco. McNeish acordou com o banho, mas Shackleton ordenou que Wild voltasse para o leme.

Sua meta imediata era a extremidade sudoeste da ilha. Depois de ultrapassá-la, podiam procurar um lugar para levar os barcos para terra firme. Por volta das nove e meia, o reflexo do céu parecia muito próximo e sabiam que estavam quase em terra. Mas então, inexplicavelmente, começaram a perder terreno. Olhando por cima das bordas dos barcos, podiam ver que estavam avançando rapidamente por cima da água, mas ainda assim, gradualmente, a terra estava se afastando deles. A única coisa a fazer era continuar remando.

Em torno da meia-noite, Shackleton olhou para estibordo e o *Docker* não estava mais visível. Levantou-se e correu minuciosamente as águas tempestuosas com os olhos, mas não havia sinal do barco. Ansioso, ordenou que acendessem a vela na bitácula da bússola e mandou que hasteassem a bitácula no mastro, para que a luz da vela acesa se refletisse no pano da vela do *Caird*. Mas nenhuma luz apareceu à distância em resposta ao seu sinal.

Shackleton pediu uma caixa de fósforos. Instruiu Hussey para que acendesse um fósforo a intervalos regulares e o segurasse de modo que sua chama se refletisse no pano da vela. Hussey acendeu os fósforos um por um, enquanto Shackleton fitava a escuridão. Ainda assim, não viram nenhum sinal do *Docker*.

Mas o barco estava tentando responder. Encontrava-se a cerca de um quilômetro de distância, e os homens viram o sinal do *Caird*. Seguindo as instruções de Worsley, acenderam a única vela que tinham sob a lona da barraca. Depois, tentaram segurá-la de modo que seu brilho aparecesse através do pano, em resposta ao sinal de Shackleton – mas sua resposta não foi vista.

Pouco depois, a ideia de conseguir trocar sinais com o *Caird* foi abandonada quando o *Docker* começou a jogar violentamente ao encontrar de frente fortes vagas provocadas pela maré. Worsley mal conseguia manter o barco sob controle. Rapidamente, os homens recolheram a vela e até desenfurnaram o mastro, que ameaçava partir-se com o jogo descontrolado do barco. Pegaram os remos e tentaram manter a estabilidade do barco remando. Num certo momento, o *Docker* colidiu com uma vaga sólida e invisível e depois a água abriu-se abaixo dele e o barco despencou num abismo escuro.

Worsley mandou que Orde-Lees pegasse um remo, mas Orde-Lees suplicou para ser dispensado, alegando que não era um remador à altura de um momento tão perigoso como aquele e que ia se molhar demais. Os dois homens trocaram gritos na escuridão, e de todos os cantos os homens amaldiçoaram Orde-Lees. Mas não adiantou, e finalmente Worsley dispensou-o com desprezo. Imediatamente, Orde-Lees se arrastou para o fundo do barco e se recusou a mover-se, embora seu peso desequilibrasse o barco.

Greenstreet, Macklin, Kerr e Marston pegaram os remos, e haviam chegado praticamente ao limite de sua resistência. Depois de algum tempo, Worsley decidiu arriscar tornar a içar a vela. Pôs o *Docker* quase de frente para o vento, até onde conseguia, de modo que pegavam as ondas mais ou menos de frente. Usou toda a habilidade de 28 anos de experiência de mar para manter o barco naquela posição delicada, mas ele estava quase incontrolável. Além disso, estava ficando pesado devido à quantidade cada vez maior de água que continha. Orde-Lees, até então deitado no fundo, sentou-se. Subitamente, pareceu compreender que o barco estava afundando: pegou uma panela e começou a esgotar a água. Cheetham o ajudou e juntos trabalharam furiosamente, tirando a água do fundo e lançando-a por cima das amuradas. Depois de algum tempo, o *Docker* tornou a se erguer acima da superfície.

Eram quase três da manhã, e o próprio Worsley estava nas últimas. Fazia tanto tempo que estava de frente para o vento que seus olhos se recusavam a funcionar direito e não conseguia mais avaliar distâncias. Por mais que tentasse, não seria mais capaz de ficar acordado. Já estavam nos barcos havia cinco dias e meio, e ao longo daquele período quase todos passaram a encarar Worsley de um modo diferente. No passado achavam que ele era nervoso e indisciplinado demais – até mesmo irresponsável. Mas tudo mudara. Durante os últimos dias, ele demonstrara uma capacidade quase fenomenal, tanto como navegador quanto na tarefa exigente de manobrar um barco pequeno. Não havia qualquer outro homem no grupo que sequer se comparasse a ele, e ele assumiu uma estatura completamente nova por causa disso.

Agora, sentado ao leme, começava a cabecear de exaustão. Macklin viu que não aguentava mais e ofereceu-se para substituí-lo. Worsley concordou, mas quando tentou ir para a frente viu que não conseguia endireitar o corpo. Ficara quase seis dias sentado na mesma posição. McLeod e Marston o tiraram da popa, arrastando-o por cima dos bancos e das caixas de provisões. Deitaram-no no fundo do barco e esfregaram suas pernas e a barriga até que seus músculos começaram a relaxar. Àquela altura, já estava profundamente adormecido.

Greenstreet também descansara por um momento de sua exaustão, mas agora estava acordado, e assumiu o leme no lugar de Macklin. Nenhum dos dois tinha a menor ideia de onde podiam estar. Mas tinham o mesmo medo de todos – o mar alto. Entre as ilhas Elephant e Clarence há uma distância de 22 quilômetros, além da qual fica a passagem de Drake. Os barcos não tinham mais certeza de sua posição desde o entardecer, quando a ilha Elephant se encontrava a cerca de 15 quilômetros de distância. Mas o vento soprava de sudoeste desde então – bem na direção do assustador espaço vazio entre as duas ilhas. Se o vento os impelisse através dessa passagem, as chances de voltar contra o vento na direção da ilha eram inexistentes. Ainda assim, Greenstreet e Macklin admitiram francamente um para o outro que muito provavelmente o *Docker* já fora empurrado para alto-mar.

A bússola do *Docker* se espatifara algum tempo antes e só lhes restava para orientar-se a pequena bússola de bolso de Worsley, de prata. Os dois homens estenderam o pano da barraca por cima das cabeças, e Macklin riscou vários fósforos enquanto Greenstreet tentava ler a bússola. Mas mesmo sob o abrigo da lona o vento apagava os fósforos praticamente assim que eram acesos. Macklin pegou a faca e rachou as cabeças dos fósforos para que pudessem arder mais, pelo menos um tempo suficiente para que Greenstreet pudesse ver a bússola. Com intervalos de poucos minutos, enfiavam-se sob o pano da barraca e consultavam a bússola, esperando manter o *Docker* no rumo sudoeste, de modo que pelo menos o barco não fosse impelido para alto-mar.

No momento em que pareciam à beira da exaustão, e em que o vento uivava chegando a novos extremos, apareceu uma pálida sugestão de luz no leste e lentamente o dia começou a clarear. Não é possível dizer quanto tempo levaram para conseguir ver, mas foi muito tempo. Mesmo a sede intensa que sentiam depois de 48 horas sem água foi esquecida enquanto esperavam que o sol revelasse qual era seu destino. Em segredo, cada homem tentava preparar-se para o choque de ver apenas o mar vazio, ou na melhor das hipóteses uma ilha bem distante, longe a barlavento, inalcançável.

Gradualmente, a superfície do mar foi ficando discernível. E bem em frente estavam os enormes rochedos marrom-acinzentados da ilha Elephant cercados de nevoeiro, saindo diretamente da água, muitas vezes mais altos que o barco e a cerca de um quilômetro de distância. Parecia ser apenas algumas centenas de metros. Não houve muita alegria naquele momento. Apenas uma sensação de espanto que logo deu lugar a um imenso alívio.

Nesse instante, sem o menor aviso, rajadas de vento vindas do mar chocaram-se com os rochedos, rodearam e lançaram-se de volta contra a superfície do mar a uma velocidade de talvez 150 quilômetros por hora. Logo depois, um muro de água da altura do *Docker* começou a deslocar-se na direção do barco.

Greenstreet gritou para baixarem a vela. Os remos foram assestados às pressas e investiram de frente para as rajadas que desciam uivando das encostas. De algum modo, conseguiram manter o *Docker* de frente para o vento, mas aquilo exigia deles o emprego de uma força que não tinham mais. Olhando para a frente, viram que uma nova vaga, com talvez dois metros de altura, vinha para cima deles.

Alguém gritou para acordarem Worsley, e McLeod sacudiu-o violentamente, tentando despertá-lo. Mas Worsley estava como morto, esparramado por cima das caixas de suprimentos arrumadas a meia-nau, coberto com o pano da barraca encharcado. McLeod tornou a sacudi-lo, e, quando Worsley não se mexeu, McLeod o chutou vezes sem conta; finalmente Worsley abriu os olhos. Sentou-se e percebeu imediatamente o que estava acontecendo.

– Pelo amor de Deus – gritou –, virem o barco... vamos nos afastar! Icem a vela!

Greenstreet virou o leme, e os homens lutaram febrilmente para içar a vela. O barco acabara de ficar com o vento de popa quando a primeira vaga os atingiu e rolou por cima da popa. Greenstreet quase foi derrubado de seu banco. O *Docker*, cheio de água até a metade, afundou um pouco sob o peso da carga adicional e perdeu sua velocidade. Todo o resto foi esquecido. Os homens pegaram a primeira coisa em que conseguiram pôr as mãos e começaram a esvaziá-lo. Tiravam água com canecas, chapéus e até mesmo com as mãos nuas em concha. Aos poucos, conseguiram esvaziar o *Docker*. Worsley tomou o leme e virou para o norte para se adiantar ao vendaval, com as ondas perseguindo o barco. Conduziu o *Docker* para perto da costa, abaixo das altas geleiras que cercavam a ilha. Fragmentos de gelo flutuavam em meio às ondas, e os homens se inclinaram quando o barco passava por eles e os pegaram com as mãos.

Pouco depois estavam mastigando e sugando sequiosos, e a água deliciosa corria por suas gargantas.

5

Ao longo de toda a noite, Shackleton, a bordo do *Caird*, tentara localizar o *Docker*. E à medida que passavam as horas sua ansiedade crescia. Tinha confiança na competência de Worsley como navegador, mas uma noite como aquela exigia mais que pura competência.

No entanto, havia mais que o bastante para mantê-lo ocupado com o *Caird*. Wild permaneceu no leme e, quando o vento de sudoeste ficou mais forte, manteve o barco o mais contra o vento que podia, para que não fossem empurrados para além da ilha. A espuma do mar explodia na proa e se espalhava pelo ar, cobrindo as formas escuras dos homens amontoados no fundo do barco. Hussey tentava tomar conta do cabo da vela principal, mas o vento o arrancou diversas vezes de suas mãos, e Vincent precisou substituí-lo.

A bordo do *Wills*, rebocado à popa do *Caird*, as condições eram ainda piores. A dor no flanco de Hudson se tornara quase insuportável e ele não aguentava mais ficar no leme. Tom Crean o substituiu, e ocasionalmente Billy Bakewell assumia o timão. Rickenson, um indivíduo frágil, que parecia a ponto de entrar em colapso, ficou sentado afastado num dos lados do barco. How e Stevenson, quando não estavam tirando água do fundo do barco, se agarravam um ao outro, tentando gerar um pouco de calor.

A proa do *Wills* mergulhava em quase todas as ondas, de modo que os homens tinham água até quase os joelhos. Ironicamente, era quase um conforto, porque a água estava mais quente que o ar. Os pés de Blackboro já tinham ultrapassado havia muito tempo o ponto em que pararam de doer. Ele não se queixava, embora soubesse que o início da gangrena era apenas uma questão de tempo. Mesmo que sobrevivesse, parecia improvável que o jovem clandestino do ano anterior jamais voltasse a andar. Num certo momento, durante aquela noite, Shackleton chamou-o, tentando melhorar seu moral.

– Blackboro! – gritou na escuridão.

– Aqui, senhor – respondeu o rapaz.

– Vamos chegar amanhã à ilha Elephant! – berrou Shackleton. – Ninguém jamais desembarcou lá, e você vai ser o primeiro a chegar em terra.

Blackboro não respondeu.

Shackleton estava sentado na popa do *Caird* ao lado de Wild, com a mão no cabo que ligava seu barco ao *Wills*. Antes de escurecer, ele dissera a Hudson que, caso o *Wills* se soltasse, devia tentar chegar a terra a sota-vento, provavelmente à ilha Clarence, e esperar por lá até que um barco pudesse ser mandado para resgatar seus homens. Mas a ordem fora apenas uma mentira de rotina. Shackleton sabia que, se o *Wills* se soltasse, nunca mais seria visto. E agora, sentado à popa, sentia o *Wills* puxando o cabo toda vez que se erguia a contragosto para enfrentar cada nova vaga. Olhando para trás, conseguia vê-lo no escuro. Várias vezes, o cabo afrouxou e o barco desapareceu para ressurgir subitamente, a silhueta destacada contra a brancura de uma vaga que se quebrava.

Quando finalmente apareceu a primeira mancha cinzenta da aurora, o *Wills*, por algum maravilhoso capricho da sorte, ainda teimava em permanecer a reboque do *Caird*. E havia também terra erguendo-se acima deles a bombordo da proa – grandes rochedos pretos aparecendo em meio ao nevoeiro, a uns 500 metros de distância. Imediatamente, Shackleton ordenou que mudassem o rumo e se dirigissem para oeste contra o vento. E em 15 minutos, talvez menos, o vento subitamente se atenuou. Haviam passado o extremo nordeste da ilha – e estavam finalmente protegidos do vento pela terra. Mantiveram o curso para oeste, ao longo dos rochedos e das geleiras enormes. Gaivotas gritavam em pleno voo ao longo das faces rochosas que se erguiam diretamente da água, grandes massas de formações vulcânicas contra as quais o mar batia furiosamente. Mas não havia sinal de um lugar onde pudessem desembarcar – nem mesmo a menor enseada ou praia.

De qualquer maneira havia gelo. Grandes fragmentos de geleiras que haviam caído na água flutuavam na superfície. Os homens pegaram pequenos pedaços e os enfiaram na boca. Por quase uma hora procuraram um ponto de desembarque na costa, por menor que fosse. Então alguém avistou uma pequena praia coberta de seixos, meio escondida por trás de uma cadeia de rochedos. Shackleton ficou de pé num dos bancos e viu que era um lugar traiçoeiro. Hesitou por um instante e depois ordenou que os barcos se dirigissem para lá.

Quando estavam a cerca de mil metros da praia, Shackleton fez um sinal para que o *Wills* encostasse em seu barco e passou para bordo dele. Dos dois barcos, o *Wills* tinha o menor calado, e Shackleton queria chegar primeiro perto da praia com ele para ver se o *Caird* conseguiria atravessar o agitado canal entre as pedras.

Naquele exato momento, o *Docker* rumava para oeste ao longo da costa, procurando um lugar para desembarcar. Desde o nascer do sol, pela estimativa de Worsley, haviam percorrido 22 quilômetros, passando por cada ponto da costa, procurando um lugar adequado para levar o barco para terra. E em todo o percurso não viram o menor sinal dos outros dois barcos, e já eram quase nove e meia. A tripulação do *Docker* estava certa de que só eles haviam sobrevivido àquela noite.

– Coitados – murmurou Greenstreet para Macklin. – Sumiram.

Depois contornaram uma pequena restinga, e lá, bem em frente, estavam os mastros do *Caird* e do *Wills*, balançando sob o efeito das ondas. Por uma incrível coincidência, o fato de o *Docker* não ter encontrado um ponto de desembarque o havia reunido ao resto do grupo. Se tivesse encontrado algum porto ao longo dos 22 quilômetros que já percorrera, os dois grupos poderiam ficar a poucos quilômetros de distância, cada qual pensando que o outro estava perdido.

Os homens a bordo do *Docker* deram três hurras roufenhos a seus companheiros, mas o barulho das ondas afogou suas vozes. Poucos minutos depois, sua vela foi vista do *Caird*, e nesse exato momento Shackleton levantou os olhos e viu o *Docker* avançando em sua direção. O *Wills* já estava bem perto da costa. Havia um recife quase à flor da água atravessado na entrada da praia e grandes ondas espumavam ao passar por ele. Shackleton esperou o momento certo, depois deu a ordem para remarem, e o *Wills* passou a salvo por cima das pedras. Com a onda seguinte, sua proa chocou-se com a praia.

Shackleton, lembrando sua promessa, mandou Blackboro pular para terra, mas o rapaz não se moveu. Parecia que não compreendera o que Shackleton dizia. Impaciente, Shackleton agarrou-o e ergueu-o por cima da amurada do barco. Blackboro caiu de quatro, depois rolou e ficou sentado, em meio às ondas que banhavam a praia.

– Levante-se – ordenou Shackleton.

Blackboro levantou os olhos.

– Não consigo, senhor – respondeu.

Shackleton lembrou-se subitamente do estado dos pés de Blackboro. No nervosismo do desembarque, ele se esquecera, e ficou muito envergonhado. How e Bakewell pularam para a praia e puxaram Blackboro para uma posição mais alta.

Os suprimentos foram rapidamente desembarcados, e o *Wills* foi levado a remo até o *Docker*. Os suprimentos e os homens foram transferidos e levados até a praia. Depois o *Caird* foi descarregado o suficiente para conseguir passar pelo recife.

Quando os barcos estavam sendo puxados para uma posição segura na terra, Rickenson empalideceu de repente e um minuto depois desmaiou com um ataque cardíaco. Os pés de Greenstreet, maltratados pelo frio, mal o aguentavam, e ele se arrastou pela praia, deitando-se ao lado de Blackboro. Hudson conseguiu atravessar as ondas e caiu estendido na praia. Stevenson, com uma expressão vazia no rosto, teve que ser levado até a praia, fora do alcance das ondas.

Estavam em terra firme.

Era um porto precário, com 30 metros de largura e 15 de profundidade. Uma pequena praia numa costa selvagem, exposta à fúria do oceano subantártico. Mas não importava – estavam em terra firme. Pela primeira vez, em 497 dias, estavam em terra firme. Terra sólida, inafundável, irremovível, abençoada.

PARTE V

I

Muitos dos homens andavam sem direção pela praia, trôpegos, arrastando os pés nos seixos, ou abaixando-se para pegar um punhado de pedras; alguns chegaram até a estender-se ao comprido no chão para sentir melhor sua sublime solidez. Por um certo tempo, alguns ficaram simplesmente sentados, tremendo incontrolavelmente e murmurando palavras incompreensíveis.

Nesse momento, o sol surgiu. Na claridade, os rostos estavam mortalmente pálidos de exaustão e dos efeitos do frio e também por terem ficado continuamente encharcados. As olheiras eram tão profundas que os olhos pareciam afundados nas órbitas.

Green preparou um pouco de leite o mais rápido que pôde e encheu as canecas de todos. Beberam o leite quase fervendo e o calor se espalhou por seus corpos, fazendo seus nervos formigarem como se o sangue tivesse sido descongelado, recomeçando a circular.

Do ponto onde se encontravam, em torno do fogão de gordura, os penhascos de seu lado da ilha ficavam a menos de 15 metros. Erguiam-se a mais de 250 metros de altura, onde formavam um platô de alguma extensão, e depois tornavam a elevar-se para o céu, atingindo uma altura de cerca de 800 metros. Mas o pequeno nicho de cascalho onde se refugiaram estava relativamente coalhado de vida animal – "uma terra de abundância, em termos antárticos", assinalou James. Na praia, dez focas estavam estendidas ao sol perto da água. Havia também uma pequena colônia de pinguins reunidos em círculo no alto de uma pedra, e periodicamente pequenos grupos de pinguins *gentoo* saíam da água para examinar aquelas estranhas criaturas que haviam chegado do mar. Também havia muitas aves – *skuas*, gaivotas, cormorões, pombos.

Shackleton estava no centro do grupo. Retirara o gorro, e seu cabelo longo, que não cortava havia muito, caía na testa. Os ombros estavam curvados de preocupação, e a voz estava tão rouca de gritar que era incapaz de emitir mais que um sussurro. Ainda assim, experimentava um profundo sentimento de satisfação e orgulho por estar finalmente em terra firme, cercado por seus homens.

Os homens, por sua vez, falavam muito pouco enquanto bebiam o leite. Cada um parecia absorto em seus próprios pensamentos. A maioria estava extremamente instável, devido à exaustão. Tinham passado tanto tempo sendo obrigados a compensar o balanço dos barcos que seu equilíbrio estava temporariamente abalado. Quando acabaram o leite, um grupo foi mandado à caça das focas. Trouxeram quatro, cuja gordura retiraram imediatamente, cortando a carne em grossos bifes. Green dedicou-se a fritar todos os bifes que cabiam em suas panelas, enquanto o resto dos homens armava as barracas e empilhava os mantimentos bem acima da linha da maré alta.

Finalmente, a refeição ficou pronta e comeram. Não era nem desjejum, nem almoço nem jantar. Foi uma única refeição intermitente. Assim que acabaram a primeira rodada de bifes, Green pôs mais no fogo. Quando ficaram prontos, os homens interromperam o que estavam fazendo e tornaram a comer. Já eram quase três da tarde quando acabaram de comer quanto aguentavam.

Era hora de dormir. Desenrolaram os sacos de dormir encharcados e os torceram para livrá-los do máximo possível de água; a umidade que restou fazia pouca diferença. James escreveu:

Nós nos recolhemos e dormimos, como nunca tínhamos dormido, um sono absoluto, sem sonhos, esquecidos dos sacos de dormir úmidos, acalentados pelo grasnido dos pinguins.

O mesmo aconteceu com todos.

Que delícia [escreveu Hurley] acordar no meio do sono e ouvir o canto dos pinguins misturado com a música do mar. Tornar a adormecer, acordar novamente e sentir que é real. Chegamos a terra firme!!

A maioria dos homens foi acordada uma vez durante aquela noite gloriosa para ficar uma hora de sentinela, e até isso era quase um prazer. A noite era calma e o céu estava claro. A lua brilhava na pequena praia de seixos, banhada pelas ondas, um cenário de total tranquilidade.

Além disso [escreveu Worsley], os sentinelas, durante seu turno de vigia de uma hora, comem, mantêm o fogo aceso no fogão de gordura, comem, secam suas roupas, comem e depois tornam a comer antes de se deitar.

Shackleton deixou os homens dormirem até as nove e meia da manhã seguinte. Mas no desjejum começou a correr um boato desagradável, e quando acabaram de comer Shackleton confirmou, deixando todos chocados; era verdade. Iam mudar-se.

Poucos projetos poderiam ser mais desalentadores. Logo depois de terem escapado das garras vorazes do mar, escassas 24 horas antes, agora precisariam tornar a partir... Mas a necessidade era indiscutível. Dava para ver que só tinham conseguido desembarcar na praia onde se encontravam por muita sorte. Os rochedos situados na entrada da praia traziam as marcas de marés altas, além de cicatrizes da erosão provocada por tempestades, indicando que toda aquela parte da costa era frequentemente varrida pelas ondas. O lugar, evidentemente, só podia ser usado como acampamento em tempo bom e enquanto as marés fossem moderadas.

Shackleton mandou que Wild levasse uma tripulação de cinco marinheiros no *Wills* numa viagem para oeste ao longo da costa, procurando um local mais seguro para acamparem. O *Wills* partiu às onze horas. O resto do grupo ficou trabalhando num ritmo lento ao longo de todo o dia. As barracas foram desarmadas e depois novamente armadas no ponto mais alto da praia em que encontraram uma plataforma que os abrigasse. Os suprimentos foram empilhados num ponto ainda mais alto, para o caso de haver uma tempestade súbita.

Mas passaram a maior parte do dia simplesmente gozando a vida. Todos ainda estavam entrevados depois de seis dias em posições forçadas nos barcos, e agora, pela primeira vez, percebiam a incrível tensão a que haviam sido submetidos por tanto tempo. Tomaram consciência dela, estranhamente, ao recuperarem pouco a pouco um sentimento que havia muito não experimentavam. Era uma coisa que não sentiam, na verdade, desde que haviam abandonado o *Endurance*: segurança. A noção de que, pelo menos em termos comparativos, não tinham nada a temer. Ainda corriam perigo, é claro, mas era diferente da ameaça iminente de catástrofe que pairara tanto tempo sobre suas cabeças. De modo muito literal, parecia que fora liberada uma parte de seus espíritos que até então estivera permanentemente obcecada com a necessidade de permanecer sempre alerta.

Era uma alegria, por exemplo, ver as aves simplesmente como aves, e não pelo significado que poderiam ter – se eram um sinal de boa ou má sorte, de abertura do banco de gelo ou da aproximação de uma tempestade. A própria ilha era uma visão que merecia mais que uma observação casual. Ao longo da costa, os penhascos pareciam uma enorme muralha que se erguia contra o avanço do mar. Geleiras desciam por seus flancos até a água, onde a ação das ondas desgastava constantemente o gelo. De vez em quando, um pequeno fragmento ou um pedaço quase tão grande quanto um iceberg caía no mar.

A ferocidade da paisagem correspondia aparentemente a um clima igualmente inóspito. Por alguma estranha razão meteorológica, furiosas rajadas de vento com a intensidade de tufões sopravam a intervalos do alto das montanhas e praticamente explodiam ao atingir a superfície da água, fazendo com que o mar próximo à costa fervilhasse num frenesi de redemoinhos e espuma. Hussey achava que eram *williwaws*, rajadas súbitas de vento peculiares das áreas costeiras das regiões polares. Fora aparentemente uma delas que quase fizera o *Docker* virar na manhã anterior.

Esperaram o dia todo pela volta do *Wills* e de seu grupo, mas quando chegou a noite ainda não havia sinal deles. Os outros homens jantaram e se recolheram, deixando o fogão de gordura aceso, com a tampa da fornalha aberta e virada para o mar, a fim de servir de ponto de referência. Mal tinham adormecido quando o sentinela ouviu um grito vindo do mar. Era o *Wills* voltando. Todos os homens foram acordados e se dirigiram para a beira do mar. Wild atravessou a arrebentação com o *Wills*, e logo puxaram o barco para uma altura segura, na praia.

Wild e seus cinco homens exaustos confirmaram o fato de que a ilha era efetivamente um lugar inóspito. Depois de nove horas de procura, só haviam encontrado um lugar aparentemente seguro para acampar –

um trecho de praia relativamente abrigado, com cerca de 150 metros de comprimento e 30 de largura, uns dez quilômetros para oeste ao longo da costa. Havia uma colônia de pinguins de bom tamanho, disse Wild, e seus homens também tinham avistado várias focas e alguns elefantes-marinhos. Havia uma geleira próxima capaz de abastecê-los do gelo necessário para ser derretido e transformado em água.

Shackleton ficou satisfeito e anunciou que levantariam acampamento ao amanhecer. O grupo foi acordado às cinco da manhã. Comeram o desjejum à luz do fogão de gordura. Quando amanheceu, o dia estava claro e sem vento. Os barcos foram levados para a água e tudo foi carregado a bordo, menos dez caixas de rações e um pouco de querosene, que foram deixados numa fenda bem alta das pedras para diminuir o peso dos barcos. Poderiam pegar os suprimentos mais tarde, caso se tornassem necessários. A maré subiu muito devagar, e só às onze horas havia água suficiente para passarem por sobre o recife.

O *Wills* fora aliviado pela transferência de Blackboro para o *Caird* e de Hudson para o *Docker*, e os barcos avançaram bem nos primeiros três quilômetros. Depois, sem praticamente nenhum aviso, os elementos pareceram enlouquecer. Ao mesmo tempo, o vento começou a gritar em seus ouvidos, e o mar, que pouco antes estava quase calmo, transformou-se em espuma. Foram surpreendidos por uma das violentas rajadas vindas da montanha. Durou apenas três ou quatro minutos aterrorizantes e depois acabou. Mas anunciou uma mudança de tempo, porque 15 minutos depois o vento mudara de sul para sudoeste e aumentara rapidamente de força, passando de brisa a vento forte, depois a vendaval e finalmente a furacão. Os barcos, a sota-vento da ilha, deveriam ficar protegidos dos ventos pelas montanhas de 600 metros de altura que se erguiam paralelas ao rumo que seguiam. Em vez disso, porém, as montanhas atraíam de algum modo os ventos que passavam por cima delas, fazendo-os descer uivando sobre os barcos e depois se afastar rugindo mar afora.

Os barcos só conseguiriam evitar serem impelidos para o mar alto se ficassem muito próximos da terra. A bombordo, as rochas se erguiam tão íngremes que parecia que iam desabar sobre eles. Grandes ondas verdes lançavam-se contra os rochedos e a espuma enchia o ar. A estibordo, o vento transformara o mar num *maelstrom*. Entre o mar transfigurado e os rochedos havia um estreito corredor de segurança; era por ele que os barcos avançavam. E muito lentamente. Pouco depois do meio-dia, a maré mudou e a corrente começou a se opor ao seu progresso. Só podiam medir seu avanço pela mudança da paisagem da ilha que costeavam, e às vezes parecia que só haviam percorrido alguns centímetros ou que estavam parados. Içar as velas estava fora de questão; só podiam remar. O *Caird* ainda tinha todos os quatro remos, mas o *Docker* e o *Wills* haviam sido reduzidos a apenas três remos cada um.

A temperatura caíra uns dez graus e agora estava em torno de 15 abaixo de zero. A espuma do mar se combinava com a neve, formando um revestimento pastoso que cobria a parte interna dos barcos, as cabeças e os ombros de todos. Enquanto embarcavam as provisões, Greenstreet pedira a Clark que segurasse suas luvas. Mas na pressa de partirem enquanto a maré estava favorável Clark embarcara no *Caird*, deixando Greenstreet no *Docker* sem nada para proteger suas mãos enquanto remava. Agora, suas mãos começaram a congelar. Bolhas devidas ao frio sugiram nas palmas, e a água contida nelas também congelou. As bolhas pareciam pedras duras enfiadas na carne de suas mãos.

Pouco depois de uma da tarde, quando já haviam percorrido metade da distância que os separava do novo acampamento, chegaram a uma pedra que se erguia como uma torre da água, a cerca de 500 metros da costa. O *Caird*, com Wild no leme, e o *Wills*, sob o comando de Crean, tomaram a decisão óbvia de passar entre a pedra e a terra. Mas Worsley, agindo segundo um de seus impulsos imprevisíveis, decidiu passar por fora do rochedo. O *Wills* e o *Caird* continuaram a seguir penosamente para a praia, mas o *Docker* perdeu-se de vista.

Escolhendo passar ao largo da pedra, o barco se afastara demais da margem e fora capturado pela plena violência do vento. A superfície do mar era um turbilhão de espuma, e as cristas das ondas, esfarrapadas pelo vento. Worsley percebeu imediatamente que tomara a decisão errada e virou o *Docker* na direção da costa. "Toda força nos remos!", gritou para os remadores. Mas era o que eles estavam fazendo para apenas resistir ao vento, e parecia que nem mesmo isso iam conseguir por muito tempo mais.

Subitamente, Worsley ergueu-se e gritou para Greenstreet pegar o leme e assumiu a posição dele no remo. Worsley estava descansado e imprimiu um ritmo fortíssimo. De alguma forma, Macklin e Kerr nos outros remos conseguiram acompanhá-lo, e lentamente, metro a metro, foram se aproximando do rochedo e finalmente o alcançaram. Haviam conseguido um abrigo do vento, mas se viram no meio do caminho dos golpes que o mar dava contra a pedra.

– Recuem! Recuem! – gritou Worsley.

Conseguiram manter o barco a certa distância do rochedo – mas por pouco. Por três vezes, o *Docker* foi erguido e atirado pelas ondas contra as pedras, mas o vento se acalmou temporariamente, e conseguiram safar-se. Greenstreet retomou o remo e continuaram na direção da terra.

No meio da batalha, a luva da mão direita de Macklin caíra, e agora ele via que seus dedos expostos estavam ficando brancos por efeito do frio. Mas não ousava parar de remar sequer o tempo necessário para cobri-los.

Já passava das três da tarde. O *Caird* e o *Wills* haviam chegado sãos e salvos a seu destino. Duas focas que encontraram deitadas na praia haviam sido abatidas e toda a gordura retirada para começar um fogo. Shackleton olhava para o mar tempestuoso, procurando algum sinal do *Docker*. Finalmente, além de uma ponta de terra, apareceu um ponto escuro em meio ao nevoeiro cinzento. Era o *Docker*, lutando contra o vento para se aproximar da praia. Parecia que estava a ponto de chegar, quando outra rajada de vento desceu uivando das montanhas.

Worsley tornou a assumir o lugar de Greenstreet, e dessa vez o velho McLeod empunhou um remo quebrado e acrescentou com ele algum empuxo aos outros. Apesar de tudo, fazia alguma diferença – o suficiente para chegar aos recifes. Worsley pegou rapidamente o leme e guiou o barco por entre as pedras.

No momento em que a proa tocou o fundo, Greenstreet passou os pés dormentes por cima da amurada e patinhou para a terra em meio às ondas. Viu o vapor subindo das focas recém-abatidas, caminhou tropeçando até onde se encontravam e enfiou as mãos congeladas em suas entranhas sangrentas e quentes.

2

Novamente estavam todos em terra, sãos e salvos. Mas a enorme alegria que marcara o desembarque de 30 horas antes não voltou a se manifestar. Perceberam, como disse alguém, que a ilha Elephant "era um falso refúgio". Ela revelara sua verdadeira face ao grupo, uma feia visão.

Além do mais, uma inspeção do novo local de acampamento levantou sérias dúvidas quanto à validade da mudança que haviam feito. Tratava-se de um pontal de pedra com cerca de 30 metros de largura, estendendo-se na direção do mar como se fosse uma língua que prolongasse a gigantesca geleira que ficava 150 metros terra adentro. O pontal erguia-se abruptamente da água e seus pontos mais altos pareciam ficar acima da marca da maré alta. Além disso, porém, era uma extensão de pedra completamente nua. Exceto à beira do mar, não havia um rochedo, ou uma pedra sequer, que pudesse servir de proteção contra o vento.

"É difícil imaginar um lugar mais inóspito", escreveu Macklin. "As rajadas de vento aumentaram de violência e ficaram tão fortes que mal conseguimos andar contra o vento, e não havia sinal de abrigo em lugar nenhum." Quando os homens do castelo da proa estavam armando a barraca nº 4, o vento entrou por baixo e abriu um rasgão de mais de um metro em seu material enfraquecido. Alguns minutos depois, a barraca nº 5, a velha barraca de armação, foi atingida por uma rajada de vento que quase a reduziu a frangalhos. Os homens nem tentaram remendar as barracas porque a essa altura já era noite e na verdade ninguém se importava. Simplesmente estenderam os panos das barracas o melhor que puderam e os prenderam com pedras. Depois abriram os sacos de dormir, que haviam ficado novamente ensopados durante a viagem de barco, deitaram e adormeceram.

Ao longo de toda a noite, o vento continuou a uivar descendo das montanhas. Atingiu o *Docker*, o mais pesado dos barcos, e virou-o. Durante seu turno de sentinela, McIlroy assistiu impotente enquanto o vento arrastava um pacote de velhos cobertores para o mar. Os homens que dormiam no chão foram aos poucos cobertos por um acúmulo de neve. E às quatro da manhã todos estavam dormindo no chão, porque o vento ameaçava arrancar as barracas, que tiveram de ser desarmadas.

A nevasca persistiu o dia inteiro e entrou pelo dia seguinte. Nenhum homem deixou a escassa proteção de seu saco de dormir antes das onze da manhã, quando Shackleton mandou que todos saíssem para matar pinguins. Orde-Lees escreveu:

> A neve estava, no mínimo, pior. Era impossível ficar de frente para o vento. A neve entrava pela boca quando se respirava e nos deixava sufocados. Havia cerca de 200 pinguins ao todo, e conseguiram capturar um total de 77. Esfolar os pinguins com as mãos já meio feridas foi um trabalho penoso, porque tirar as luvas por alguns minutos naquela nevasca significava quase na certa novos ferimentos. Procuramos nos abrigar da forma possível... mas foi só o calor dos pinguins mortos que salvou as nossas mãos.

O tempo melhorou um pouco durante a noite, e a silhueta das enormes montanhas da ilha se destacava contra o céu estrelado. De manhã, uma nova nevasca começou, mas não era tão forte quanto a anterior.

Era dia 20 de abril, um dia diferente por uma só razão: Shackleton finalmente tornou oficial o que todos já esperavam havia algum tempo. Ele levaria um grupo de cinco homens e partiria com o *Caird* para tentar chegar à ilha Geórgia do Sul, a fim de trazer socorro. Partiriam assim que o *Caird* ficasse pronto e aprovisionado para a viagem.

A notícia não surpreendeu ninguém. Na verdade, aquele anúncio formal nem era necessário. O tema já fora discutido abertamente muito antes de o grupo deixar o Acampamento Paciência. Sabiam que, qualquer que fosse a ilha a que chegassem, uma viagem de barco de algum tipo seria necessária para trazer socorro para todo o grupo. Até mesmo a escolha da Geórgia do Sul como destino, por mais ilógica que pudesse parecer no mapa, fora fixada de acordo com a opinião geral.

Havia três portos de destino possíveis. O mais próximo era o cabo Horn, a ilha da Terra do Fogo, cerca de 800 quilômetros a noroeste. Depois havia Port Stanley nas ilhas Falklands, uns 900 quilômetros praticamente ao norte. E, finalmente, havia a Geórgia do Sul, mais de 1.300 quilômetros a nordeste. Embora a distância a percorrer até a Geórgia do Sul fosse mais de 50% maior que a viagem até o cabo Horn, as condições climáticas faziam com que a Geórgia do Sul fosse a escolha mais sensata.

Uma corrente para leste, que se acreditava deslocar-se a uma velocidade de 90 quilômetros por dia, é permanente na passagem de Drake, e ventos fortes quase incessantes sopram na mesma direção. Para chegar tanto ao cabo Horn quanto às ilhas Falklands, precisariam navegar contra o vento, opondo-se a essas forças colossais; já era muito arriscar a viagem num barco de 22 pés nessas águas tempestuosas sem tentar navegar contra o vento. A caminho da Geórgia do Sul, por outro lado, os ventos dominantes estariam em geral a favor do barco – pelo menos teoricamente.

Tudo fora discutido vezes sem conta. E embora as chances que o *Caird* tinha de efetivamente chegar à Geórgia do Sul fossem remotas, muitos homens estavam realmente dispostos a participar da viagem. A perspectiva de ficar para trás, de esperar sem ter como saber, de possivelmente passar todo o inverno naquela ilha odiosa não era nada atraente.

Shackleton já decidira, depois de longas discussões com Wild, não apenas quem iria com ele, mas quem não ficaria para trás. Worsley seria indispensável. Viajariam cerca de 1.500 quilômetros pelo oceano mais tempestuoso do planeta. A meta final era uma ilha com não mais de 40 quilômetros de largura em seu ponto mais largo. Conduzir um barco aberto por essa distância, sob condições que eram assustadoras só de se contemplar, e depois chegar a um pontinho no mapa, era uma tarefa exigente até mesmo para a perícia de Worsley como navegador. Depois dele, Shackleton escolheu Crean, McNeish, Vincent e McCarthy.

Crean era resistente, um marinheiro experimentado que fazia o que lhe mandavam fazer. E Shackleton não sabia ao certo se a natureza rude e desprovida de tato de Crean se prestaria bem a um período de espera forçada e talvez muito longa. McNeish já estava com 57 anos e na verdade não parecia ter a resistência necessária para a viagem. Mas tanto Shackleton quanto Wild achavam que ainda era um criador de problemas em potencial e que não era bom deixá-lo para trás. Além disso, se o *Caird* fosse avariado pelo gelo – uma possibilidade que estava longe de ser remota –, McNeish seria insubstituível. Jack Vincent tinha o mesmo estigma de McNeish – sua sociabilidade em condições desfavoráveis era duvidosa e ele poderia criar problemas se fosse deixado para trás. Do lado positivo, ele se comportara bem durante a viagem que os trouxera do Acampamento Paciência e sua força física também contava a seu favor. Por outro lado, Timothy McCarthy nunca causara nenhum problema a ninguém e todos gostavam dele. Shackleton o escolheu simplesmente porque era um marinheiro experiente e forte como um touro.

Assim que Shackleton comunicou oficialmente sua decisão, McNeish e Marston começaram a trabalhar retirando as tábuas que haviam sido acrescentadas ao *Docker*, a fim de fabricar uma espécie de cobertura fechando o casco do *Caird*. A nevasca tornava terríveis as condições de trabalho.

O restante dos homens tentava criar algum grau de conforto. Construiu-se uma nova proteção para a cozinha, feita de caixotes, pedras e pedaços de lona. Devido às condições físicas de Blackboro e Rickenson, que ainda estava fraco devido a seu ataque cardíaco, Shackleton deu permissão para que o *Docker* fosse emborcado a fim de formar um abrigo para os membros da barraca nº 5. Os homens fizeram o possível para que o abrigo ficasse à prova do tempo, cobrindo um de seus lados com neve e lama e prendendo cobertores, casacos e pedaços de lona do outro. Mas nada podia ser feito para secar o chão sob o barco, que era uma mistura fedorenta de neve derretida misturada a excrementos de pinguim dissolvidos. O desconforto era tão intenso que até mesmo dormir era quase impossível. A nevasca continuou por três dias e três noites. Os ventos, que na estimativa de Hussey chegaram a 190 quilômetros por hora, encheram tudo de neve – até o pé de seus sacos de dormir, que não conseguiram sequer começar a secar depois de sua viagem de barco.

A força do vento tornava perigoso às vezes até mesmo arriscar-se do lado de fora. Ocasionalmente, blocos de gelo passavam voando. Certa vez, uma enorme panela de 45 litros que estava ao lado da cozinha foi atingida pelo vento e carregada para o mar. Os homens do castelo da proa também perderam sua panela quando a deixaram pousada numa pedra por alguns instantes; simplesmente desapareceu. Em outra ocasião, McLeod estendeu sua capa de chuva para secar, pondo por cima, para fazer peso, duas pedras "do tamanho da minha cabeça". Quando se virou de costas por um instante, o vento derrubou as pedras e levou a capa embora. Muitos homens perderam suas luvas da mesma forma. Embora uma cobertura de lona tivesse sido estendida sobre a pilha de mantimentos, ancorada por um círculo de pedras grandes, o vento parecia entrar por baixo e carregar pequenos artigos.

A despeito dessas condições péssimas, o trabalho de preparação do *Caird* para a viagem prosseguiu no dia seguinte. McNeish, Marston e McLeod prenderam os esquis de um trenó desmontado atravessados no barco, para formar a estrutura que suportaria a cobertura que estavam construindo. Tábuas de compensado tiradas dos caixotes das provisões foram pregadas de través na estrutura e nelas se prendeu uma espécie de toldo de lona. O mastro principal foi retirado do *Docker* e preso por dentro da quilha do *Caird*, para evitar que ela se partisse ao meio quando encontrasse mau tempo.

De tempos em tempos, Worsley subia numa plataforma de pedra que ficava a cerca de 50 metros de altura perto da colônia dos pinguins para observar a formação de gelo. Havia um estreito anel de banquisas desfeitas a certa distância da costa, mas não parecia impossível de atravessar. De qualquer modo, a preocupação básica de Worsley era o tempo continuadamente ruim que o impedia de usar o sextante para obter uma medida precisa que lhe permitisse acertar o único cronômetro que ainda possuía. Sem isso, teriam que confiar na suposição de que o cronômetro estava certo.

As mãos de Greenstreet, feridas pelo frio, estavam um pouco melhor, e ele e Bakewell foram encarregados de arrumar lastro para o *Caird*. Juntos, reuniram pedras que puseram em sacos costurados de lona, cerca de 50 quilos em cada saco. A lona estava congelada e precisavam aquecê-la aos poucos, mantendo-a perto do fogão de gordura. O calor e as pedras fizeram as bolhas das mãos de Greenstreet rebentar e depois sangrar.

Havia outros preparativos importantes para a viagem. Hurley conversou longamente com Shackleton, que assinou a seguinte carta no diário de Hurley:

21 de abril de 1916

A quem possa interessar, ou seja, a meus testamenteiros, etc. Abaixo, assino as seguintes instruções:

No caso de eu não sobreviver à viagem de barco até a Geórgia do Sul, nomeio por meio desta Frank Hurley para ficar totalmente encarregado & responsável pela exploração de todos os filmes & reproduções fotográficas de todos os filmes & negativos feitos durante esta expedição; os ditos filmes & negativos passarão a ser da propriedade de Frank Hurley depois da devida exploração, na qual o dinheiro deverá ser pago aos meus herdeiros de acordo com o contrato assinado no início da expedição. Os direitos de exploração cessam ao fim de um prazo de 18 meses a partir da data da primeira exposição pública.

Deixo meus binóculos grandes para Frank Hurley.

E. H. Shackleton

Testemunha
John Vincent

No dia seguinte, a nevasca ficou ainda mais forte. Vários homens tiveram os rostos cortados por pedaços de gelo e pedra que passavam voando, impelidos pelo vento. Qualquer trabalho além de cozinhar estava inteiramente fora de questão, e os homens passaram o dia inteiro em seus sacos de dormir. Wild previu que, se as condições não melhorassem logo, alguns dos homens mais fracos não sobreviveriam. E Shackleton encontrou-se secretamente com Macklin para perguntar-lhe quanto tempo ele achava que os homens que estavam ficando para trás poderiam aguentar naquelas condições. Macklin respondeu que acreditava que aguentariam um mês. Felizmente o vento ficou consideravelmente mais fraco durante a noite, embora a neve continuasse a cair em grande quantidade. A temperatura caiu bastante. De manhã, McNeish voltou a se ocupar com o *Caird*. Só faltava acabar de ajustar a cobertura de lona. Alf Cheetham e Timothy McCarthy foram encarregados de costurar os pedaços de lona, mas no frio intenso a lona estava tão dura que a cada ponto precisavam fazer passar a agulha com um alicate.

Ao mesmo tempo, o bem-estar dos homens que ficariam para trás era objeto de sua preocupação. Durante algum tempo, pensaram em construir uma cabana de pedras, mas todas as pedras disponíveis haviam sido erodidas pela ação do mar até ficarem quase redondas; já que não havia nada que pudessem usar como cimento, acabaram abandonando esse plano. Em lugar disso, um grupo de homens com picaretas e pás começou a abrir uma caverna na face da geleira que dava para o pontal onde estavam acampados. Mas o gelo era quase tão duro como a pedra e o trabalho andava muito devagar.

Shackleton passou o dia supervisionando as várias atividades de seus homens. Viu que o *Caird* estava quase pronto e anunciou que zarpariam assim que o tempo permitisse. Quando a noite chegou e o tempo melhorou um pouco, Shackleton mandou que Orde-Lees e Vincent derretessem gelo para encher dois tonéis de água que levariam a bordo do *Caird*. Esforçaram-se para encontrar gelo fresco na geleira, mas todo ele fora salpicado pela espuma do mar, que se congelara na superfície. Quando ficou pronto, Orde-Lees levou uma amostra da água obtida para Shackleton, que a provou. Percebeu vestígios de sal, mas disse que serviria assim mesmo.

Shackleton passou quase a noite toda conversando com Wild sobre mil assuntos diferentes, desde o que deveria ser feito no caso de não chegar socorro num prazo razoável até a distribuição de tabaco. Quando não havia mais nada a discutir, Shackleton escreveu em seu diário uma carta que deixou com Wild:

Ilha Elephant, 23 de abril de 1916

Caro Senhor:

Se acaso eu não sobreviver à viagem de barco para a Geórgia do Sul, o senhor fará o possível para salvar o grupo. O senhor assume pleno comando da expedição no momento em que o barco deixar esta ilha e todos ficam sob as suas ordens. Ao chegar de volta à Inglaterra, o senhor deve entrar em contato com o Comitê. Desejo que o senhor, Lees & Hurley escrevam o livro. O senhor cuidará dos meus interesses. Em outra carta, o senhor encontrará os termos que foram acertados para as conferências: o senhor percorrerá a Inglaterra, a Grã-Bretanha e a Europa. Hurley, os EUA. Tenho toda a confiança no senhor, e sempre tive, que Deus faça prosperar seu trabalho e sua vida. Transmita, por favor, meu amor à minha família e diga-lhes que fiz o melhor que podia.

Cordialmente,

E. H. SHACKLETON

Testemunha
FRANK WILD

3

Ao longo de toda a noite, os sucessivos sentinelas ficaram atentos para alguma mudança no tempo; ela acabou ocorrendo de madrugada. O vento atenuou-se consideravelmente. Shackleton foi imediatamente notificado e ordenou que todos fossem acordados à primeira luz da manhã. Os homens despertaram pouco antes das seis.

McNeish dedicou-se a dar os últimos retoques à confecção da cobertura de lona para o *Caird*, enquanto Green e Orde-Lees começaram a derreter gordura de foca para obter óleo a ser derramado no mar para o caso de precisarem ficar à capa durante a viagem, parados de frente para o vento, devido a condições climáticas extremamente ruins. Outros reuniram víveres e equipamentos para o barco.

O grupo do *Caird* levaria mantimentos para seis semanas: três caixotes das rações originalmente destinadas aos homens que fariam a travessia do continente de trenó, até então escrupulosamente economizadas, duas caixas de nozes e amêndoas, biscoitos, leite em pó e cubos de caldo de carne e galinha para preparar bebidas quentes para o grupo. Para cozinhar, usariam um fogareiro a álcool, e estavam levando dois, para terem um de reserva. As poucas peças extras de roupa que ainda havia, meias e luvas, foram levadas, junto com seis dos sacos de dormir de pele de rena.

O equipamento do *Caird* consistiria em um par de binóculos, uma bússola prismática, uma pequena caixa de primeiros socorros originalmente destinada a um dos grupos de expedição transcontinental, quatro remos, um balde para esgotar o barco, a bomba fabricada por Hurley, uma carabina e alguns cartuchos, uma âncora flutuante e uma linha de pesca, mais algumas velas e fósforos. Worsley reuniu todos os instrumentos de navegação que conseguiu encontrar. Levou seu próprio sextante e outro que pertencia a Hudson, junto com as cartas de navegação necessárias e todos os mapas que ainda havia, guardados numa caixa que foi tratada para ficar o mais que possível à prova d'água. Levava ainda seu único cronômetro pendurado no pescoço. Dos 24 que havia a bordo do *Endurance* quando partiram da Inglaterra, só lhes restava aquele.

Um desjejum de despedida foi preparado, e Shackleton permitiu que se acrescentassem a ele dois biscoitos extras e 100 gramas de geleia por cabeça. Quase todos os homens ficaram reunidos trocando gracejos. Os tripulantes do castelo da proa recomendaram a McCarthy que procurasse não molhar os pés durante a viagem. Insistiram com Worsley para que não comesse demais depois de chegar à civilização, e forçaram Crean a prometer que deixaria algumas mulheres para o resto do grupo depois que fossem resgatados. Mas a tensão no ar era inconfundível. Os dois grupos sabiam que era possível que nunca mais tornassem a se encontrar.

Pouco depois do desjejum, o sol surgiu. Worsley pegou seu sextante e em pouco tempo tirou a medida que demonstrou que seu cronômetro estava razoavelmente certo. Parecia um bom presságio.

Em torno das nove horas, Shackleton foi com Worsley até o ponto de observação a fim de examinar as condições do gelo ao longo da costa. Viram um grupo de banquisas paralelo à costa a cerca de dez quilômetros de distância, mas havia uma abertura pela qual o *Caird* poderia passar com facilidade. Voltaram ao acampamento e viram que McNeish acabara seu serviço – o barco estava pronto.

Naquelas circunstâncias, McNeish fizera um trabalho magnífico. Todo o casco do barco estava coberto pela lona, com exceção de uma abertura na proa com cerca de 1,20 m por meio metro de largura. Dois gualdropes, cabos compridos como rédeas de carroça, permitiam que se comandasse o leme à distância. Pelo menos aparentemente, o barco estava capacitado a enfrentar o alto-mar.

Todos os homens se reuniram para lançar o *Caird* ao mar. O barco estava com a popa virada para fora e havia um cabo comprido preso à proa. Os homens tentaram empurrá-lo para o mar, mas a grossa areia vulcânica da praia não o deixava avançar. Marston, Greenstreet, Orde-Lees e Kerr entraram na água gelada até os joelhos e, com os outros homens empurrando, tentaram soltar o fundo do barco da areia. Ainda assim, o *Caird* não se movia. Wild tentou levantar sua proa usando um remo como alavanca, enquanto todos os outros empurravam. Mas o remo se partiu, e o barco continuava encalhado. Toda a tripulação do *Caird*, com exceção de Shackleton, subiu a bordo, na esperança de conseguir empurrá-lo usando os remos como varas; enquanto forcejavam, uma onda maior quebrou na praia e o retorno da onda arrastou o *Caird* para águas mais fundas.

No momento em que começou a flutuar, o peso dos cinco homens sentados sobre a cobertura de lona fez com que adernasse pesadamente para bombordo. Vincent e McNeish foram atirados ao mar. Os dois voltaram para a margem, encharcados, proferindo maldições furiosas. Vincent trocou com How suas roupas de baixo e suas calças por peças relativamente secas, mas McNeish recusou-se a trocar de roupa com quem quer que fosse e tornou a subir a bordo do barco.

O *Caird* foi então levado a remo até depois da linha de recifes e ficou esperando, preso pelo cabo de proa, enquanto o *Wills* era posto na água e carregado com cerca de meia tonelada de lastro. A remo, levaram o *Wills* até o *Caird* e transferiram a carga; na segunda viagem, o *Wills* transportou outros 250 quilos de sacos de lastro e mais 250 em pedras grandes.

Shackleton estava pronto para partir. Conversou com Wild pela última vez e os dois trocaram um aperto de mão. As provisões foram postas a bordo do *Wills*, e Shackleton e Vincent subiram no barco, afastando-se da praia.

– Boa sorte, chefe – gritou o grupo da praia. Shackleton virou-se e deu um rápido aceno.

Quando chegaram ao *Caird*, Shackleton e Vincent subiram a bordo e os suprimentos foram rapidamente transferidos de barco.

O *Wills* voltou então para buscar sua última carga – os dois tonéis de 80 litros cada cheios de água e vários pedaços de gelo, num total de mais de 60 quilos, destinados a suplementar o suprimento de água do barco. Devido a seu peso, os tonéis foram amarrados à popa do *Wills* e rebocados até o *Caird*. No momento em que ultrapassavam os recifes, porém, uma enorme onda se ergueu por trás do barco e o empurrou de lado até a arrebentação. O barco conseguiu passar, mas um dos tonéis de água se soltou e foi levado de volta até a praia. O *Wills* entregou rapidamente sua carga e voltou em busca do tonel de água perdido. Pegou-o quando já estava quase encalhado na areia e voltou com ele para o *Caird*.

Os barcos passaram alguns minutos lado a lado e ocasionalmente se chocavam com força. Shackleton, extremamente ansioso para partir, dirigia com urgência a arrumação do lastro e do equipamento. Finalmente, as duas tripulações trocaram saudações de barco a barco. Novamente, ouviram-se piadas nervosas. O *Wills* se afastou e voltou para a praia.

Era mais ou menos meio-dia e meia. As três pequenas velas do *Caird* já estavam içadas quando os homens que haviam ficado em terra viram McCarthy na proa fazendo sinais para que soltassem o cabo. Wild soltou o cabo que prendia o barco, e McCarthy puxou-o para bordo. O grupo de terra gritou uma saudação e, por cima das ondas, ouviram gritos abafados em resposta.

As velas do *Caird* se enfunaram, e Worsley, no timão, virou sua proa para o norte.

"Partiram em grande velocidade para um barco tão pequeno", escreveu Orde-Lees. "Ficamos olhando até desaparecerem totalmente, o que não demorou muito, porque um barco daquele tamanho se perdia de vista muito rapidamente na vastidão do oceano agitado; cada vez que descia a encosta de uma vaga, desaparecia completamente, com vela e tudo."

4

Para os 22 homens que afastaram os olhos do mar e se voltaram para as montanhas do interior da ilha, a animação passara e começavam sua provação pela paciência. Sua impotência era quase completa, e sabiam disso. O *Caird* partira, levando o melhor de tudo que a expedição possuía.

Depois de algum tempo, empurraram o *Wills* para uma posição mais alta na praia, depois emborcaram o barco e entraram engatinhando debaixo daquele abrigo improvisado.

Sentados ali, enregelados, amontoados e molhados [escreveu Macklin], ficamos pensando em como iríamos passar o mês que tínhamos pela frente, que era o... mínimo que precisaríamos esperar até que pudesse chegar algum socorro.

E essa, ele admitia, era uma expectativa "muito otimista", baseada em meia dúzia de suposições favoráveis – a primeira das quais era de que o *Caird* conseguiria efetivamente chegar ao final de sua travessia.

Quanto a isso, o sentimento geral, pelo menos para consumo externo, era de confiança. E que outro sentimento poderiam demonstrar? Qualquer outra atitude seria equivalente a admitir que estavam condenados. Por menores que sejam as chances, ninguém aposta sua última possibilidade de sobrevivência em alguma coisa e depois fica acreditando que não vai dar certo.

O jantar foi servido cedo, e os homens se recolheram quase que imediatamente. Na manhã seguinte, quando acordaram, o dia estava feio, encoberto, tomado meio por nevoeiro, meio por neve. O mau tempo tornava ainda mais imperativo que construíssem rapidamente algum tipo de abrigo, e todos os homens capazes voltaram ao trabalho de abrir a caverna de gelo na face da geleira. Trabalharam o dia inteiro, e mais o dia seguinte, e o outro. Na manhã do dia 28, porém, quatro dias depois da partida do *Caird*, ficou óbvio que aquela ideia teria de ser abandonada. Sempre que entravam na caverna, que agora já era capaz de abrigar cinco homens, o calor dissipado por seus corpos começava a derreter o gelo de seu interior, de modo que riachos corriam pelas paredes e pelo fundo.

Só restava uma possibilidade – os barcos. Greenstreet e Marston sugeriram que eles poderiam ser emborcados para formar o teto de uma cabana, e Wild concordou. Começaram a juntar pedras para construir as fundações. Era um trabalho exaustivo.

Estamos todos ridiculamente fracos [escreveu Orde-Lees]. Pedras que antes poderíamos levantar facilmente agora estão além das nossas forças, e foram necessários dois ou três de nós para carregar o que antes seria carga para um homem... A nossa fraqueza é parecida com a que as pessoas sentem depois de convalescer de uma longa doença.

Infelizmente, a maioria das pedras disponíveis estava do outro lado do pontal, o que significava que os homens precisavam carregá-las por quase 150 metros até chegarem ao lugar escolhido para a construção de seu novo abrigo. Finalmente, quando as fundações já tinham mais de um metro de altura, os barcos foram colocados por cima, lado a lado. Levou mais de uma hora para ajustar a parede um pouquinho aqui e mais um tanto ali. Os poucos pedaços de madeira que restavam foram apoiados de través nas quilhas dos barcos invertidos e uma barraca foi estendida sobre o conjunto; as cordas foram presas dos dois lados para funcionar como cordas de retenção. Como toque final, pedaços de lona foram amarrados em volta das fundações para que o vento não entrasse por entre as pedras. Havia um buraco na fundação do lado virado para a terra, servindo de entrada, e dois cobertores superpostos foram pendurados, formando uma porta para isolá-los do mau tempo.

Finalmente, Wild declarou que a cabana estava pronta para ser ocupada. Os homens recolheram seus sacos de dormir ensopados e entraram no abrigo rastejando. Cada um escolheu o lugar que preferia e alguns foram imediatamente para o andar superior formado pelos bancos dos barcos em posição invertida. Outros se distribuíram pelo chão, no lugar que lhes parecesse mais abrigado, mais seco ou mais quente. O jantar foi distribuído às dezesseis e quarenta e cinco, e os homens, exaustos, recolheram-se aos sacos de dormir assim que acabaram de comer. Passaram as primeiras horas da noite dormindo, esgotados, um sono sem sonhos. Mas pouco depois da meia-noite começou outra nevasca, e até o amanhecer só conseguiram cochilar por pouco tempo de cada vez, na melhor das hipóteses. A ventania que soprava do alto das montanhas sacudia toda a cabana e parecia que cada nova rajada iria arrancar os barcos das fundações. E a força do vento penetrava em cada fresta, de modo que a neve entrava rodopiando por milhares de pequenas aberturas. No entanto, quando rompeu a manhã, o abrigo ainda estava intacto.

> ... mas que despertar horrendo [escreveu Macklin]. Tudo coberto por uma espessa camada de neve, as meias e botas tão congeladas que só podiam ser vestidas aos poucos, nem um par sequer de luvas secas ou quentes em todo o grupo. Acho que passei hoje de manhã a hora mais infeliz da minha vida – todas as tentativas pareciam destinadas ao fracasso, e o Destino parecia absolutamente determinado a acabar conosco. Os homens, sentados, xingavam, não muito alto, mas com uma intensidade que demonstrava o ódio que sentem por esta ilha na qual viemos nos abrigar.

No entanto, se estavam dispostos a sobreviver, tinham muito trabalho pela frente. A despeito do frio e do vento, que às vezes soprava com tanta fúria que precisavam se abrigar dentro da cabana até as rajadas se dissiparem, aplicaram-se em tornar seu abrigo mais seguro. Alguns homens rearrumaram a barraca por cima do teto e amarraram as cordas de retenção com mais firmeza. Outros enfiaram pedaços de cobertor em vários pontos das fundações e cobriram todo o arranjo com areia molhada da praia para revesti-lo.

Mas continuou a nevar a noite toda. A neve insistia em entrar na cabana, embora menos que na noite anterior. Na manhã do dia 30 de abril, James, Hudson e Hurley, que vinham tentando dormir em sua barraca, desistiram e juntaram-se aos demais no abrigo construído com os barcos. Hurley escreveu: "A vida aqui sem uma cabana e sem equipamento está quase além da resistência." Mas pouco a pouco, à medida que o vento ia revelando os pontos vulneráveis das paredes de seu abrigo, iam fechando as frestas, e a cada dia a cabana se tornava um pouco mais confortável.

Tentaram cozinhar dentro da cabana, mas ao final de dois dias Green ficou com a visão afetada pela fumaça e precisou ser temporariamente substituído por Hurley. Remediaram o problema da fumaça fazendo passar uma chaminé entre os dois barcos que serviam de teto. Mas um capricho do vento fazia o ar entrar frequentemente pela chaminé, enfiando grandes massas de fumaça espessa na cabana e tornando o ar em seu interior tão denso que os homens eram forçados a sair ao ar livre, meio sufocados, as lágrimas correndo pelas faces.

Durante o dia, uma quantidade razoável de luz filtrava-se pelo teto de lona, de modo que os homens conseguiam se deslocar pela cabana, mas muito antes de anoitecer ficava escuro demais para se ver qualquer coisa. Marston e Hurley fizeram diversas experiências e descobriram que, enchendo uma vasilha com óleo de foca e enrolando pequenas quantidades de ataduras para servirem de pavio, obtinham uma chama fraca à cuja luz se podia ler a curta distância. Por métodos semelhantes, foram eliminando aos poucos os pequenos desconfortos.

Afinal, no dia 2 de maio, oito dias depois da partida do *Caird*, e mais de duas semanas depois de sua chegada à ilha, o sol apareceu pela primeira vez. Os homens se apressaram em carregar seus sacos de dormir para fora, estendendo-os para que secassem. Voltou a fazer bom tempo dia 3 e dia 4. Ainda assim, mesmo depois de três dias ao sol, os sacos de dormir não ficaram completamente secos, embora tenham melhorado muito: "... já estamos mais secos do que jamais esperamos voltar a estar", escreveu James.

Houve longas discussões em torno de quanto tempo o *Caird* levaria para chegar à Geórgia do Sul e quanto tempo passaria depois disso até que um navio viesse resgatá-los. Os mais otimistas calculavam que dali a uma semana, no dia 12 de maio, já poderiam esperar a chegada de um navio. Já as estimativas mais conservadoras diziam que antes do dia 1º de junho não fazia sentido sequer pensarem em resgate. Na verdade, porém, tratava-se de mais uma tentativa de manter a esperança sob controle. Já a partir do dia 8 de maio, muito antes que fosse razoável esperarem que qualquer coisa acontecesse, todos já estavam preocupados com as condições do gelo em torno da ilha, que poderiam impedir a aproximação de um navio de socorro.

A ansiedade de todos tinha fundamento. Já se passara um quarto do mês de maio – equivalente ao mês de novembro no Hemisfério Norte. O inverno chegaria dentro de algumas semanas, talvez até mesmo dali a poucos dias. E, quando chegasse, havia uma forte possibilidade de que o gelo encerrasse completamente a ilha, frustrando qualquer tentativa de chegar a ela de navio. No dia 12 de maio, Macklin escreveu:

Vento de E. A qualquer dia podemos voltar a ter o banco de gelo dentro da baía – mas não queremos isso agora, e diariamente desejamos a chegada do navio de resgate.

Havia muito a fazer – embora passassem o tempo todo trabalhando com um olho no mar. Havia pinguins a abater, e de vez em quando uma foca, e havia também gelo a trazer para se obter água. Passavam longas horas tentando capturar uma ave local chamada *paddy* – pequenos rapinantes semelhantes a pombos que costumavam rondar sua pilha de carne – com armadilhas. Um remo foi transformado em mastro e colocado no ponto mais alto que conseguiam atingir nos penhascos. Nele hastearam, com grande impropriedade, a bandeira do Royal Yacht Club, que drapejava aos ventos da ilha Elephant como sinal para o tão ansioso navio de resgate.

Macklin e McIlroy tinham muito trabalho com seus pacientes. Kerr teve problemas num dente e Macklin precisou arrancá-lo.

E acho que eu parecia um dentista charlatão dos piores [escreveu Macklin], sem muito refinamento – "Venha aqui e abra a boca", nada de cocaína ou anestesia.

A mão de Wordie infeccionara, e Holness teve problemas com um terçol. Rickenson se recuperava lentamente do ataque cardíaco que sofrera no dia em que chegaram à ilha, mas os furúnculos provocados pela água salgada em seus pulsos recusavam-se a sarar. Os pés de Greenstreet, ulcerados pelo frio nos barcos, não melhoraram e ele ficara confinado em seu saco de dormir.

O caso de Hudson parecia mais sério. Suas mãos vinham melhorando, mas a dor em sua nádega esquerda, que começara nos barcos, se transformara num imenso abscesso, que lhe causava uma dor constante. Mentalmente, também, as cicatrizes da viagem de barco ainda o afetavam. Passava a maior parte do tempo deitado imóvel em seu saco de dormir, sem falar, e parecia desinteressado, inteiramente alheio a tudo que acontecia à sua volta.

Mas o pior caso de invalidez era o de Blackboro. O pé direito estava com um aspecto melhor e tinham esperanças até de que pudesse ser salvo. Mas os dedos do pé esquerdo já tinham começado a ficar afetados pela gangrena. A preocupação básica de McIlroy, que tratava de Blackboro, era evitar que as partes afetadas desenvolvessem o que era conhecido como "gangrena úmida", em que a parte morta continua mole e é capaz de transmitir a infecção para outras partes do corpo. Na chamada gangrena seca, as partes afetadas ficam pretas e quebradiças. Com o tempo, o corpo cria uma espécie de barreira que separa os tecidos vivos do tecido morto e a ameaça de infecção fica muito reduzida. Assim, McIlroy preocupava-se em cuidar para que o pé de Blackboro permanecesse seco, de modo que a separação se completasse e ele pudesse realizar uma operação cirúrgica.

Cada vez mais, à medida que os dias se passavam, os homens caíam inevitavelmente na rotina de sua existência. Toda noite, antes do jantar, contemplavam longamente o mar uma última vez, para se assegurarem de que a silhueta escura de um barco ou um fio de fumaça no horizonte não haviam passado despercebidos. Quando ficavam finalmente convencidos de que não havia nenhum navio de resgate à vista, entravam na cabana para a última refeição do dia.

Depois do jantar, Hussey muitas vezes passava algum tempo tocando banjo. Mas o curto intervalo de tempo antes que as lamparinas de óleo fossem apagadas a cada noite era quase todo dedicado à conversa. Praticamente qualquer coisa servia de assunto para conversa ou discussão, embora o tema mais frequente fosse o resgate. Comida vinha logo depois na preferência geral.

Marston tinha um livro de receitas, o *Penny Cookbook*, que era muito solicitado. Cada noite, emprestava o livro a um ou outro grupo, e os homens passavam horas percorrendo as suas páginas, imaginando as refeições que fariam assim que chegassem de volta à Inglaterra. Orde-Lees escreveu certa noite em seu diário: "Queremos ser alimentados com uma enorme colher de pau e queremos que façam conosco como fazem com os bebês coreanos: que batam em nossas barrigas com as costas da colher para que ainda caiba um pouco mais de comida. Em suma, queremos ser superalimentados, muito superalimentados, com mingau de aveia, açúcar, calda de caramelo, passas, pudim de maçã com creme, bolo, leite, ovos, geleia, mel e pão com manteiga até rebentarmos, e daremos um tiro em quem vier nos oferecer carne. Não queremos ver ou sequer ouvir falar de carne pelo resto de nossas vidas."

No dia 17 de maio, McIlroy realizou uma pesquisa na cabana, perguntando a cada homem o que comeria se lhe permitissem escolher qualquer prato. Os resultados revelaram que Orde-Lees tinha razão – o desejo de doces era quase unânime, e quanto mais doces melhor. Uma amostra:

CLARK	Bolo de frutas com creme.
JAMES	Pudim de caramelo.
MCILROY	Pudim de geleia com creme de leite.
RICKENSON	Torta de amora e maçã com creme.
WILD	Pudim de maçã com creme.
HUSSEY	Mingau de aveia com açúcar e creme.
GREEN	Bolinho de maçã.
GREENSTREET	Pudim de Natal.
KERR	Bolo com cobertura.

Houve alguns homens, porém, cuja primeira escolha não foi para doces:

MACKLIN	Ovos mexidos com torradas.
BAKEWELL	Pernil assado com ervilhas.
CHEETHAM	Porco, molho de maçã, batatas e nabos.
BLACKBORO	Queria simplesmente pão com manteiga.

Green tornou-se objeto de intenso interesse porque já trabalhara como confeiteiro numa casa de doces, e os homens pareciam não se cansar nunca de lhe pedir detalhes – e lhe perguntavam especialmente se o deixavam comer quanto quisesse no trabalho.

Certa noite, Hurley, deitado em seu saco de dormir, ouviu Wild e McIlroy falando sobre comida.

– Você gosta de rosca? – perguntou Wild.

– Muito – respondeu McIlroy.

– E são bem fáceis de fazer – disse Wild. – Eu gosto de roscas frias, com um pouco de geleia.

– Interessante – disse McIlroy –, mas e que tal uma omelete bem grande?

— Iria muito bem.

Em outra ocasião, Hurley ouviu dois tripulantes do castelo da proa "conversando sobre uma mistura decididamente extraordinária de picadinho de carne, molho de maçã, cerveja e queijo". Depois, Marston, apoiando-se no que constava em seu livro de culinária, entrou numa animada discussão com Green, questionando se as migalhas de pão deveriam realmente ser usadas como base para todo e qualquer pudim.

De um modo ou de outro, mantinham seu moral alto – principalmente criando sonhos. Mas a cada dia o número de horas de claridade ficava menor, denunciando a chegada do inverno. Agora o sol se erguia pouco depois das nove e se punha em torno das três da tarde. Já que estavam cerca de 500 quilômetros ao norte do Círculo Antártico, não seriam obrigados a conviver com o desaparecimento total do sol. Mas o tempo estava ficando cada vez mais frio.

Macklin escreveu no dia 22 de maio: "Há uma grande mudança no cenário à nossa volta – tudo está coberto de neve e há muito gelo no mar, dos dois lados do pontal de pedra. Nos últimos dias, o gelo tem se aproximado da ilha e um banco denso se estende em todas as direções até onde a vista alcança, fazendo com que as probabilidades de resgate se tornem muito remotas. Só um barco quebra-gelo especialmente construído poderia atravessar a salvo esse banco; um vapor de ferro seria esmagado em pouco tempo. Além disso, os dias estão ficando muito curtos..."

De fato, generalizava-se a compreensão de que, pelo menos em termos lógicos, o resgate antes do inverno se tornava altamente improvável, senão totalmente impossível. No dia 25 de maio, um mês e um dia depois da partida do *Caird*, Hurley escreveu:

A neve e o vento estão vindo do leste. Nossa paisagem de inverno é o panorama mais inóspito e desolador que se pode imaginar. Mas todos já estão resignados e prontos para passar o inverno inteiro aqui.

5

No entanto, não estavam resignados – não de um modo qualquer. Do ponto de vista lógico, talvez a possibilidade de um navio atravessar o gelo fosse tão pequena que o melhor a fazer fosse adotar uma atitude estoica de resignação. Mas havia coisas demais em jogo.

Cada manhã [escreveu Macklin no dia 6 de junho], vou até o alto da colina e, apesar de tudo, não consigo deixar de ter esperança de ver um barco chegando para nos resgatar. [Até mesmo Hurley, que antes afirmara com tanta certeza que só lhes restava preparar-se para o inverno, escreveu que] "todos [os homens] vasculham o horizonte todos os dias, na esperança de ver um mastro ou uma pluma de fumaça".

E embora dia após dia nenhum navio aparecesse, atribuíam esse fato a inúmeras razões – o gelo, os ventos, o nevoeiro, as dificuldades para conseguir um navio adequado, os atrasos burocráticos – e à combinação de vários desses fatores, ou de todos eles. Nunca se mencionava a razão mais provável de todas... o *Caird* tinha se perdido.

Num registro notável por sua franqueza, Orde-Lees escreveu em seu diário:

Estamos inevitavelmente ansiosos em torno do destino de Sir Ernest. Nós nos perguntamos como terá sido a viagem, como ele estará agora e por que ainda não conseguiu vir nos resgatar. [Mas] esse tema é praticamente tabu; cada um guarda seus pensamentos para si, ninguém sabe exatamente o que os outros pensam a respeito e é bastante óbvio que ninguém ousa dizer o que realmente pensa.

Quaisquer que fossem os pensamentos dos membros da expedição, porém, não havia nada a fazer além de esperar e cultivar as esperanças. Cada dia, um homem recebia a tarefa de "foguista" e ficava encarregado de cuidar do fogo o dia inteiro, alimentando-o com peles de pinguim – e tentando manter a fumaça num nível mínimo. Havia também o trabalho de "arrumadeira", que implicava trazer gelo para ser transformado em água e reunir a quantidade de carne necessária para ser preparada a cada refeição. As duas tarefas eram tediosas e negociava-se muito para escapar delas. Meio bife de pinguim geralmente era suficiente para conseguir uma substituição no trabalho de foguista por um dia.

Havia também muita barganha em torno das rações, e vários fundos de gênero foram formados. Um fundo típico era o "fundo de açúcar", em que cada membro dispensava um dos três torrões de açúcar a que tinha direito diariamente para participar de um verdadeiro banquete quando chegasse sua vez, seis ou sete dias depois. Wild não se opunha a esse tipo de coisa. Na verdade, permitia que houvesse muita flexibilidade em quase todas as questões. Servia para evitar atritos e dava aos homens algo para ocupar seus espíritos.

Havia, no geral, uma ausência espantosa de antagonismos sérios, levando-se em conta as condições em que se viam obrigados a subsistir. Possivelmente, era porque viviam num estado de constantes rusgas. As discussões duravam quase o dia inteiro e serviam para dar vazão a uma boa quantidade de pressão que, de outro modo, poderia se acumular. Além disso, o grupo fora reduzido a uma sociedade praticamente sem classes, em que quase todos tinham plena liberdade para dizer o que pensavam, e diziam. Qualquer pessoa que pisasse na cabeça de outra ao tentar achar o caminho da porta à noite recebia a mesma descompostura, qualquer que tivesse sido sua posição hierárquica anterior.

A questão de sair à noite para se aliviar era possivelmente o aspecto mais desagradável de sua existência. Era necessário esgueirar-se entre os homens adormecidos à luz de uma única lamparina de óleo, que ficava acesa precisamente para isso. Era quase fisicamente impossível deixar de pisar em alguém. Depois, era preciso passar de rastros pela porta da cabana para encontrar do lado de fora quase sempre condições de mau tempo. Muitas vezes, mal se conseguia ficar de pé ao ar livre. Pedaços de pedra e fragmentos de gelo voavam invisíveis na escuridão. Assim, em vez de submeter-se a essas condições, a maioria dos homens começou a praticar o controle da bexiga quase ao limite da resistência física.

Depois de algum tempo, porém, Wild acabou cedendo à pressão do grupo e uma lata de gasolina de dois galões foi transformada em urinol para ser usada à noite. A regra que adotaram era a seguinte: quem fizesse o nível de líquido chegar a cinco centímetros da borda ficava na obrigação de levar a lata para fora e esvaziá-la. Sempre que alguém sentia vontade e o tempo estava muito ruim, ficava acordado esperando que outra pessoa fosse primeiro, para poder julgar pelo som a que nível se encontrava o conteúdo da lata.

Se parecia estar cheia demais, tentava aguentar até de manhã. Mas nem sempre era possível, e podia ser que fosse obrigado a se levantar. No entanto, mais de uma vez, ocorria que alguém tivesse enchido a lata do modo mais silencioso possível, voltando depois sorrateiramente para seu saco de dormir. O usuário seguinte descobria, enfurecido, que a lata estava cheia – e que precisaria ser esvaziada por ele mesmo antes de poder ser utilizada.

A vítima, porém, não podia contar com muita solidariedade. A maioria dos homens considerava esse fato uma espécie de travessura, e sempre que alguém ficava realmente aborrecido com ela era tão amplamente ridicularizado pelos demais que logo desistia de brigar.

Mas havia flutuações nítidas no moral do grupo, variando de acordo com as condições climáticas e com o fato de haver ou não acúmulo de gelo em torno da ilha. Quando havia sol, a ilha se transformava num lugar de beleza rude, com o sol brilhando nas geleiras, produzindo cores indescritivelmente vívidas, em constante mutação. Para todo o grupo era difícil ficar infeliz em dias assim. Mas a maior parte do tempo a ilha estava longe de ser bela. Embora as ventanias fossem mais raras, havia longos períodos de tempo úmido e encoberto, resultando no tipo de situação que Greenstreet escreveu certa noite: "Todo mundo passou o dia enfiado no saco, no meio de uma nuvem de fumaça de gordura e de tabaco – e assim se passou mais um dia horroroso."

Ao longo de maio, os membros mais pessimistas do grupo – capitaneados por Orde-Lees – previram que certo dia os pinguins migrariam e só tornariam a ser vistos no final do inverno. Orde-Lees estava tão convencido, na verdade, que fez uma série de apostas em torno da questão. Então, um dia, no início de junho, perdeu três delas de uma só vez.

Ele havia apostado: (1) Que não veriam nenhum pinguim naquele dia. (2) Que em nenhum dia depois de 1º de junho apareceriam mais de dez pinguins. (3) Que não se capturariam mais de 30 pinguins em todo o mês de junho. Só naquele dia abateram 115.

Assim, a alimentação não era motivo de preocupação imediata. Mas havia outros assuntos que precisavam de atenção – especialmente o pé de Blackboro. No início de junho, McIlroy ficou convencido de que a separação entre o tecido morto e o vivo se completara e que seria perigoso adiar por mais tempo a operação. Esperar que o navio de resgate chegasse a tempo de levar Blackboro para um hospital onde a amputação pudesse ser realizada em condições ideais estava obviamente fora de questão a essa altura. A operação precisaria ser feita nas semanas seguintes, assim que houvesse um dia mais quente.

O dia 15 de junho amanheceu enevoado e sem neve. McIlroy, depois de conferenciar com Wild e Macklin, decidiu que operaria naquele dia. Blackboro já estava conformado com a necessidade de se submeter à operação havia muito tempo. Os poucos instrumentos cirúrgicos que possuíam foram preparados, e assim que acabaram o desjejum a panela foi enchida de gelo, que depois de transformado em água foi posto para ferver a fim de esterilizar os instrumentos. Vários caixotes foram dispostos lado a lado perto do fogão e forrados de cobertores para servirem de mesa de operação.

Quando tudo ficou pronto, mandaram que os homens saíssem para esperar o fim da operação do lado de fora. Os outros dois inválidos, Hudson e Greenstreet, ficaram na cabana. Hudson ficou afastado, mas a cama de Greenstreet, num dos bancos invertidos do *Docker*, ficava bem acima da mesa de operação. Wild e How ficaram para ajudar, e Hurley, para alimentar o fogão. Assim que os outros saíram, começou a pôr peles de pinguins no fogo.

Quando a temperatura começou a subir, Blackboro foi estendido sobre a mesa de operações. Todas as lamparinas de óleo disponíveis foram acesas ao mesmo tempo e o interior sombrio da cabana ficou razoavelmente claro no pequeno círculo em torno do fogão. Quando o calor aumentou, McIlroy e Macklin se despiram, ficando apenas de camiseta, as roupas mais limpas que tinham.

O anestésico tinha de ser clorofórmio – que não era muito aconselhável, especialmente perto do fogo. Mas era o único de que dispunham, e só tinham menos de 200 gramas. Macklin, encarregado de administrar a anestesia, esperou que a cabana estivesse bem quente, para que o clorofórmio se transformasse em vapor. Hurley continuava a atirar peles no fogo e a temperatura não parava de subir. Em 20 minutos chegara a mais de 25 graus. Macklin desarrolhou a garrafa de clorofórmio e derramou um pouco num pedaço de gaze cirúrgica. Depois deu uma palmada no ombro de Blackboro para lhe dar coragem e segurou a gaze perto de seu nariz. Instruiu Blackboro para fechar os olhos e respirar fundo, e ele obedeceu. Em cinco minutos estava inconsciente, e Macklin fez um sinal para McIlroy, dizendo-lhe que podia começar.

O pé de Blackboro foi erguido, apoiando-se em calços, e estendido para além da beira da cama de caixotes. Uma lata grande vazia foi colocada abaixo dele. Quando as ataduras foram removidas, viram que a carne dos dedos do pé de Blackboro parecia quase mumificada, preta e ressecada, com uma aparência quebradiça. Wild pegou um bisturi na panela de água fervente e o entregou a McIlroy.

Na outra ponta da cabana, Hudson virou o rosto para não ver. Greenstreet, porém, ficou olhando de seu jirau, inteiramente absorto no que estava acontecendo.

McIlroy fez um corte transversal perto da ponta do pé de Blackboro e depois puxou a pele para trás. Macklin olhou para Wild e viu que sequer pestanejara. "É um sujeito de muita coragem", pensou.

McIlroy pediu um par de fórceps, e Wild os pegou na água fervente. Para Greenstreet, pareciam um par de tesouras usadas para cortar chapas de metal. Cuidadosamente, McIlroy explorou o pé de Blackboro até encontrar, bem abaixo da aba de pele que levantara, o ponto em que os dedos se juntavam ao pé. Depois, cortou-os, um de cada vez. Todos caíram com um ruído metálico na lata vazia que fora colocada por baixo.

McIlroy raspou meticulosamente a ferida, retirando toda a carne morta, enegrecida. Quando a ferida estava limpa, suturou-a cuidadosamente. Finalmente, estava feito; o pé de Blackboro fora aparado, um pouco antes da raiz dos dedos. Toda a operação levara 55 minutos.

Pouco depois, Blackboro começou a gemer e logo abriu os olhos. Sentiu-se tonto por algum tempo, mas depois sorriu para os dois médicos. "Eu queria um cigarro", disse.

McIlroy rasgou uma página da *Encyclopaedia Britannica*, reuniu um pouco de tabaco picado e enrolou um cigarro para seu paciente. A tensão na cabana diminuiu, e Wild, vendo a panela grande ainda cheia de água quente, sugeriu que a usassem para se lavar. McIlroy e Macklin ficaram encantados com a ideia. Acharam uma pequena lasca de sabão e se lavaram da melhor forma possível da cintura para cima. Ainda assim, sobrou um pouco de água quente; então pegaram emprestado três torrões de açúcar da ração do dia seguinte e prepararam água quente com açúcar.

Enquanto isso, o resto dos homens se abrigara na caverna que haviam aberto na face da geleira e passaram o tempo cortando o cabelo uns dos outros.

6

Embora quase todo dia o banco de gelo invernal se estendesse até o horizonte, e o barco de resgate – mesmo que viesse – ficasse retido a muitos quilômetros da costa, havia raras ocasiões em que o banco de gelo se afastava. Assim, a possibilidade de que um navio de resgate conseguisse passar não podia ser nunca inteiramente afastada. Havia sempre, portanto, um teimoso raio de esperança que os fazia subir religiosamente ao mirante todo dia. Mas isso também servia para tornar mais lenta a passagem do tempo.

Os dias monótonos se arrastavam, um a um. Houve apenas um ponto alto – o dia do solstício de inverno, 22 de junho. Comemoraram-no com um farto desjejum de manhã e, no jantar, um maravilhoso pudim de nozes e amêndoas, preparado com 23 biscoitos, quatro pacotes de rações originalmente destinadas aos homens que atravessariam o continente a pé, duas caixas de leite em pó e 12 pedaços de nozes e amêndoas.

Depois, deitados em seus sacos de dormir, apresentaram um animado programa de variedades composto de 26 números diferentes. Muitos homens haviam passado dias preparando os versos de ocasião que apresentariam, e, como todos puderam constatar, a maioria das farpas se destinava a Green e a Orde-Lees.

Hussey, é claro, tocou banjo, e Kerr, como fizera um ano antes a bordo do *Endurance*, cantou *Spagoni, o toureiro* – "especialmente desafinado, a pedidos". James, porém, apresentou a canção de maior sucesso da noite, com a melodia de *Solomon Levi*:

Meu nome é Frankie Wild; minha cabana é na ilha.
A parede não tem tijolo e o teto não tem telha.
Mas mesmo assim, pobre de mim, procurando milhas e milhas,
É a mansão mais luxuosa que se encontra nesta ilha.

[*My name is Frankie Wild; my hut's on Elephant Isle.
The wall's without a single brick, the roof's without a tile.
But nevertheless, you must confess, for many and many a mile,
It's the most palatial dwelling-place you'll find on Elephant Isle.*]

A noite se encerrou com um brinde à volta do sol, ao chefe e à tripulação do *Caird*. A bebida era "Queima-Tripas, safra 1916", mistura de água, gengibre, açúcar e álcool metílico reservado para os fogareiros Primus. "O gosto era horrível", escreveu Macklin. "Serviu apenas para nos converter em abstêmios pelo resto da vida, com a exceção de alguns que fingiram gostar... Vários passaram mal depois."

Com a passagem do solstício de inverno, porém, não havia mais nenhum objetivo definido pela frente – só a espera... e a dúvida... interminável.

"Ainda estamos enfrentando nossa existência aqui com paciência", escreveu Macklin em 6 de julho, "e o tempo passa bem depressa, apesar do tédio horrível. Não costumo pensar em nada – fico horas deitado sem nem mesmo pensar, numa espécie de vácuo."

E alguns dias depois Orde-Lees escreveu:

Wild diz sempre que "o navio" vai chegar semana que vem; mas, é claro, ele está tentando animar aqueles que estão ficando deprimidos. É otimismo, e, se não exagerar, é ótimo... Ele diz... que só vai começar a se preocupar com Sir Ernest se ele não chegar até meados de agosto.

Hurley escreveu dia 16 de julho:

Saí para dar meu passeio de domingo. Os 100 metros do pontal de pedra, já muito batidos. Eu não ficaria cansado se soubesse que Sir E. e o grupo do *Caird* estavam a salvo e quando poderia esperar a chegada do resgate. Especulamos que seria em meados de agosto...

Assim, essa se tornou a data-alvo – o momento, por assim dizer, em que começariam a se preocupar oficialmente. Wild adiou essa data o mais que pôde, de modo a manter as esperanças do grupo acesas pelo maior prazo possível.

Mas não era nada fácil. Pouco a pouco, as condições ficavam cada vez mais primitivas. As nozes tão apreciadas haviam acabado, e o leite em pó, também. E, embora esses gêneros fizessem muita falta, a carência não se podia sequer comparar com a tragédia que foi o fim do estoque de tabaco. Não aconteceu de uma vez. Alguns homens haviam sido mais frugais com sua ração do que outros, que fumaram sua parte sem se preocupar, na certeza de que não ficariam isolados ali por mais de um mês.

Jock Wordie, com um comedimento tipicamente escocês, conseguiu fazer sua parte durar mais que qualquer outro, de modo que foi o último a ficar sem tabaco, e, ao longo da semana em que sua pequena provisão de tabaco era tudo o que restava a toda a expedição, descobriu-se num centro de barganhas quase infinitas. Os marinheiros passavam o dia percorrendo os rochedos, à procura de qualquer tipo de pedra que pudesse apresentar para Wordie algum interesse geológico, ainda que o mais remoto. Depois, segurando o pedregulho de modo que Wordie não o visse, barganhavam um cachimbo de fumo... meio cachimbo, um quarto de cachimbo – duas baforadas? E, embora o próprio Wordie tivesse percorrido minuciosamente uma dúzia de vezes toda a extensão dos penhascos procurando espécimes de pedra que pudessem apresentar qualquer tipo de interesse, sua curiosidade científica acabava inevitavelmente levando a melhor.

Depois de algum tempo, até mesmo o seu suprimento se esgotou e seguiu-se um período de depressão que chegava quase ao luto. Mas o desejo de fumar era tão forte que logo começaram experiências na procura de substitutos para o tabaco. McLeod começou removendo o isolamento de suas botas, feito de folhas de uma espécie de erva, e enchendo com elas seu cachimbo. "O cheiro", escreveu James, "parece mais com um incêndio na pradaria do que com tabaco."

Ainda assim, o hábito pegou, e logo muitos homens estavam fumando o revestimento interno de suas botas. Bakewell imaginou um sistema para dar-lhe o sabor do tabaco. Pegou todos os cachimbos que conseguiu e os colocou para ferver junto com um pouco da erva numa panela. Teoricamente, depois que secasse, a erva teria adquirido algum sabor de tabaco – mas o "resultado", escreveu James, "não compensou nem de longe o trabalho gasto na preparação".

"Também tentaram líquen", continua James, "e vivemos atualmente com medo de que alguém decida experimentar algas marinhas."

Havia muitos pequenos incômodos, inclusive a questão dos roncos. Hurley escreveu:

Wild inventou um truque engenhoso para a cura dos roncadores crônicos. Lees, que perturba constantemente a paz do nosso sono com seu violento ronco habitual, foi o primeiro a ser submetido à experiência. Um cabo é amarrado a seu braço e passa por uma série de ilhoses por cima das camas até perto [de Wild]. Quando o ronco perturba os homens que estão dormindo, eles puxam vigorosamente o cabo – como fariam para deter um bonde. Pode ser que funcione para frear bondes, mas Lees é incorrigível e mal reage aos nossos repelões. Alguém já sugeriu que o cabo fosse amarrado em torno do seu pescoço. Tenho certeza de que não faltaria quem se dispusesse a puxar com toda a força.

Durante quase todo o mês de julho, o tempo se manteve comparativamente razoável, e as familiares rajadas de vento só desceram uivando das montanhas poucas vezes. Uma ameaça permanente, porém, era a geleira na entrada da enseada. De vez em quando, sem qualquer aviso, partes inteiras quebravam ou se separavam de sua superfície. Orde-Lees descreve uma separação particularmente impressionante:

Um fragmento enorme, do tamanho de uma igreja, há muito pendente da geleira, caiu com o estrépito de vários trovões. Provocou uma onda imensa, com mais de dez metros de altura, que veio bem na direção da nossa cabana, e teria arrasado tudo se o gelo solto espalhado na enseada não tivesse abafado sua violência... Ainda assim, arrastou enormes pedaços de gelo, pesando toneladas, até quase o outro lado do pontal.

Marston estava tão convencido de que ia inundar a cabana, senão destruí-la, que berrou "cuidado", mas não adiantava nada, e serviu apenas para deixar assustados os dois pobres inválidos, Hudson e Blackboro.

No entanto, embora tenham escapado do destino de serem dramaticamente varridos do pontal, a ilha fez o possível para expulsá-los. No início de julho descobriram que a água se infiltrava por entre as pedras que formavam o piso da cabana. Era difícil dizer com exatidão de onde vinha, mas aparentemente resultava da drenagem natural do terreno que passava por baixo de suas fundações.

Quando perceberam, tentaram construir um dreno através de uma das paredes laterais, mas a iniciativa não teve qualquer efeito perceptível. Além disso, depois que começou, parecia que a inundação ficava cada vez pior. Logo viram que, para evitar que chegasse ao ponto de alagar a cabana, precisavam cavar um buraco com cerca de meio metro de profundidade no ponto mais baixo do interior da cabana. O buraco ficou imediatamente cheio de água e, assim, puderam retirá-la com baldes e panelas. Da primeira vez, tiraram mais de 300 litros. Depois, precisavam ficar sempre atentos, toda vez que o tempo ficava mais quente ou especialmente úmido. James escreveu no dia 26 de julho:

> Cerca de meia-noite, acordado pelos homens que se queixavam de que a água na cabana estava pela altura das pedras. A única coisa a fazer era levantar-se e baldear a água, ou então ficar encharcado. Hurley, McIlroy, Wild e eu nos levantamos e tiramos mais de 200 litros. Mais ou menos a mesma quantidade precisou ser retirada às cinco da manhã, e novamente antes do desjejum.

Era uma tarefa cansativa, e além disso a água era nauseabunda, uma verdadeira sopa de excrementos de pinguim. E ainda por cima o buraco que cavaram ficava diretamente em frente ao fogão no qual cozinhavam.

Com o passar dos meses, o interior da cabana juntara muita sujeira, até chegar ao ponto da mais completa imundície. De fato, muitas vezes os homens chamavam a cabana de "o chiqueiro". Sempre que podiam, traziam mais pedras para forrar o chão, mas normalmente as únicas pedras disponíveis do lado de fora estavam presas ao chão pelo gelo. Na escuridão subterrânea do interior, pequenos restos de comida haviam caído despercebidos no chão. E agora, com a combinação da água e do calor, a comida começara a apodrecer, o que resultava em mais um odor desagradável.

Quase no final de julho, o abscesso na nádega de Hudson chegara ao tamanho de uma bola de futebol. McIlroy não achava que era uma boa ideia abri-lo, por causa do risco de infecção, mas Hudson sentia tantas dores que era imperativo lancetar. McIlroy finalmente realizou a operação sem anestesia e retirou do abscesso mais de um litro de um líquido malcheiroso.

> É difícil conceber a nossa posição aqui [escreveu Macklin], vivendo numa cabana enfumaçada, suja, mal-acabada, com espaço apenas suficiente para abrigar a nós todos amontoados; bebendo da mesma panela... e deitados perto de um homem com um enorme abscesso aberto – uma existência horrível, mas ainda assim estamos perfeitamente contentes...

E depois:

Dei a Blackboro o pedaço de pele de rena que trouxe do Acampamento Oceânico... O saco de dormir dele está bem pior que o meu; coitado, ele tem poucas chances de sair dessa.

Enquanto julho chegava ao fim, o sentimento de ansiedade, sufocado havia tanto tempo, tornou-se mais difícil de abafar.

Hurley escreveu no dia 30:

Hoje parece um dia particularmente monótono, e a beleza selvagem dos rochedos íngremes que nos limitam ao perímetro circunscrito do cabo Wild se ergue em meio ao nevoeiro como muros de uma prisão, sinistros e inacessíveis. Se pelo menos houvesse tarefas, úteis ou não, a passagem do tempo seria mais agradável, mas hoje nosso único exercício é passear para cima e para baixo pelos 80 metros do pontal de pedra, ou subir até o observatório e percorrer o horizonte nevoento com os olhos à procura de um mastro. Ansiamos pelo próximo mês, para quando esperamos o socorro. Estamos cansados de ficar calculando continuamente o número de dias que já se passaram depois da partida do *Caird* e quanto tempo mais pode demorar o esperado [navio de socorro].

Em diferentes graus, a mesma coisa ocorria com todos. Em suas intermináveis discussões sobre quando e como seriam resgatados havia uma possibilidade que quase nunca mencionavam – a de que o *Caird* tivesse se perdido. De alguma forma, acreditava-se que a mera menção a essa questão dava azar, e o homem que tocasse no assunto era olhado de lado, como se tivesse falado fora da vez e dito coisas de mau gosto, quase como se tivesse profanado uma coisa sagrada.

E, embora ainda hesitassem em sugerir abertamente que o *Caird* estivesse perdido, não podiam mais evitar admitir, pelo menos tacitamente, que era possível que alguma coisa tivesse acontecido. Shackleton partira havia 99 dias... e havia uma espécie de consciência emergente de que podiam estar esperando uma coisa que jamais viria.

Se fosse esse o caso, Macklin finalmente admitiu em seu diário no dia 31 de julho:

Isso significa que vamos ter de fazer uma viagem no *Stancomb Wills* até a ilha Deception. Será uma viagem difícil, mas espero que eu venha a ser escolhido para fazer parte do grupo, se for esse o caso.

Ainda assim, não tinham chegado ao limite que haviam estabelecido – meados de agosto. Mas o tempo parecia ter quase parado.

No dia 1º de agosto fazia dois anos que o *Endurance* zarpara de Londres e um ano que o barco resistira ao primeiro assédio sério da pressão do gelo. Hurley resumiu:

> As lembranças de tudo até agora [escreveu] esvoaçam em nossas mentes como um pesadelo caótico e confuso. Os últimos 12 meses parecem ter passado em alta velocidade, e, embora estejamos vivendo aqui em segurança há quase quatro meses, este último período parece mais longo que a parte anterior do ano. Sem dúvida, isso se deve ao fato de contarmos os dias, de esperarmos diariamente o resgate tão desejado, assim como ao fato de não haver... nada a fazer... A espera dia após dia e a ansiedade pela segurança de nossos companheiros do *Caird* diminuem ainda mais a velocidade da já lenta passagem do tempo.

A cada dia, passavam um pouco mais de tempo no alto do observatório, procurando algum sinal do navio de resgate. No dia 3 de agosto, Orde-Lees escreveu:

> ... ainda cercados por um banco de gelo fechado... Temos muito pouco combustível e pouca carne, mas ninguém parece se importar muito... A possibilidade de Sir Ernest não voltar é discutida abertamente. Ninguém gosta da ideia de que ele possa não ter conseguido chegar à Geórgia do Sul, mas um sinal das ideias correntes é que Wild deu ordem de guardar qualquer pedacinho de corda e tecido, e qualquer prego, diante da possibilidade de termos de fazer uma viagem de barco até a ilha Deception...

Para uma viagem como essa, estavam irremediavelmente mal equipados. A única vela que restava era a bujarrona ridícula do *Wills*, e precisariam fabricar uma espécie de vela principal costurando os panos de barraca rasgados. Não havia sequer um mastro para içar a vela. O mastro do *Wills* fora retirado para fazer um mastro da mezena para o *Caird*, e o mastro do *Docker* fora sacrificado para fortalecer a quilha do *Caird*. Mas alguma coisa provavelmente poderia ser feita com os cinco remos que ainda lhes restavam.

E assim por diante.

4 de agosto (JAMES): Vida extremamente monótona.

5 de agosto (HURLEY): ... sentados como inválidos nos sacos de dormir, relendo os mesmos poucos livros.

6 de agosto (HURLEY): Seria o tempo ideal para a chegada do navio.

7 de agosto (MACKLIN): Hudson levantou-se e deu uma volta hoje; estava muito tonto e, quando tentou acenar com a mão para McIlroy, caiu de costas.

8 de agosto (ORDE-LEES): ... precisamos baldear a água quatro vezes... bem mais que de costume.

9 de agosto (GREENSTREET): Wordie descobriu um velho jornal (ou parte de um jornal) do dia 14 de setembro de 1914, que está sendo ansiosamente lido e relido por todos.

10 de agosto (MACKLIN): Tenho observado as procelárias – aves maravilhosas. Às vezes são surpreendidas por uma onda e atiradas à praia, mas logo se recobram e tornam a sair para pescar.

11 de agosto (ORDE-LEES): Marston saiu às cinco da manhã, mas não viu nada...

12 de agosto (MACKLIN): Não consigo deixar de me preocupar com minha família na Inglaterra. Se pelo menos eu pudesse ter certeza de que eles receberiam notícias, não me incomodaria; mas sei que devem estar preocupados...

13 de agosto (JAMES): Começando a procurar o navio ansiosamente. Está mais ou menos na hora...

14 de agosto (JAMES): Ultimamente, estamos comendo algas marinhas cozidas. O gosto é meio estranho, mas pelo menos é diferente.

15 de agosto (ORDE-LEES): Nevou a intervalos durante o dia.

16 de agosto (MACKLIN): ... ansioso no observatório procurando o navio de resgate – e quase todos subimos a colina e vasculhamos o horizonte à procura de algum sinal dele. Alguns membros do grupo desistiram completamente da esperança de que chegue...

17 de agosto (HURLEY): O gelo reapareceu...

18 de agosto (GREENSTREET): As duas baías estão cheias de gelo, e gelo fechado, até onde a vista alcança.

19 de agosto (ORDE-LEES): Não vale a pena nos iludirmos por mais tempo.

PARTE VI

I

Segunda-feira, 24 de abril...
Despedimo-nos de nossos companheiros & zarpamos em nossa viagem de 1.400 quilômetros até a Geórgia do Sul em busca de socorro às 12h30 & às 2 da tarde chegamos a uma corrente de gelo que conseguimos atravessar em cerca de uma hora. Depois chegamos ao mar aberto, molhados e satisfeitos.

[diário de McNeish]

Segunda-feira, 24 de abril.
Acampamento Wild para ajuste cron. 192/262. Partimos no *James Caird* às 12h30. Seguimos rumo NNE oito milhas, depois E uma milha até uma abertura na corrente de gelo, que corre E e W. Vento: até as 16h00 WNW 6 (aprox. 30 MPH)...

[diário de Worsley]

O pequeno grupo de figuras escuras que acenavam em despedida tinha as silhuetas destacadas contra a neve branca e formava um quadro patético visto do *Caird*, que começava a subir e descer acompanhando a ondulação do mar.

Worsley manteve o barco no rumo norte, e Shackleton postou-se a seu lado, olhando alternadamente para o gelo que tinham pela frente e, virando a cabeça, para os homens que deixava para trás. Logo em seguida, depois de um tempo que lhe pareceu muito curto, já não conseguia mais reconhecê-los.

Logo depois, toda a ilha Elephant se espalhava à popa, suas montanhas e geleiras iluminadas pelo sol. À direita, a pequena ilha Cornwallis, erguendo-se abruptamente do mar, surgiu por trás do cabo Valentine, e um pouco depois podiam se ver os picos nevados da ilha Clarence, delicadamente semiocultos pelo nevoeiro que assumia tons de violeta. Na água, uma ou outra foca, ou um pequeno bando de pinguins, passava pelo barco, encarando curiosos essa estranha criatura que se deslocava pela superfície do mar.

Pouco depois das duas da tarde, o *Caird* chegou ao gelo, que de perto viram que se tratava de uma espessa linha de banquisas antigas que haviam sido partidas e erodidas, assumindo miríades de formas diferentes. Acompanhavam a ondulação do mar, que se deslocava de oeste para leste, com uma cadência majestosa, produzindo um ruído áspero farfalhante.

Worsley virou o barco para leste, num rumo paralelo ao gelo, para procurar a abertura que ele e Shackleton haviam visto da ilha de manhã. Levaram quase uma hora para chegar e descobriram que estava quase totalmente obstruída por fragmentos de banquisas e trechos de gelo em formação. Ainda assim, Worsley virou a proa do *Caird* e começaram a atravessá-la.

O barco ficou reduzido a proporções ínfimas pelas estranhas formas do gelo, algumas com o dobro da altura do mastro. Balançavam acompanhando a ondulação preguiçosa do mar. Acima da água, eram brancos como a neve; abaixo da superfície, ficavam de um azul cada vez mais escuro.

Worsley tentava conduzir o barco sem incidentes por entre os blocos de gelo, mas várias vezes, tentando evitar um fragmento, chocaram-se com outro, e Shackleton decidiu que seria melhor remarem.

As velas foram enroladas, os homens subiram cuidadosamente na cobertura de lona e pegaram os remos. Era muito difícil remar naquela posição, sentados no mesmo nível das forquetas dos remos. Felizmente, o vento diminuiu. Shackleton pegou o leme e estimulou os remadores a continuarem. Passava das quatro horas, e a luz estava começando a desaparecer.

No entanto, depois de quase uma hora, o gelo foi ficando mais esparso, e logo chegaram à borda norte do banco de gelo e depois emergiram mais uma vez no mar aberto. Os remadores voltaram felizes para o interior do casco e todos ficaram muito aliviados.

O vento mudara gradualmente para sudeste, a direção perfeita para levá-los para o norte. Shackleton ordenou que içassem as velas e, quando estavam içadas, mandou que Crean, McNeish, Vincent e McCarthy fossem deitar-se para dormir um pouco, dizendo que ele e Worsley ficariam acordados durante a noite para vigiar o gelo.

Depois que suas ordens foram cumpridas, Shackleton virou-se e olhou na direção da popa. Mal se conseguia discernir ao longe a ilha Elephant como uma massa sombria. Passou vários minutos com os olhos fixos, em silêncio.

Um lugar muito desagradável, com certeza, mas isso só o tornava ainda mais patético. Servia de refúgio para 22 homens que, naquele momento, estavam acampados num trecho de praia precário, varrido pelas tempestades, tão impotentes e isolados do mundo exterior quanto se estivessem num outro planeta. Sua sorte só era conhecida pelos seis homens que ocupavam aquele barco ridículo de tão pequeno, cuja responsabilidade agora era simplesmente provar que todas as leis do acaso estavam erradas – e voltar trazendo ajuda. Era uma responsabilidade enorme.

Quando chegou a noite, dez mil estrelas surgiram no céu azul-negro, e o pequeno farrapo que servia de flâmula, agitando-se no mastro principal do *Caird*, descrevia um círculo irregular contra o céu, enquanto o barco jogava sob o efeito das vagas que o atingiam de lado.

Os dois homens estavam sentados lado a lado, Worsley ao leme e Shackleton muito perto dele. O vento do sul era frio, e o mar estava ficando mais encapelado. Sua preocupação principal era o gelo, e Shackleton e Worsley estavam muito atentos. Passaram por alguns blocos no início da noite, mas depois das dez horas o mar parecia estar desimpedido.

De tempos em tempos, Shackleton enrolava cigarros para os dois e conversavam sobre muitas coisas. Era óbvio que a carga de responsabilidade que pesava sobre Shackleton havia 16 meses abalara um pouco sua imensa confiança em si mesmo. Ele queria conversar e assegurar-se de que agira da maneira certa.

Confidenciou a Worsley que a decisão de dividir o grupo fora terrivelmente difícil e que ele detestava ter sido obrigado a tomá-la. Mas alguém precisava sair em busca de ajuda, e não era o tipo de responsabilidade que podia ser delegada a qualquer outra pessoa.

Quanto à viagem propriamente dita, ele parecia estranhamente inseguro, e perguntou a Worsley sua opinião sobre as suas possibilidades de sucesso. Worsley respondeu que estava convencido de que chegariam, mas ficou claro que Shackleton não tinha a mesma convicção.

A verdade é que ele se sentia fora de seu elemento. Já provara seu valor em terra. Demonstrara, além de qualquer dúvida, a capacidade de opor sua tenacidade incomparável aos elementos – e vencer. Mas o mar era um tipo diferente de inimigo. Ao contrário da terra, onde a coragem e a simples vontade de resistir são muitas vezes decisivas para a sobrevivência, a luta contra o mar é um ato de combate físico, e não há como furtar-se a ele. É uma batalha que se trava contra um inimigo incansável, em que o homem nunca chega a ser o vencedor; o máximo que pode ambicionar é simplesmente não sair derrotado.

Shackleton sentia-se pouco à vontade. Agora, precisava enfrentar um adversário tão formidável que, em comparação, sua própria força não contava, e não lhe agradava encontrar-se numa posição em que a ousadia e a determinação praticamente não faziam diferença e em que a única medida da vitória era a sobrevivência.

Mas acima de tudo ele estava mortalmente cansado e queria apenas que aquela viagem acabasse o mais cedo possível. Se pudessem chegar ao cabo Horn, disse a Worsley, cortariam em um terço a distância que precisavam percorrer. Sabia que era impossível, mas perguntou a Worsley se ele achava que o vento se manteria de sudeste muito tempo, o que lhes permitiria fazer uma tentativa. Worsley olhou para Shackleton com uma expressão solidária e balançou a cabeça. Não havia a menor possibilidade, respondeu.

Pouco antes das seis da manhã, a primeira luz do amanhecer despontou a leste, e à medida que se espalhava pelo céu os dois homens relaxaram. Agora, se encontrassem gelo, pelo menos seriam capazes de vê-lo.

Shackleton esperou até as sete antes de despertar os outros. Crean arrumou o fogareiro e, depois de consideráveis dificuldades para acendê-lo e para manter a panela no lugar, finalmente comeram o desjejum.

Quando acabaram, Shackleton anunciou que os turnos de quatro horas de serviço por quatro de descanso começariam imediatamente. Shackleton disse que ficaria acordado as quatro horas seguintes com Crean e McNeish, e que Worsley cumpriria o turno seguinte com Vincent e McCarthy.

2

Classificar os perigos que tinham pela frente em ordem de grandeza teria sido impossível, mas de todas as ameaças conhecidas a maior era sem dúvida o gelo – sobretudo à noite. Uma única colisão com um bloco que não tivessem visto poderia pôr fim à sua viagem de um momento para o outro. Assim, o plano de Shackleton era rumar para o norte com a maior velocidade possível, antes de virar para leste, na direção da Geórgia do Sul.

E tiveram sorte durante os dois dias seguintes. O vento se manteve de sudoeste – boa parte do tempo com rajadas fortes. Ao meio-dia de 26 de abril já haviam percorrido um total de 205 quilômetros desde que deixaram a ilha Elephant sem encontrar sinal de gelo.

No entanto, aqueles dois dias haviam sido um tormento, durante o qual foram se familiarizando, uma a uma, com as infinitas desgraças que constituíam a vida a bordo do barco. Havia sempre a água, o tempo todo – a água que encharcava tudo, inevitavelmente. Às vezes era só um borrifo de espuma levantado pela proa e carregado pelo vento, que não causava maiores sofrimentos, exceto ao homem do leme. Muito pior era a água insidiosa que a proa do barco colhia ao mergulhar nas ondas e corria até a popa sobre a cobertura e invadia o casco. E pior ainda eram as ocasiões em que o barco se inclinava de frente bem no momento em que uma onda quebrava. A água verde, espumarenta, rolava por cima da lona e caía na área coberta em jorros gelados por onde quer que houvesse uma abertura na lona, como a chuva forte que atravessasse o telhado de alguma choupana arruinada. Vinte e quatro horas depois de terem deixado a ilha Elephant, a lona já ficara tão pesada de umidade que em vários pontos se abaulara, formando cavidades em que a água se acumulava.

O timoneiro era, é claro, quem mais sofria, e todos os homens se revezavam nos gualdropes, uma hora e vinte minutos por turno. Mas a situação dos outros dois homens de serviço só era melhor em termos comparativos. Quando não estavam esgotando a água que entrava no casco, cuidando das velas ou deslocando o lastro, mudando de lugar as pedras do fundo, passavam o tempo todo tentando evitar as torrentes de água gelada que jorravam da cobertura de lona. Adiantava pouco, porém.

Invariavelmente, acabavam espremidos num canto, com a água caindo em quantidade sobre suas costas.

Todos estavam vestidos mais ou menos do mesmo modo – grossas roupas de baixo de lã, calças de lã e um suéter largo e grosso, com capas de gabardine por fora. As cabeças estavam cobertas por gorros fechados de malha de lã, por baixo de gorros impermeáveis presos no pescoço. Nos pés, usavam dois pares de meias, um par de botas de feltro de cano baixo e *finneskoes* – botas de couro de rena com pelo voltado para fora, embora qualquer vestígio de pelo já tivesse desaparecido havia muito, deixando os *finneskoes* calvos e amolecidos. Não tinham nenhuma capa impermeável a bordo.

Eram roupas para serem usadas num frio intenso e seco, e não a bordo de um barco entregue a um mar agitado, encharcado de espuma. Nesse caso, funcionavam quase como um pavio, absorvendo toda a água gelada até chegar ao ponto de saturação, que depois se mantinha.

O melhor que podiam fazer era enfrentar essa provação da mesma forma como haviam feito na viagem para a ilha Elephant – ficando sentados na maior imobilidade possível sempre que a roupa se encharcava, de modo a evitar o contato da pele com a área da roupa que tivesse acabado de ficar saturada. Mas ficar sentado imóvel num barco de 22 pés no mar agitado pode ser uma tarefa bem difícil.

A água tinha que ser bombeada para fora do barco a intervalos bastante frequentes, geralmente duas ou três vezes por turno, e eram necessários dois homens para fazê-lo: um para operar a alavanca da bomba enquanto o outro mantinha o cilindro gelado de latão mergulhado na água que se acumulara no fundo do barco. Mesmo que estivesse usando luvas, as mãos do homem que segurava o cilindro ficavam insensíveis depois de cinco minutos – então, trocavam de lugar.

E o desconforto do barco também não se limitava aos homens do turno de serviço. Perceberam desde o início que até mesmo dormir era uma atividade marcada por um incômodo peculiar. Os sacos de dormir ficavam na proa, para todos os efeitos o local mais seco do barco. Para chegar a eles, porém, precisavam caminhar tortuosamente de quatro por cima das pedras distribuídas pelo fundo. Quanto mais perto da proa, mais o espaço ficava exíguo, até que finalmente era necessário rastejar, insinuando-se entre a parte de baixo dos bancos e o lastro.

Quando finalmente chegavam à proa, precisavam entrar no saco de dormir, e depois ainda havia o problema de conseguir adormecer. O cansaço ajudava, é claro, mas mesmo assim o balanço do barco era mais violento na proa do que em qualquer outra parte. Às vezes o corpo de quem estava na proa era atirado para cima e tornava a cair sobre as pedras, ou então era golpeado de baixo quando o barco era impelido para cima por uma vaga. O *Caird* estava equipado com seis sacos de dormir, de modo que cada um tivesse o seu. Mas Shackleton logo sugeriu que usassem apenas três e utilizassem os outros como colchões, para protegê-los das pedras. Todos concordaram.

Descobriram também que, sob a proteção da lona, não havia espaço suficiente para ficarem sentados com as costas retas. Tentaram comer as primeiras refeições meio inclinados para a frente, com o queixo apoiado no peito. Mas essa posição atrapalhava o ato de engolir, e a única alternativa que tinham era ficarem deitados nas pedras do fundo.

No entanto, qualquer posição que assumissem – sentados, reclinados ou deitados em seus sacos de dormir –, a luta contra o movimento do barco era constante. Os mil quilos de lastro colocados no fundo faziam com que o *Caird* jogasse com uma grande violência, e cada vaga que ultrapassava fazia o barco levantar a proa de um salto. Worsley achava que o lastro era excessivo e insistiu com Shackleton para que atirassem algumas das pedras no mar. Mas Shackleton decidiu por uma postura caracteristicamente cautelosa. A única maneira de verificar se Worsley tinha razão era jogar o lastro ao mar – só que depois não poderiam mais voltar atrás. Shackleton estava convencido de que era melhor aguentar o movimento desagradável do barco do que correr o risco de ficarem leves demais.

Haviam zarpado da ilha Elephant com o moral bastante alto, sabendo que estavam finalmente no rumo da civilização. Como escreveu McNeish, "inteiramente encharcados, mas contentes".

No entanto, ao cabo de dois dias de sofrimento ininterrupto, a boa disposição do grupo praticamente se esgotara. Em torno do meio-dia de 26 de abril, depois que Worsley fixou a posição em 205 quilômetros da ilha Elephant, a provação a que estavam condenados se tornara bastante real. O único consolo é que estavam avançando – à velocidade enervante de apenas cerca de três quilômetros, ou duas milhas, por hora.

A posição em que se encontravam no dia 26 de abril era 59°46' Sul, 52°18' Oeste, o que punha o *Caird* cerca de 22 quilômetros ao norte do paralelo 60. Assim, pouco antes haviam atravessado a linha que separava os "Furiosos Cinquenta" dos "Ululantes Sessenta", chamados assim devido ao clima que prevalecia em cada uma dessas faixas de latitude.

Encontravam-se, portanto, na passagem de Drake, o trecho de oceano mais temido do planeta – e com justa razão. Aqui, a natureza encontrou um campo de provas no qual pode demonstrar à vontade a que ponto é capaz de chegar se deixada por sua própria conta. Os resultados são impressionantes.

A primeira coisa é o vento. Há uma imensa área de pressão constantemente baixa nas vizinhanças do Círculo Antártico, a aproximadamente 67° de latitude sul. Ela funciona como um sorvedouro permanente, em cuja direção se precipitam o tempo todo as pressões mais altas registradas ao norte, acompanhadas por ventos de oeste quase incessantes, e quase sempre com a força de vendavais. Na linguagem prosaica e muitas vezes deliberadamente eufemística das *Sailing Directions for Antarctica*, da Marinha dos Estados Unidos, esses ventos são descritos de maneira categórica:

> Muitas vezes têm a intensidade de furacões, com rajadas que chegam às vezes a 250 e 300 quilômetros por hora. Não se conhecem ventos dessa violência em outras partes, exceto talvez no interior de um ciclone tropical.

Nessas latitudes, também, como não ocorre em nenhum outro ponto do planeta, o mar contorna o globo, sem ser interrompido por qualquer extensão de terra. Aqui, desde o começo dos tempos, ventos impelem impiedosamente as vagas de oeste para leste em redor da terra, até voltarem a seu ponto de origem, onde contribuem para aumentar a força das novas vagas que se criam perpetuamente.

Essas imensas vagas tornaram-se lendárias entre os navegantes. São chamadas de "ondas do cabo Horn". Calcula-se que seu comprimento de crista a crista tenha de um quilômetro e meio a dois quilômetros, e as histórias aterrorizantes de alguns marinheiros falam de alturas de mais de 50 metros, embora os cientistas duvidem que cheguem a superar 25 ou 30 metros. A velocidade com que se deslocam é matéria de especulação, mas muitos navegantes afirmam que chegam a atingir ocasionalmente 90 quilômetros por hora, ou 55 nós. Uma estimativa mais precisa ficaria em torno de 30 nós, ou aproximadamente 50 quilômetros por hora.

Charles Darwin, quando viu pela primeira vez essas ondas quebrando-se na Terra do Fogo em 1833, escreveu em seu diário: "A visão... é suficiente para fazer um homem habituado à vida em terra passar uma semana sonhando com morte, perigos e naufrágios."

Vistas do *Caird*, essas ondas confirmavam amplamente a impressão do cientista. Nos raros momentos em que o sol brilhava, eram azul-cobalto, o que lhes dava a aparência de uma profundidade infinita – e de fato a profundidade é imensa. Mas o céu estava quase sempre encoberto, e a superfície do mar adquiria um tom de cinza-escuro, sem vida.

O avanço incessante dessas montanhas de água não produzia nenhum som, apenas o chiado de suas cristas espumantes quando se erguiam a uma altura tal ou avançavam a tamanha velocidade que perdiam o equilíbrio e caíam, cedendo à força da gravidade.

A intervalos de 90 segundos, ou menos, a vela do *Caird* ficava frouxa cada vez que uma dessas vagas gigantescas se avolumava à popa, uns 15 metros mais altas que o barco, ameaçando esmagá-lo sob centenas de milhões de toneladas de água. Mas nesse momento, por algum fenômeno de flutuação, o barco subia cada vez mais alto, escalando a face da vaga imensa até se encontrar, inesperadamente, em meio ao turbilhão de espuma da crista, sendo impelido bruscamente para a frente.

E esse drama era reencenado vezes sem conta, mil vezes por dia. Depois de algum tempo, para os homens a bordo do *Caird*, ele perdeu todos os elementos de imponência e se tornou rotineiro e comum, da mesma forma como um grupo de pessoas pode, ao cabo de certo período, passar a ignorar os perigos que representa viver à sombra de um vulcão em atividade.

Só pensavam muito ocasionalmente na Geórgia do Sul. Era um objetivo tão remoto, tão utópico, que pensar nele quase os deixava deprimidos. Ninguém conseguiria resistir tendo só aquela meta distante como motivação.

Em vez disso, a vida era enfrentada em períodos de poucas horas, ou possivelmente de apenas alguns minutos de cada vez – uma sucessão infindável de dificuldades que, vencidas, levavam à libertação do inferno particular daquele momento. Quando um homem era acordado para entrar em seu turno de serviço, o ponto focal de sua existência passava a ser o instante, quatro horas depois, em que poderia voltar ao saco de dormir frio e úmido que acabara de deixar. E em cada turno de serviço havia as várias subdivisões: o tempo passado no leme – 80 minutos eternos, ao longo dos quais o timoneiro era obrigado a se expor à plena crueldade impiedosa do frio e da espuma; o trabalho estafante de bombear; a tarefa pavorosa de deslocar o lastro; e mais as provações menores, que duravam cerca de dois minutos cada – como o intervalo entre o momento em que a espuma gelada atingia as roupas e em que estas tornavam a se aquecer o suficiente para permitir que ele pudesse de novo se mover.

O ciclo se repetia indefinidamente, até que o corpo e o espírito chegavam a um estado de entorpecimento em que as cabriolas frenéticas do barco, o frio e a umidade permanentes passavam a ser aceitos como condições quase normais da existência.

No dia 27 de abril, três dias depois de deixarem a ilha Elephant, a sorte mudou. Em torno do meio-dia, uma chuva fina, desagradável e penetrante começou a cair, e o vento passou a se deslocar lentamente para o norte – bem em frente.

Estavam talvez a 250 quilômetros da ilha Elephant e ainda em plena zona na qual existia a possibilidade de encontrarem gelo. Assim, não podiam se dar ao luxo de voltar nem um quilômetro para o sul. Shackleton e Worsley passaram vários minutos discutindo as possibilidades e finalmente decidiram que a única escolha era manter o *Caird* o mais possível de proa para o vento.

E assim começou a luta, virando de bordo a cada momento e recebendo um desgastante castigo do mar. Era ainda mais desagradável porque estavam absorvendo toda aquela pressão simplesmente para permanecerem na posição em que se encontravam. Mas em torno das onze da noite, para grande alívio de todos, o vento ficou mais fraco e mudou para noroeste. Quando chegou o turno de Worsley, à meia-noite, puderam retomar o curso para nordeste.

Ao amanhecer do dia 28 de abril havia apenas uma leve brisa soprando de noroeste; na verdade, era o melhor tempo que tinham desde que haviam zarpado da ilha Elephant, quatro dias antes. Mas havia perigosos sinais de deterioração, tanto entre os homens quanto no equipamento. Shackleton notou com preocupação que as conhecidas dores ciáticas que sofrera no Acampamento Oceânico estavam voltando. E todos os homens sentiam um crescente desconforto nos pés e nas pernas – uma sensação de aperto.

No meio da manhã, McNeish sentou-se de repente na parte central do barco e tirou as botas. Suas pernas, seus tornozelos e os pés estavam inchados e brancos, aparentemente devido à falta de exercício e ao fato de estarem constantemente encharcados. Quando Shackleton viu as condições dos pés de McNeish, sugeriu que todos tirassem as meias e botas – e todos estavam iguais. Vincent era o que estava em piores condições, aparentemente sofrendo de reumatismo. Shackleton olhou na caixa de primeiros socorros e lhe deu o único remédio que parecia aplicar-se a seu caso – uma garrafinha de loção de hamamélis.

Os danos causados pela água nos livros de navegação de Worsley eram um problema ainda mais sério. A destruição desses livros poderia significar perderem o caminho naquela extensão remota do oceano. E, embora fizessem todos os esforços para protegê-los, eles precisavam ser tirados de seu invólucro cada vez que usavam o sextante para medir a posição em que se encontravam.

As duas capas do livro de logaritmos estavam ensopadas, e a umidade começava a tomar conta das páginas internas. O *Almanaque náutico,* com suas tabelas de posições do sol e das estrelas, estava em condições ainda piores. Era impresso em papel de qualidade inferior e se aproximava rapidamente do estado de pasta. As páginas tinham de ser cuidadosamente separadas para poderem ser lidas.

Quanto ao uso do sextante, Worsley tentou inicialmente agarrar-se no interior do casco do barco. Mas não adiantava. Ficar de pé era muito difícil; fazer uma leitura precisa era impossível. Descobriu que o melhor era ajoelhar-se no banco do piloto, seguro pela cintura por Vincent e McCarthy.

No começo da tarde do dia 28 de abril, o tempo relativamente bom vindo do noroeste mudou, à medida que o vento se deslocava lentamente para oeste e ficava mais frio. Ao cair da tarde mudara para SSW e atingira quase uma força de vendaval. A noite veio e nuvens cobriram as estrelas. A única maneira de pilotar era observar a flâmula no mastro, que indicava a direção do vento, e manter o barco num curso que mantivesse a flâmula apontada um pouco para bombordo da popa.

Shackleton só permitiu que verificassem a direção que estavam seguindo uma vez durante a noite, e um fósforo foi aceso para que pudessem consultar a bússola por um instante, a fim de terem certeza de que o vento ainda estava soprando do mesmo quadrante. Tinham apenas duas velas, que estavam guardando para o momento que agora parecia tão distante – a chegada na Geórgia do Sul.

A aurora do quinto dia, 29 de abril, surgiu sobre um mar encapelado, debaixo de um céu de chumbo. Nuvens baixas e carregadas passavam depressa, quase tocando a superfície da água. O vento estava quase de proa, e o *Caird* avançava penosamente, como uma velha que protestasse por ser empurrada a uma velocidade excessiva, mais depressa do que conseguia andar.

Pouco antes do meio-dia apareceu uma brecha no céu, e Worsley pegou imediatamente o sextante. Foi no momento exato, porque poucos minutos depois o sol só deu mais um rápido lampejo invernal antes de desaparecer. Mas Worsley já havia tomado a sua medida, e Shackleton registrara a leitura do cronômetro. Quando calcularam a posição, descobriram que o *Caird* estava a 58º38' Sul, 50º0' Oeste – haviam percorrido 382 quilômetros desde que deixaram a ilha Elephant, seis dias antes.

Já estavam quase a um terço do caminho.

3

Um terço da sentença já fora cumprido.

Ao longo de todo o dia e parte da noite, o vento sudoeste continuou a soprar, cada vez mais forte. Quando o céu cinzento e encoberto clareou, ao amanhecer do dia 30 de abril, viram que a superfície do mar estava coberta de espuma, e os uivos frenéticos do vento no cordame aumentavam e diminuíam histericamente cada vez que o *Caird* subia ou descia as vagas sucessivas. A temperatura caíra para menos de 15 graus abaixo de zero, e o fato de o vento trazer o frio cortante indicava que vinha bem na direção de um banco de gelo não muito distante.

Com o passar das horas da manhã, ficava cada vez mais difícil pilotar o barco. O vento de 95 quilômetros por hora fazia com que a proa do barco se abaixasse, enchendo-o de água, e as vagas imensas que se erguiam à popa ameaçavam constantemente fazê-lo virar-se e avançar de lado. A certa altura, o barco mais chafurdava do que velejava, virando-se de um lado e depois do outro, e fazendo uma grande quantidade de água praticamente a cada vaga. A bomba não dava conta da água e tiveram que chamar mais homens para baldear. Em torno do meio-dia, o barco começou a ficar coberto de gelo.

A decisão era inevitável, mas Shackleton adiou-a quanto pôde. Bombearam, baldearam e quebraram o gelo que se formava – lutando o tempo todo para manter o barco de popa para o vento. Meio-dia... uma hora... duas horas. Mas não adiantava. O mar estava forte demais para o *Caird*. Shackleton, relutante, deu a ordem de fazer meia-volta. Arriaram as velas, e a âncora flutuante, um cone de lona com cerca de um metro de comprimento, foi lançada da proa na ponta de um cabo comprido. A âncora fez resistência ao movimento na água e assim forçou o *Caird* a virar de proa para o vento.

As condições melhoraram quase instantaneamente. Pelo menos, entrava menos água a bordo. O barco, porém, comportava-se como se estivesse possesso. Estremecia, oscilando como um bêbado, ao subir cada vaga, depois descia de lado, até sofrer um forte repelão na proa quando sentia o efeito da âncora flutuante. Não havia nem um momento – nem um instante sequer – de descanso. A única coisa a fazer era segurar firme e aguentar.

Em pouco tempo, as velas recolhidas começaram a acumular gelo, e a cada borrifo de espuma sua carga ficava mais pesada. Uma hora depois formavam uma sólida massa congelada, e o barco começou a apresentar um balanço mais lento, à medida que mais peso se acumulava no mastro. As velas precisavam ser retiradas, e Crean e McCarthy, depois de quebrarem o gelo, trouxeram as velas para baixo e as guardaram no espaço já atulhado, por baixo da cobertura de lona.

A essa altura, porém, uma pesada camada de gelo começava a se acumular nos remos. Havia quatro remos presos nos ovéns um pouco acima da borda. Com o acúmulo de gelo, transformaram-se em amuradas em miniatura, impedindo que a água corresse para fora do barco antes de congelar. Shackleton observava ansioso, esperando que o acúmulo de gelo na cobertura de lona não crescesse muito. No entanto, à luz escassa do crepúsculo, pôde ver que seria perigoso deixar que o gelo continuasse a se juntar a noite toda. Convocou Worsley, Crean e McCarthy para virem com ele.

Com grande esforço, partiram o gelo que se formara nos remos e atiraram dois deles no mar. O par restante foi amarrado aos ovéns 45 centímetros acima da cobertura de lona, de modo que a água pudesse correr até cair de volta ao mar.

Esse trabalho levou mais de 20 minutos. Quando acabaram, já havia escurecido e eles estavam completamente encharcados. Voltaram para a parte coberta do casco – e começou a noite.

Cada um dos grupos passava as quatro horas terríveis de seu turno de serviço tremendo, todos empilhados por baixo da lona, encharcados e meio congelados, tentando manter-se numa posição ereta, lutando como podiam por cima das detestadas pedras acumuladas no fundo.

Fazia sete dias que aquelas pedras lhes causavam enormes dificuldades para comer, interferiam cada vez que precisavam baldear a água que se acumulava, complicavam imensamente o simples ato de se locomover pelo barco e faziam com que fosse praticamente impossível dormir. Mas o pior de tudo era mudá-las de lugar. Periodicamente, elas precisavam ser deslocadas de modo a lastrear corretamente o barco, o que significava que os homens precisavam levantá-las, ajoelhados ou acocorados, sempre dolorosamente, em outras pedras. A essa altura, cada aresta afiada e cada superfície escorregadia das pedras eram intimamente conhecidas e profundamente odiadas.

E havia também os pelos de rena. Soltavam-se do interior dos sacos de dormir, e no início eram apenas um pequeno incômodo. Mas por mais pelo que se soltasse, parecia que a quantidade era inesgotável. E havia pelos de rena em toda parte... nos costados do barco, nos bancos, em meio às pedras do lastro. Agarravam-se em mechas úmidas aos rostos e às mãos. Entravam nos narizes e nas bocas dos homens quando dormiam, e muitas vezes eles acordavam sufocados. Os pelos de rena se acumularam no fundo do barco e entupiram a bomba, e grumos de pelo apareciam na comida em quantidade cada vez maior.

Gradualmente, à medida que se arrastavam as longas horas da noite, perceberam uma mudança sutil no comportamento do barco. Por um lado, os jorros de água que caíam pelas fendas da cobertura de lona foram ficando menores e finalmente acabaram de todo. Ao mesmo tempo, o barco jogava cada vez com menos violência e, em vez de virar de um lado para outro sem controle, subia e descia as ondas com uma turbulência cada vez menor.

À primeira luz da manhã viram qual era a razão dessa mudança. Acima da linha de flutuação, todo o barco estava encerrado em gelo, em alguns pontos com mais de 15 centímetros de espessura, e a corda da âncora flutuante ficara da grossura da coxa de um homem. Com o peso do gelo, o *Caird* afundara pelo menos dez centímetros a mais, parecendo um navio abandonado cheio de água, e não um barco com uma tripulação ativa.

Worsley estava de serviço e imediatamente mandou que McCarthy fosse acordar Shackleton, que veio depressa. Quando viu a situação, mandou que chamassem todos os homens. Depois, ele próprio pegou uma machadinha e se deslocou cuidadosamente para a frente, de rastros.

Com extremo cuidado, para não furar a lona, começou a quebrar o gelo com o lado do machado. Periodicamente, uma onda se chocava com o barco e passava por cima dele, mas ainda assim continuou a trabalhar por mais dez minutos, observado pelos demais. A essa altura, estava tão entorpecido de frio que não tinha mais certeza de conseguir se segurar, ou manter-se equilibrado. Arrastou-se de volta para baixo da cobertura de lona, com suas roupas pingando água e a barba coberta de gelo. Tremia visivelmente quando passou a machadinha para Worsley continuar o trabalho, recomendando que tomasse extremo cuidado enquanto estivesse sobre a lona.

E assim cada um deles também quebrou o gelo pelo tempo que conseguia aguentar, o que raramente passava de cinco minutos. Primeiro, tinham que abrir no gelo um espaço que lhes permitisse segurar-se com a mão e um lugar para apoiar os joelhos. Ficar de pé naquela lona escorregadia com o barco em movimento seria um suicídio, porque se um deles caísse ao mar os outros jamais conseguiriam recolher a âncora flutuante e içar as velas a tempo de resgatá-lo.

Ao mesmo tempo, Shackleton descobriu que até no interior do casco, por baixo da cobertura de lona, havia gelo em formação. Pequenas estalactites de gelo pendiam da lona, e a água acumulada no fundo do barco estava quase congelada.

Chamou Crean e juntos conseguiram acender o fogareiro, na esperança de que produzisse calor suficiente para manter o compartimento interno a uma temperatura superior ao ponto de congelamento. A menos que a água do fundo pudesse ser descongelada para poderem bombeá-la para fora, o peso do gelo podia simplesmente fazer o barco afundar.

Depois de uma hora de trabalho extremamente penoso na cobertura de lona, sentiram que o *Caird* recuperara sua capacidade de flutuação. Mas insistiram até conseguirem livrar-se de quase todo o gelo, menos um grande bloco que se formara em torno do cabo da âncora flutuante e que simplesmente não podiam se arriscar a tentar alcançar.

Shackleton então convocou todos para tomar um pouco de leite quente. Reuniram-se em torno do fogareiro, quase passando mal de tanto frio. Parecia incrível que seus corpos entorpecidos ainda fossem capazes de gerar algum calor, mas aparentemente era o que acontecia, porque depois de algum tempo as estalactites que pendiam da parte interna da cobertura de lona começaram a derreter e pingos de água passaram a cair sobre eles. Pouco depois, a água do fundo havia descongelado o suficiente para poderem bombeá-la.

Shackleton disse a Crean que mantivesse o fogareiro aceso, mas em torno do meio-dia a fumaça acre que produzia tornara o ar quase irrespirável e foi necessário apagá-lo. A atmosfera levou vários minutos para clarear, e então eles perceberam outro cheiro – um odor fétido, agridoce, parecido com o de carne podre. McNeish descobriu que vinha dos sacos de dormir, que na verdade tinham começado a apodrecer. Um exame mais detido mostrou que o revestimento interno de dois deles estava ficando lodoso.

Ao longo de toda a tarde, o gelo voltou a se formar. E no fim do dia Shackleton decidiu que havia coisas demais em jogo para que pusessem em risco a chance de o *Caird* sobreviver até a manhã seguinte. Novamente, deu a ordem para que o gelo do barco fosse retirado. Levou mais de uma hora, mas finalmente conseguiram, e depois de uma ração de leite quente acomodaram-se para esperar a chegada da manhã.

O vendaval de sudoeste continuou, sem mostrar o menor sinal de arrefecimento. Os turnos de serviço daquela noite pareciam infinitos. Cada minuto era percebido individualmente, depois vivido e finalmente descartado. Não ocorreu nem mesmo uma crise para aliviar a monotonia torturante. Quando finalmente, em torno das seis da manhã, o céu começou a clarear a leste, viram que o barco estava novamente coberto por uma perigosa carga de gelo. Assim que a claridade permitiu, tiveram que quebrar o gelo pela terceira vez.

Era dia 2 de maio, e o começo do terceiro dia de tempestade. O tempo estivera sempre encoberto, de modo que não podiam calcular a posição em que se encontravam. Agora, além de tudo, havia a ansiedade de não saberem onde estavam.

Pouco depois das nove horas da manhã, o vento amainou um pouco, embora não o suficiente para se porem a caminho. Poucos minutos depois, o *Caird* foi soerguido por uma ondulação particularmente alta e ao mesmo tempo atingido por uma vaga. Houve um ligeiro tremor – um baque suave –, e a onda passou. Mas dessa vez o barco não tornou a se pôr de frente para o vento. A âncora flutuante se fora.

4

Houve um momento de confusão, depois sentiram o barco adernar assustadoramente para estibordo enquanto caía no cavado entre duas vagas e perceberam instintivamente o que havia acontecido.

Shackleton e Worsley lutaram para se pôr de pé e olharam para a proa do barco. A ponta partida do cabo se arrastava pela água. O bloco de gelo desaparecera – junto com a âncora flutuante.

Shackleton enfiou a cabeça por baixo da cobertura de lona e gritou para os homens trazerem a bujarrona para cima. Carregaram a vela para fora, dobrada, formando uma massa congelada. Crean e McCarthy se arrastaram para diante por cima da lona, levando a vela consigo. O cordame também estava congelado e precisou ser batido para ficar livre do gelo. Mas, depois de um ou dois minutos, conseguiram desimpedi-lo o suficiente para içar a bujarrona no mastro principal como uma vela de capa, que lhes permitisse enfrentar o mau tempo.

Lenta e penosamente, a proa do *Caird* virou-se outra vez de frente para o vento e todos sentiram o alívio da tensão em seus músculos.

Agora, a tarefa do piloto era manter o barco o mais possível de frente para o vento, virando de bordo sempre que necessário. Isso requeria uma vigilância constante, e não havia como ser uma tarefa mais desagradável, de frente para as vagas e para o vento cortante.

Felizmente, o vendaval continuou a amainar, e em torno das onze horas Shackleton decidiu arriscar içar velas. A bujarrona foi retirada do mastro principal, e a catita e a mezena, encurtadas, foram desfraldadas. Pela primeira vez em 44 horas, afinal o *Caird* estava novamente a caminho na direção nordeste e a viagem foi retomada. Mas era um avanço desordenado, com o barco perseguido pelos enormes vagalhões que corriam na mesma direção, a proa semienterrada no mar devido à força do vento de popa.

Pouco depois do meio-dia, como se surgisse do nada, um magnífico albatroz peregrino apareceu no céu. Em contraste com o *Caird*, singrava com uma graça e um desembaraço que chegavam a ser poéticos, usando os ventos fortes para planar com as asas que jamais batia. Às vezes baixava até ficar apenas três metros acima do barco e depois subia quase verticalmente no vento, 30, 50 metros, para depois tornar a mergulhar com um belíssimo movimento majestoso das asas, sem fazer o menor esforço.

Era talvez uma das ironias da natureza. Aqui estava sua maior e mais incomparável criatura capaz de voar, que chegava a ter uma envergadura de mais de três metros de ponta a ponta das asas, e para quem a mais forte das tempestades não significava nada, acompanhando o *Caird*, como que para zombar de suas terríveis dificuldades.

O albatroz passou horas descrevendo círculos no céu, e havia uma elegância nos movimentos do voo da ave que era quase hipnótica. Os homens mal conseguiam evitar um sentimento de inveja. Worsley disse que o albatroz poderia provavelmente cobrir a distância que os separava da Geórgia do Sul em apenas 15 horas, ou até menos.

Como para enfatizar sua infelicidade, Worsley escreveu: "Os sacos de pelo de rena num estado lodoso e deplorável, cheirando mal & pesando tanto que jogamos no mar os dois piores." Cada um deles estava pesando cerca de 20 quilos.

Mais tarde, escreveu:

Macty [McCarthy] é o otimista mais incontrolável que já encontrei. Quando tomei seu lugar no leme, com o barco coberto de gelo e a água entrando, de cara ele me diz com um sorriso contente: "Belo dia, senhor." Pouco antes eu estava meio desanimado...

Durante toda a tarde e depois ao longo da noite, o tempo foi ficando menos violento; ao amanhecer do dia 3 de maio, o vento se transformara numa brisa moderada de sudoeste. Em torno do meio-dia, as nuvens começaram a se espalhar. Logo, trechos de céu azul apareceram e pouco depois o sol estava brilhando.

Worsley pegou o sextante e não teve muita dificuldade em fazer a medida. Quando terminou os cálculos, concluiu que a posição em que se encontravam era de 56°13' Sul, 45°38' Oeste – estavam a 650 quilômetros da ilha Elephant.

Já haviam percorrido mais da metade do caminho para a Geórgia do Sul.

Assim, no intervalo de apenas uma hora, ou um pouco mais, as perspectivas a bordo do *Caird* foram inteiramente alteradas. Metade da batalha já fora vencida, e o sol brilhava no céu. O grupo que não estava em turno de serviço não precisava mais ficar amontoado nos limites estreitos do castelo da proa. Os sacos de dormir foram trazidos para fora e pendurados no mastro para secar. Os homens tiraram várias peças de roupas, e as botas, meias e casacos foram amarrados nas cordas e nos estais.

A visão apresentada pelo *Caird* era uma das mais impróprias que se podia imaginar. Um barco remendado e maltratado de 22 pés, atrevendo-se a velejar sozinho pelo mar mais tempestuoso do mundo, com o cordame enfeitado por uma coleção desencontrada de roupas esfarrapadas e sacos de dormir meio apodrecidos. Sua tripulação era composta por seis homens cujos rostos estavam enegrecidos pela fuligem acumulada e meio escondidos pelas barbas emaranhadas e cujos corpos estavam brancos como cadáveres de tanto tempo que passaram mergulhados na água salgada. Além disso, os rostos, e especialmente os dedos, estavam marcados com feias manchas redondas de pele esfolada, nos lugares onde o frio ferira sua carne. As pernas, dos joelhos para baixo, estavam esfoladas e em carne viva de tantas viagens que fizeram arrastando-se sobre as pedras do fundo. E todos estavam assolados por furúnculos produzidos pela água salgada, nos pulsos, nos tornozelos e nas nádegas. Mas se alguém pudesse chegar inesperadamente a essa estranha cena, o que acharia mais estranho seria sem dúvida a atitude dos homens: relaxada, até mesmo relativamente jovial – como se estivessem fazendo uma espécie de passeio.

Worsley pegou seu diário e escreveu:

Mar moderado, ondas do sul.
Céu azul; nuvens passageiras.
Tempo bom. Claro.
Possibilidade de reduzir algumas roupas encharcadas a um estado de umidade.
Até Leith Harbor, 347 milhas [558 quilômetros].

Ao cair da noite, o sol havia secado quase tudo, e quando entraram rastejando em seus sacos de dormir a sensação foi decididamente agradável – pelo menos em termos comparativos.

O tempo se manteve bom a noite inteira e todo o dia seguinte, 4 de maio; e novamente as roupas e sacos de dormir foram estendidos no cordame. O vento soprava de sudeste, a não mais de 25 quilômetros por hora. Só ocasionalmente uma ou outra onda ultrapassava a amurada e entrava no barco, e só precisaram usar a bomba duas vezes naquele dia.

Ao meio-dia, Worsley pegou o sextante e calculou que estavam a 55°31' Sul, 44°43' Oeste, um progresso de 83 quilômetros em 24 horas.

Dois dias de bom tempo fizeram uma enorme diferença, e todos estavam consideravelmente mais confiantes, uma sensação sutil mas inconfundível. No início, a Geórgia do Sul só existia como um nome – infinitamente distante e desprovido de realidade.

Mas agora era diferente. Naquele momento estavam a menos de 400 quilômetros do ponto mais próximo da Geórgia do Sul. E, como já haviam percorrido mais de 720 quilômetros, a distância que restava era pelo menos concebível. Mais três dias, ou quatro, no máximo, e deveriam chegar, e tudo estaria acabado. Assim, o tipo particular de ansiedade que surge quando um objetivo impossível de ser alcançado de algum modo fica próximo começou a assolá-los. Nada declarado, só uma espécie de atenção redobrada, um pouco mais de cuidado para garantir que nada que pudessem evitar viesse a dar errado agora.

O vento permaneceu firme de sudeste a noite toda, embora tenha ficado consideravelmente mais forte, com rajadas ocasionais de quase 65 quilômetros por hora. Quando amanheceu o dia 5 de maio, o tempo voltara ao padrão habitual – céu encoberto com mar de vagas encapelado e revolto. O barco avançava de lado para o vento, de modo que muita espuma entrava no casco. Às nove da manhã, tudo estava tão molhado quanto antes.

Além disso, foi um dia em que quase nada aconteceu, e a única diferença foi que, ao anoitecer, o vento mudou lentamente para o norte e depois para o noroeste. Também aumentou a velocidade, e quando escureceu era quase um vendaval.

Durante a noite, era difícil pilotar o barco. O céu estava encoberto, e a flâmula do mastro principal, que antes indicava o curso a seguir, fora arrancada, aos pedaços, pelo vento. Agora só podiam pilotar guiando-se pela sensação transmitida pelo barco e observando a linha branca quase invisível da crista das ondas, bem à frente.

À meia-noite, depois de uma ração de leite quente, começava o turno do grupo de Shackleton, e o próprio Shackleton assumiu o leme, enquanto Crean e McNeish ficavam embaixo para bombear a água. Seus olhos já estavam ficando acostumados com a escuridão quando ele se virou e viu uma faixa de brilho no céu, na direção da popa. Chamou os outros para lhes dar a boa-nova de que o tempo estava abrindo a sudoeste.

Um instante depois ouviu um silvo, acompanhado por um ronco surdo e abafado, e tornou a virar-se. A abertura nas nuvens, na verdade a crista de um gigantesco vagalhão, avançava rapidamente na direção do barco. Virou-se e, instintivamente, abaixou a cabeça.

– Pelo amor de Deus, segurem-se – gritou. – Está em cima de nós!

Por um instante, nada aconteceu. O *Caird* simplesmente subiu cada vez mais alto, e a trovoada surda daquele imenso vagalhão que se quebrava encheu o ar.

E então foram atingidos – o barco se viu no meio de uma montanha de água turbulenta e saltou ao mesmo tempo para a frente e para o lado. Parecia que fora atirado para cima, e Shackleton quase foi arrancado do banco pelo dilúvio de água que passou por cima dele. Os gualdropes que comandavam o leme à distância se afrouxaram e depois tornaram a se esticar enquanto o barco sacudia assustadoramente, como se fosse um brinquedo.

Por um momento, não existia mais nada além da água. Não sabiam dizer sequer se o barco estava de cabeça para cima. Mas aquele momento passou; o vagalhão seguira adiante, e o *Caird*, embora atordoado e meio morto sob o peso de uma carga de água que chegava quase até a altura dos bancos, ainda estava milagrosamente à tona. Crean e McNeish agarraram os primeiros implementos em que puseram as mãos e começaram a baldear a água furiosamente. Logo depois, o grupo de Worsley conseguiu sair dos sacos de dormir e também entrou na refrega, atirando a água para fora do barco com uma urgência selvagem, sabendo que a vaga seguinte seria certamente seu fim se não conseguissem tornar o barco mais leve antes que ela os atingisse.

No leme, Shackleton olhava na direção da popa, esperando ver o sinal de outra faixa brilhante. Mas não apareceu nada, e aos poucos, enquanto bombeavam e baldeavam freneticamente, jogando a água para fora do barco, o *Caird* foi se elevando lentamente acima do nível da água.

O lastro havia sido deslocado e o vidro da bússola se partira – mas aparentemente haviam vencido. Levaram mais de duas horas para esvaziar o barco e quase o tempo todo trabalharam com água gelada pelos joelhos.

Crean começou a procurar o fogareiro. Finalmente, encontrou-o, preso no costado do barco, mas completamente amassado. Passou meia hora tentando consertá-lo no escuro, com cada vez menos paciência. Finalmente, amaldiçoou-o por entre os dentes cerrados. O fogareiro acendeu e puderam tomar leite quente.

5

O amanhecer do dia 6 de maio revelou uma cena sumamente desagradável. O *Caird* avançava penosamente contra um vento que soprava de noroeste a quase 80 quilômetros por hora, esforçando-se por manter o curso nordeste. Cada vaga que passava deixava uma parte considerável de água dentro do barco.

Mas agora isso já não parecia ter muita importância. Haviam suportado as pancadas, os transtornos e os banhos quase ao ponto de ficarem insensíveis. Além disso, o vagalhão que os atingira no meio da noite mudara de alguma forma sua atitude. Fazia 13 dias que suportavam ventanias quase incessantes e depois finalmente um gigantesco vagalhão inesperado. Eram um verdadeiro saco de pancadas feito apenas para suportar o sofrimento que lhes era imposto.

No entanto, quando a provocação ultrapassa certo ponto, não há criatura neste mundo de Deus que não acabe por revidar, por menores que possam ser as suas chances de vitória. Em certo sentido, era assim que se sentiam naquele momento. Estavam possuídos por uma determinação enraivecida de chegar ao fim da viagem – fosse como fosse. Achavam que haviam conquistado esse direito. Passaram 13 dias absorvendo todos os golpes que a passagem de Drake conseguiu lhes assestar – e, agora, mereciam chegar ao fim.

Sua resolução ficou ainda mais forte quando Worsley mediu sua posição. Encontravam-se a 54°26' Sul, 40°44' Oeste. Se os cálculos estivessem corretos, apenas 145 quilômetros os separavam da extremidade ocidental da Geórgia do Sul e logo veriam os primeiros sinais de terra – algas marinhas, ou um pedaço de pau à deriva.

No entanto, como para zombar de sua determinação, o mar ficou cada vez mais agitado ao longo da manhã. Ao meio-dia estava tão traiçoeiro que Shackleton achou que seria arriscado demais seguir em frente, embora Worsley insistisse para que não parassem. À uma da tarde, Shackleton deu a ordem de porem o barco à capa. Deram meia-volta e arriaram a vela. A bujarrona foi içada no mastro principal e novamente começaram a mudar de bordo continuamente, permanecendo de frente para o vento.

Todos estavam desanimados – até mesmo Shackleton, que desde o início pedira aos homens que fizessem o máximo esforço para ficar com boa disposição, de modo a evitar conflitos. Mas era demais – terem chegado tão perto, possivelmente a apenas um dia de viagem, e serem obrigados a parar.

A tensão de Shackleton era tão grande que ele perdeu a calma diante de um incidente sem maior importância. Um passarinho de cauda curta apareceu sobre o barco, voando insistentemente em torno dele, como se fosse um mosquito tentando pousar. Shackleton tolerou-o por alguns minutos, e então começou a pular, praguejando e batendo furiosamente no pássaro com os braços. Logo, porém, percebeu o mau exemplo que dera e desistiu, voltando ao seu lugar com uma expressão envergonhada no rosto.

O resto da tarde passou sem incidentes, até pouco antes do anoitecer, quando Crean começou a preparar a refeição da noite. Um ou dois minutos depois, pediu a Shackleton que descesse. Crean entregou-lhe uma caneca de água para provar. Shackleton deu um pequeno gole e seu rosto assumiu uma expressão preocupada. A água do segundo tonel – o que se desprendera durante a partida do *Caird* da ilha Elephant – estava estragada. Tinha o gosto amargo inconfundível da água do mar, que ao que tudo indicava se infiltrara no tonel, misturando-se à água doce. Não só isso, como ainda o tonel só estava cheio até a metade, indicando que boa parte da água havia vazado.

Crean perguntou a Shackleton o que deveria fazer, e Shackleton, de mau humor, respondeu que obviamente não havia nada a fazer – era a única água que tinham e teriam que usá-la.

Crean preparou o jantar. Quando ficou pronto, os homens provaram cautelosamente e acharam que a comida estava desagradavelmente salgada.

Para Shackleton, a descoberta significava simplesmente que, mais do que nunca, tinham uma aguda necessidade de se apressar. Assim que escureceu e Worsley assumiu o leme, Shackleton aproximou-se dele e os dois discutiram a situação. A comida, disse Shackleton, duraria mais duas semanas. Mas a água que tinham só daria para menos de uma semana – e era água de má qualidade. Por isso, precisavam chegar em terra, e depressa.

A questão inevitável, então, era: será que conseguiriam chegar à Geórgia do Sul? Shackleton perguntou a Worsley quanto ele achava que sua navegação fora precisa. Worsley balançou a cabeça. Com sorte, disse, haveria talvez um erro de dez milhas para mais ou para menos, mas sempre era possível que tivesse cometido algum erro maior.

Ambos sabiam que, além de duas ou três ilhas pequenas, o oceano Atlântico, a leste da Geórgia do Sul, era vazio até a África do Sul, a quase 5 mil quilômetros de distância. Se, devido a um erro de cálculo ou a ventos fortes do sul, passassem ao largo da ilha, não haveria uma segunda oportunidade. A ilha ficaria contra o vento e nunca conseguiriam voltar em sua direção. Não podiam errar.

Felizmente, com o passar da noite, os ventos fortes de noroeste diminuíram um pouco e o céu começou a clarear. À uma hora da manhã, Shackleton decidiu que era seguro prosseguir viagem e tornaram a seguir no rumo nordeste.

A coisa mais importante, agora, era ficar sabendo a posição em que se encontravam, mas pouco depois do amanhecer instalou-se um espesso nevoeiro. Conseguiam ver o sol, mas era apenas um contorno nevoento. Worsley ficou com o sextante à mão a manhã inteira, esperando que o nevoeiro se dissipasse. Depois de várias horas, pegou seu caderno e, em parte por desespero, escreveu: "Condições muito desfavoráveis para Obs. Nevoeiro, e o barco pula como uma pulga..."

Normalmente, para fazer a medida, o perímetro do sol é trazido até o horizonte com o sextante. Agora, o máximo que Worsley podia fazer era visar, através do nevoeiro, à imagem de contornos indefinidos do sol e tentar avaliar onde estaria o centro. Fez várias medidas, baseado na teoria de que, quando tirasse a média, poderia chegar a uma cifra razoavelmente precisa. Por fim determinou que a posição era 54º38' Sul, 39º36' Oeste, a 110 quilômetros da ponta da Geórgia do Sul. Mas disse a Shackleton que não podia confiar muito nesses valores.

O plano original era contornar a extremidade oeste da Geórgia do Sul, passando entre as ilhas Willis e Bird, e depois virar para leste e seguir ao longo da costa até a estação baleeira de Leith Harbor. Mas isso dependia de condições de navegação razoavelmente favoráveis, e não haviam levado em consideração a escassez de água. Agora, não importava mais onde aportassem, contanto que conseguissem efetivamente chegar em terra. Assim, alteraram seu curso para leste, esperando chegar a um ponto qualquer da costa oeste da ilha, e não importava muito qual fosse.

Ficou claro também que a situação do suprimento de água era consideravelmente mais séria do que imaginaram a princípio. A água não só estava estragada como ainda estava poluída com sedimentos e pelos de rena que de alguma forma haviam entrado no tonel. O líquido repugnante, que precisava ser coado através de gaze do estojo de primeiros socorros, mal era potável – e, ainda assim, só agravava a sede que sentiam. Além disso, Shackleton reduzira a ração de cada homem a apenas meia taça por dia, e o leite quente que era servido no início de cada turno durante a noite foi eliminado. À tarde, Shackleton informou aos homens que, pelo resto da viagem, só poderiam comer duas vezes por dia.

Ao longo da tarde houvera uma expectativa crescente de que pudessem ver alguma indicação de proximidade de terra – aves, algas, ou alguma outra coisa. Mas não viram nada. E com a chegada da noite a expectativa deu lugar à apreensão – de um tipo estranhamente paradoxal.

Pela estimativa de Worsley, estariam a pouco mais de 80 quilômetros da costa. Mas os cálculos de Worsley eram assumidamente grosseiros e podiam facilmente estar ainda mais perto.

Na costa oeste da Geórgia do Sul não havia qualquer instalação humana, muito menos um farol, nem mesmo uma boia para guiá-los. Na verdade, até hoje, a costa oeste da Geórgia do Sul mal foi mapeada. Assim, era inteiramente concebível que, no escuro, pudessem avançar até encontrar-se com ela – de modo inesperado e catastrófico.

Por outro lado, seu medo de chegar inadvertidamente à ilha era estranhamente contrabalançado pela consciência terrível de que também podiam passar ao largo – ultrapassar a Geórgia do Sul na escuridão da noite, sem sequer saber que estivera a seu alcance. Na verdade, isso já poderia ter acontecido.

A escuridão era completa, e o *Caird* avançava no rumo ENE com o vento de bombordo. Os homens perscrutavam a noite com os olhos maltratados pelo sal, procurando a silhueta de algum acidente de terra; e aguçavam os ouvidos para captar algum ruído incomum, talvez o som das ondas chocando-se com os penhascos. Mas a visibilidade não podia ser pior – as estrelas estavam encobertas pelas nuvens, e o nevoeiro ainda cobria a superfície da água. Os únicos sons que conseguiam ouvir eram o gemido do vento no cordame e o som da turbulência do mar que o barco singrava.

A sede, é claro, aumentava sua expectativa e prolongava cada minuto de ansiedade. No entanto, a despeito do desconforto e da incerteza, havia uma corrente subterrânea de confiança reprimida. Em cada turno, os homens faziam suposições ousadas, altamente especulativas, sobre o tempo que levariam para chegar à estação baleeira e como seria tomar um banho, vestir roupas limpas, dormir numa cama de verdade e comer comida de verdade, servida numa mesa.

Gradualmente, as horas se arrastavam, embora não houvesse nenhuma indicação de que estavam se aproximando da costa. Às quatro da manhã, quando começou o turno de Worsley, Shackleton juntou-se a ele no leme para ficar procurando sinais de terra. Estavam avançando a cerca de 3 nós (cerca de cinco quilômetros por hora), e às seis da manhã deveriam estar a menos de 25 quilômetros de terra – mas não havia sinal algum da ilha, nem o menor pedaço de gelo ou farrapo de alga.

Sete horas. Estariam a cerca de 20 quilômetros da ilha, mas não havia o menor sinal. O ar de antecipação ia sendo aos poucos substituído por um sentimento de tensão cada vez maior. Alguns dos picos da Geórgia do Sul tinham quase 3 mil metros de altura. Certamente já deveriam estar visíveis.

Às oito da manhã chegou a hora do início do turno de Shackleton. Mas ninguém pensava mais em turnos, e todos os homens se reuniram no casco, percorrendo o horizonte com os olhos para todos os lados numa atmosfera de competição, de esperança, de ansiedade – tudo ao mesmo tempo. Mas só havia mar e céu, o mesmo panorama de sempre.

Perto de nove horas, Shackleton mandou Crean preparar uma refeição. Quando ficou pronta, comeram às pressas, para poderem voltar logo a seus postos de observação.

Foi um momento estranho, de ansiedade e expectativa – sublinhado por dúvidas sérias, que não eram ditas em voz alta. Tinham quase chegado ao fim de sua viagem. Era uma ocasião para estarem animados, até mesmo contentes. No entanto, havia em seus espíritos uma voz teimosa que não conseguiam sufocar – podiam estar procurando em vão. Se a ilha estivesse perto, já a teriam visto horas antes.

Então, pouco depois de dez e meia, Vincent avistou um maço de algas no mar, e pouco depois viram um cormorão no céu. A esperança se reacendeu. Sabiam que os cormorões raramente se afastam mais de 20 quilômetros da costa.

Logo, o nevoeiro começou a se dissipar, embora muito lentamente. Farrapos de névoa ainda corriam junto à superfície da água. Mas a visibilidade estava melhorando. Ao meio-dia, quase não havia mais nevoeiro. Mas o mar, interminavelmente agitado, era tudo o que viam, estendendo-se em todas as direções.

– Terra!

Era a voz de McCarthy, forte e confiante. Ele estava apontando bem em frente. E lá estava. Um penhasco negro, com os flancos cobertos de neve. Mal conseguiam vê-lo entre as nuvens, a uns 15 quilômetros de distância. Pouco depois, as nuvens se fecharam como uma cortina, bloqueando a visão.

Mas pouco importava. Estava lá, e todos eles tinham visto.

6

Shackleton foi o único a falar.
– Conseguimos – disse, com uma voz estranhamente trêmula.

Os outros não proferiram nem um som. Simplesmente olhavam em frente, esperando que a terra reaparecesse, para se certificarem. E pouco depois, quando as nuvens voltaram a se afastar, o penhasco reapareceu. Sorrisos tênues, um tanto inexpressivos, apareceram em seus rostos, não de triunfo nem mesmo de alegria, mas simplesmente de um alívio indizível.

Mantiveram o *Caird* no rumo do ponto que avistaram primeiro, e uma hora depois estavam suficientemente próximos para perceberem os contornos gerais da costa. Worsley pegou o caderno e desenhou um esboço aproximado.

Comparou-o depois com o mapa e parecia corresponder à área do cabo Demidov. Nesse caso, sua navegação fora quase impecável. Encontravam-se a apenas cerca de 25 quilômetros da extremidade ocidental da ilha, o ponto que pretendiam atingir originalmente.

Às duas e meia, o *Caird* estava a pouco mais de cinco quilômetros da costa e já era possível ver manchas de liquens verdes e áreas de relva castanha aparecendo em meio à neve nos flancos íngremes das terras altas. Plantas vivas – as primeiras que viam em 16 meses. E estariam perto delas em pouco mais de uma hora.

Tudo parecia perfeito. No entanto, aquela impressão não durou muito tempo. Poucos minutos depois chegou a eles o ronco surdo e profundo do choque de ondas batendo nos penhascos, e bem em frente, um pouco à direita, avistaram um jato de espuma que subia para o céu. Quando se aproximaram, viram o dorso das grandes ondas que se arrojavam na costa, com as cristas espumando, quando os imensos vagalhões do cabo Horn avançavam finalmente para sua destruição, chocando-se com recifes que não figuravam em nenhum mapa.

Toda a feição das coisas mudou de repente. Não se podia mais pensar em desembarque, pelo menos não naquele ponto, já que o barco não aguentaria ondas como aquelas nem por dez minutos. Era um destino que eles não mereciam – uma crueldade desnecessária. A terra estava bem em frente, e eles haviam conquistado o direito de desembarcar. No entanto, agora que tinham chegado ao fim de sua viagem, por uma ironia cruel, o santuário lhes era negado.

Não podiam sequer manter o barco por mais muito tempo no curso que vinham seguindo. Crean tomou no leme o lugar de Worsley, que abriu o mapa de modo que ele e Shackleton pudessem estudá-lo. Precisavam tomar uma decisão depressa.

Se a ponta que tinham à frente era o cabo Demidov, e agora tinham certeza de que era, seu mapa mostrava que havia duas possibilidades de encontrarem abrigo. Uma delas era a baía Rei Haakon, cerca de 15 quilômetros a leste ao longo da costa a estibordo. A outra era a enseada Wilson, um pouco ao norte do ponto para onde estavam se dirigindo agora.

Mas a baía Rei Haakon ficava numa posição geral leste-oeste e portanto quase totalmente exposta ao vento noroeste que soprava. Além disso, só conseguiriam chegar à sua entrada à noite, e seriam forçados a ultrapassar no escuro os recifes que houvesse guarnecendo a sua entrada.

A enseada Wilson, por outro lado, embora a apenas seis quilômetros de distância, e possivelmente oferecesse melhor abrigo, infelizmente ficava na direção de que soprava o vento, o que impedia que chegassem a ela no estado de turbulência em que se encontrava o mar.

Consequentemente, embora houvesse, na teoria, duas opções, nenhuma das duas compensava o risco envolvido. Às três da tarde encontravam-se a apenas três quilômetros de distância da terra firme. Poderiam ter chegado facilmente em menos de 45 minutos. Mas morreriam no processo.

Assim, às três e dez, Shackleton deu ordem para virarem de bordo. Mudaram para estibordo e tornaram a tomar o rumo do mar alto para ficar à capa até a manhã seguinte, na esperança de que pudessem então fazer uma aproximação mais adequada, ou talvez encontrar um caminho por entre os recifes.

Worsley pegou seu diário e escreveu o seguinte:

... Ondas fortes de oeste.
Mar muito agitado.
Virados para o mar para passar a noite; vento aumentando...

Tomaram o rumo SSE, com a intenção de se afastar da costa o suficiente para poderem ficar à capa com segurança, esperando a luz do dia. Quando o barco virou para bombordo contra o vento, quase ninguém disse nada. Individualmente, estavam se esforçando para combater sua terrível decepção. Mas agora, com certeza, faltava apenas uma noite para que chegassem.

Em torno das cinco da tarde começou a escurecer, e o céu a estibordo do *Caird* acendeu-se em tons vivos, quase enraivecidos, de laranja e vermelho, que aos poucos foram desaparecendo. A noite caiu em torno das seis da tarde.

Acima deles, uma pesada massa de nuvens se aproximou, e o vento aos poucos foi aumentando e começou a mudar para oeste. Crean preparou o jantar, mas estavam chegando ao fundo do tonel de água contaminada, e a comida tinha um gosto particularmente desagradável. Foi necessário um grande esforço para engoli-la.

O vento rugia assustadoramente e aumentava a cada hora que passava. Às oito começou a chover. Logo a chuva se transformou em neve e depois em granizo, que caía martelando o barco. Às onze da noite, a tempestade assumiu a força de um vendaval, e o *Caird* caiu em um mar cruzado que vinha de todas as direções, sacudindo o barco primeiro para um lado e depois fazendo-o jogar violentamente para outro.

Navegaram de lado para o vento contrário até meia-noite; e, embora não tivessem a menor ideia de onde estavam, Shackleton decidiu que deviam estar a uma distância suficiente da costa para ficarem à capa em segurança. Crean e McCarthy se arrastaram até a proa no escuro e removeram a vela principal e a bujarrona, içando depois a bujarrona no mastro principal. Viraram a proa do *Caird* contra o vento, e começou a longa espera pela manhã.

O resto da noite durou uma eternidade, composta de segundos que eram suportados individualmente até se transformarem em minutos e até que os minutos finalmente se combinavam em horas. E ouviam o tempo todo a voz do vento, urrando como nunca.

Finalmente o dia 9 de maio amanheceu, mas não houve um amanhecer de verdade: a escuridão total da noite apenas deu lugar, lentamente, a uma espessa nuvem cinzenta. Não tinham como saber a velocidade real do vento, embora calculassem que fosse de pelo menos 100 quilômetros por hora. O mar cruzado era o pior que já tinham enfrentado, e além disso havia gigantescos vagalhões de oeste que a ventania empurrava na direção da terra: tinham pelo menos 12 metros de altura no momento em que chegavam à costa, talvez mais.

O *Caird*, com sua patética vela de capa esfarrapada batida pelo vento, subia até o topo de cada vagalhão que corria para a ilha e, quando chegava ao alto, estremecia ante a fúria do vendaval. Parecia que o vento ia arrancar a cobertura de lona que haviam feito para proteger o fundo do barco. E tinham dificuldade até para respirar. A atmosfera parecia uma substância saturada, composta menos de ar que de chuva e neve, e do nevoeiro que o vento arrancava da superfície do mar e empurrava na direção do barco.

A visibilidade estava reduzida a uma esfera enevoada em torno do *Caird*. Além dela havia apenas uma nuvem cegante que urrava ininterruptamente.

E, embora não tivessem a menor ideia de onde se encontravam, sabiam pelo menos de uma coisa: em algum ponto, a sota-vento, os negros penhascos da Geórgia do Sul estavam à sua espera, suportando o ataque colossal das ondas. Quem dera tivessem como saber a que distância se encontravam.

Parece inacreditável, mas durante a manhã o vento ficou ainda mais forte, e ao meio-dia soprava de sudoeste possivelmente a mais de 120 quilômetros por hora. Cozinhar estava fora de questão, mas de qualquer modo praticamente não tinham o menor apetite para comida. As línguas estavam inchadas de sede, os lábios rachados sangravam. Quem quisesse podia comer toda a ração fria que aguentasse, e alguns deles tentaram comer um pouco, mas lhes faltava a saliva para engolir.

Mantiveram a proa do *Caird* contra o vento. Mas olhavam o tempo todo para além da popa, tentando vislumbrar a ilha ou os recifes traiçoeiros que os impediram de desembarcar na tarde anterior. Passaram a manhã inteira ouvindo o rumor da arrebentação nos recifes, cada vez mais próxima. Por baixo do uivo agudo do vento e da agitação tormentosa do mar, percebiam fortes pancadas surdas e ritmadas, que mais sentiam do que propriamente escutavam – o impacto de ondas sucessivas que se quebravam na costa, transmitido através da água como uma série de choques abafados que chegavam até o barco.

Então, em torno das duas da tarde, conseguiram ver onde estavam. Uma rajada de vento abriu um espaço entre as nuvens e dois picos ameaçadores apareceram acima de uma linha de penhascos e das vertentes perpendiculares das geleiras que caíam abruptamente no mar. A costa parecia estar a cerca de 1,5 quilômetro de distância, talvez um pouco mais.

No entanto, o que era mais importante, naquele rápido relance viram, aterrorizados, que estavam muito perto da linha de arrebentação, o ponto em que as ondas deixavam de se comportar como elevações e começavam a deslizar, correndo cada vez mais depressa até quebrarem em terra. A cada onda que passava por baixo do barco sentiam que ela tentava agarrá-lo, atirando-o na direção da praia. Agora, parecia que tudo – o vento, a corrente e até mesmo o próprio mar – estava combinado com um único objetivo inflexível: aniquilar de uma vez por todas aquele barquinho que até então ousara desafiar todos os esforços para destruí-lo.

A única opção era içar a vela e tentar se afastar da costa velejando contra aquele monstruoso vendaval. Mas não era possível. Nenhum barco – e menos ainda o *Caird* – conseguiria andar contra o vento em condições como aquelas.

Shackleton correu para a popa e tirou os gualdropes das mãos de Crean. Depois, Crean e Worsley subiram na cobertura de lona e saíram rastejando de barriga. Se tivessem tentado ficar eretos, teriam sido derrubados ou simplesmente atirados para fora do barco pelo vento. Finalmente, chegaram ao mastro principal e, agarrados a ele, puseram-se de pé, aos poucos. O vento estava tão forte que mal foram capazes de baixar a bujarrona. Mas conseguiram depois de alguns minutos de trabalho, e a proa do *Caird* imediatamente mergulhou de bico no cavado entre duas vagas. Os dois pularam para a frente e, às pressas, içaram a bujarrona no estai da proa.

Precisavam de McCarthy para ajudar com a vela principal, porque, se ela viesse a ser enfunada pelo vento, a força combinada dos dois não seria suficiente para evitar que fosse arrancada de suas mãos.

Mas finalmente a vela grande foi presa ao mastro e rizada, assim como a mezena. Então Shackleton apontou a proa do *Caird* para sudeste, e o vento, como uma coisa sólida, atingiu-o com um golpe fortíssimo, que quase o fez virar de borco. Shackleton gritou, nervoso, para McNeish e Vincent, que se encontravam no fundo do barco, deslocarem o lastro. Ajoelhados nas pedras e trabalhando febrilmente, à medida que suas forças permitiam, os dois empilharam as pedras contra a parte interna do costado de estibordo e o *Caird* se reequilibrou um pouco.

O *Caird* avançou meio barco antes de ser atingido pela primeira vaga, que o imobilizou. Vasta quantidade de água entrou no casco, e a pressão foi tão grande que as tábuas da proa se afastaram e pequenos jorros de água entraram pelas juntas. O barco avançou mais um pouco e novamente foi parado por um vagalhão. O processo se repetiu vezes sem conta, até que o barco parecia que ia rebentar ou ter seus mastros arrancados.

A água agora entrava por cima e por baixo. Seu nível subia tão depressa que dois homens trabalhando o tempo todo não conseguiam dar conta de esgotá-la, e Shackleton mandou que todos se dedicassem à tarefa – três homens na bomba e um baldeando com a panela de dez litros. Assim, só um homem ficava de reserva, pronto a substituir quem desse os primeiros sinais de exaustão.

No entanto, apesar de todos os seus esforços, parecia que só estavam conseguindo permanecer no mesmo lugar. Ocasionalmente, as nuvens se abriam e a costa aparecia além da popa, à mesma distância de antes. Depois de mais de uma hora, concluíram que a primeira impressão que tiveram era verdadeira – era impossível. Nenhum barco conseguiria avançar contra o vento num vendaval daqueles.

Shackleton estava convencido de que o fim estava próximo.

Na verdade, porém, estavam avançando. Medido pela distância a que se encontravam do contorno indistinto da costa, o avanço era imperceptível – mas de qualquer maneira era real.

Foram perceber que faziam algum progresso pouco depois das quatro horas, quando uma abertura nas nuvens mostrou um pico alto e escarpado a bombordo da popa. Era a ilha Annenkov, um pico de 600 metros de altura que se erguia do mar a cerca de oito quilômetros da costa. E perceberam de imediato que ficava diretamente em seu caminho.

Embora a proa do *Caird* estivesse apontada para o mar alto, não havia como evitar que o vento empurrasse o barco para trás. Assim, o curso real que o *Caird* seguia era mais para o lado do que para diante. E não tinham qualquer condição de mudar de rumo. À popa ficava a costa, e o mapa mostrava que a bombordo havia uma linha de recifes em série. A única direção em que havia mar aberto era a estibordo – a direção em que certamente o barco não conseguiria avançar, já que era de onde soprava o vento.

Assim, a única coisa a fazer era manter o *Caird* no rumo sudeste, o mais contra o vento que conseguissem, e rezar para que de algum modo o barco conseguisse se manter à distância da ilha – se pudesse continuar inteiro até então. Nenhuma das duas hipóteses parecia muito provável.

Estava escurecendo, embora o céu estivesse um pouco mais claro, e a ilha Annenkov se destacava claramente quase o tempo todo como uma forma negra contra o céu.

A visão que apresentava era ainda mais assustadora por contraste. Estavam literalmente envolvidos pela ferocidade desenfreada da tempestade, lutando simplesmente para se manterem à tona – e a bombordo se erguia aquela massa imensa e irremovível, cada vez mais próxima na escuridão. Logo, ouviram o estrondo surdo das ondas chocando-se com os penhascos.

Só o timoneiro conseguia realmente ver o que estava acontecendo, porque os outros não ousavam parar de baldear a água um segundo sequer, com medo de que ela acabasse entrando mais depressa do que conseguiam esgotá-la. Periodicamente, trocavam de tarefa para descansar um pouco. A sede já não os incomodava, assim como qualquer outra coisa além de simplesmente manter o barco à tona. Cada timoneiro, sabendo da ansiedade dos que se encontravam no fundo do barco, passava o tempo todo gritando para eles: "Vamos passar – estamos conseguindo!"

Mas não estavam. Às sete e meia estavam bem perto da ilha, e a massa dos penhascos dominava o panorama a sota-vento. O som das ondas martelando contra a face de seus penhascos quase afogava até os uivos do vento. A espuma das ondas que recuavam depois de chocar-se com os penhascos turbilhonava em torno do *Caird,* e o pico nevado que se erguia à frente deles estava tão próximo que só conseguiam vê-lo se inclinassem a cabeça para trás.

Worsley refletiu sobre a pena que aquilo lhe dava. Lembrou-se do diário que vinha mantendo desde que o *Endurance* zarpara da Geórgia do Sul, quase 17 meses antes. Aquele mesmo diário, envolto em farrapos de pano e completamente ensopado, estava agora guardado debaixo do banco da proa do *Caird*. Quando o barco afundasse, o diário também desapareceria. Worsley não pensou muito na morte, porque agora ela era evidentemente inevitável, mas lamentou o fato de que ninguém nunca viesse a saber como eles tinham chegado terrivelmente perto de conseguir.

Limitava-se a esperar, sentado ao leme, calado e tenso, preparando-se para o impacto final, quando o fundo do *Caird* colidiria com um baque contra alguma pedra invisível. Enquanto olhava, a água correndo por seu rosto e pingando de sua barba, o céu a leste ficou visível.

– Estamos passando! – gritou. – Estamos passando!

Os homens que esgotavam o fundo do barco pararam, olharam para cima e viram as estrelas brilhando a sota-vento. A ilha não estava mais no caminho. Não sabiam como nem por que – talvez alguma variação inesperada da maré tivesse empurrado o barco para longe da costa. Mas ninguém parou para procurar uma explicação. Só sabiam de uma coisa – o barco fora poupado.

Agora só restava um obstáculo – o rochedo Mislaid, um quilômetro abaixo da extremidade oeste da ilha Annenkov. Assim, mantiveram o curso sudeste, quase contra o vento. Mas de algum modo agora parecia mais fácil. O ronco das ondas ficou mais fraco, e às nove da noite concluíram que haviam superado todos os perigos.

Logo sentiram-se incrivelmente exaustos, entorpecidos, até mesmo indiferentes. O vendaval também parecia exausto da luta, ou talvez soubesse que fora derrotado, porque o vento logo amainou e no curto intervalo de 30 minutos mudou para SSW.

Viraram de bordo e rumaram para noroeste, conservando-se a uma boa distância da Geórgia do Sul. O mar ainda estava agitado, mas não era mais tão ameaçador como antes.

Continuaram a retirar a água do casco até meia-noite, quando a carga de água do *Caird* ficou reduzida a uma quantidade que podia ser esgotada por apenas três homens. O grupo de Worsley recebeu ordens de tentar dormir, enquanto Shackleton, Crean e McNeish ficaram de serviço.

Voltaram a sentir sede, uma sede muito mais intensa do que antes. Mas só restava menos de um litro de água, e Shackleton decidiu poupá-la até a manhã seguinte.

Às três e meia da manhã, o grupo de Worsley entrou em serviço, e, em torno das sete, a Geórgia do Sul tornou a aparecer, cerca de 15 quilômetros a estibordo.

Estabeleceram um curso que seguia diretamente para a costa, mas o *Caird* mal tomara esse rumo quando o vento mudou para noroeste e ficou muito fraco. Assim, ao longo da manhã, avançaram sempre, mas muito devagar. Ao meio-dia estavam quase novamente ao largo do cabo Demidov e bem em frente havia duas geleiras convidativas, prometendo gelo que poderia ser derretido e transformado em água. Mas era evidente que não conseguiriam chegar lá antes da noite.

Assim, viraram de bordo e rumaram para a baía Rei Haakon. Avançaram bem por 20 minutos, mas o maldito vento mudou novamente para atrapalhá-los, passando a soprar do leste – de dentro para fora da baía.

As velas foram baixadas, e, com Shackleton ao leme, os outros se revezaram nos remos, dois de cada vez. Então, a maré mudou e começou a correr para o sul, ajudando assim o vento a mantê-los ao largo. E logo ficou claro que mal estavam conseguindo ficar na mesma posição. No entanto, às três da tarde tinham conseguido aproximar-se o suficiente para ver águas relativamente calmas na baía, além dos recifes – e avistaram também o que parecia ser uma passagem segura. Mas não conseguiriam atravessar antes de escurecer – não a remo.

Era o momento de uma última tentativa desesperada. Mais uma noite, dessa vez sem uma gota de água, e possivelmente outro vendaval – simplesmente não aguentariam.

Apressadamente, içaram todas as velas ao máximo e rumaram para a pequena passagem entre os recifes. Mas precisavam velejar bem de frente para o vento, e o *Caird* não era capaz daquilo. Quatro vezes se afastaram e quatro vezes tentaram virar de bordo contra o vento. Fracassaram as quatro vezes.

Já passava das quatro, e a luz estava começando a diminuir. Percorreram mais de um quilômetro para o sul, tentando ficar o máximo possível de lado para o vento. Depois viraram de bordo novamente e dessa vez o barco conseguiu completar a manobra.

No mesmo momento baixaram as velas e empunharam os remos. Remaram por cerca de dez minutos, e então Shackleton localizou uma pequena angra entre os rochedos a estibordo.

A entrada era protegida por um pequeno recife isolado, por cima do qual as ondas passavam. Mas viram uma abertura – embora fosse tão estreita que os remos teriam que ser recolhidos no último momento.

Cerca de 200 metros adiante havia uma praia de seixos acentuadamente inclinada. Shackleton se pôs de pé na proa, segurando o pedaço que restara do cabo da âncora flutuante. Finalmente, o *Caird* foi levado por uma onda e sua quilha raspou nas pedras do fundo. Shackleton saltou em terra e segurou o cabo para evitar que o barco fosse puxado pelas ondas de volta para o mar.

Os outros homens também saltaram do barco, o mais depressa que puderam.

Eram cinco da tarde do dia 10 de maio de 1916 e estavam finalmente pisando na ilha da qual haviam zarpado 522 dias antes.

Ouviram um som de água corrente. A poucos metros, um pequeno riacho de água corria, descendo do alto das geleiras.

Um instante depois, os seis estavam ajoelhados, bebendo.

PARTE VII

Part VII

I

Foi um momento curiosamente silencioso, quase sem comemorações. Haviam realizado o impossível, mas a um preço altíssimo. Agora tinham chegado ao seu destino e só sabiam que estavam inacreditavelmente cansados – cansados demais até para saborear mais que a percepção enevoada de que haviam conseguido. De qualquer maneira, todos trocaram apertos de mão entre si. De certa forma, parecia a coisa certa a fazer.

Ainda assim, mesmo naquele pequeno momento de vitória, estavam ameaçados pela tragédia. As ondas no interior daquela enseada eram especialmente fortes, haviam virado o *Caird* com a popa para a praia e agora ele estava batendo nas pedras.

Desceram a praia aos tropeços, mas as pedras eram ásperas e eles estavam com as pernas moles de fraqueza. Quando chegaram ao barco, o leme já havia sido arrancado. Precisavam tirar o *Caird* da água – e para isso precisavam primeiro descarregá-lo. Assim, formaram uma fila e começaram o penoso trabalho de passar os suprimentos para um ponto da praia a salvo das marés. Quando acabaram, o odiado lastro de pedras foi atirado ao mar.

Mas na hora de puxar o *Caird* para terreno mais seguro a verdadeira extensão de sua fraqueza ficou evidente. Exercendo toda a força dos seis combinada, mal conseguiram fazer o barco balançar, e depois de algo como seis tentativas Shackleton viu que não adiantava continuar antes de descansarem e comerem alguma coisa.

Amarraram uma corda na proa do *Caird* e a outra ponta em torno de um rochedo. Deixaram o barco à beira do mar, batendo nas pedras.

Haviam visto alguma coisa que parecia uma caverna cerca de 30 metros à esquerda e arrastaram os sacos de dormir e alguns suprimentos até lá. Era pouco mais que um oco nos penhascos. Mas enormes estalactites de gelo, com quase cinco metros de altura, se haviam formado na entrada, funcionando como uma espécie de parede dianteira. Arrastaram-se para dentro e constataram que a caverna tinha cerca de 3,5 metros de profundidade, com espaço suficiente para abrigá-los.

Crean acendeu o fogareiro e preparou uma refeição. Eram oito horas quando acabaram de comer, e Shackleton mandou que todos fossem dormir, determinando que um deles ficaria de sentinela para tomar conta do *Caird*. Ele próprio seria o primeiro. Os outros entraram em seus sacos de dormir molhados, mas milagrosamente imóveis, e em segundos estavam totalmente inconscientes.

Tudo correu bem até mais ou menos duas da manhã. Tom Crean estava de sentinela quando uma onda especialmente forte pegou o *Caird* e o barco se soltou. Crean conseguiu agarrar o cabo de proa e gritou por socorro. Mas até que os outros acordassem e conseguissem chegar à praia, Crean havia sido arrastado para o mar, com água quase até o pescoço.

Puxando todos juntos, conseguiram trazer o barco de volta para a praia e tentaram novamente levá-lo para uma posição mais alta, dessa vez arrastando-o. Mas ainda não tinham forças.

Estavam muito perto da exaustão, mas nem mesmo sua necessidade desesperada de sono podia ser levada em consideração diante da possibilidade de perderem o barco. Shackleton decidiu que ficariam todos perto dele até amanhecer.

Ficaram sentados, esperando a manhã chegar. Mas não podiam dormir, porque periodicamente tinham que afastar o *Caird* das pedras.

Shackleton refletiu sobre a situação deles. Originalmente, planejara usar aquele lugar apenas como parada, para reabastecer os tonéis de água, descansar alguns dias e depois seguir contornando a costa até Leith Harbor. Mas agora o leme do *Caird* estava perdido. Além disso, para que pudessem descansar, precisavam tirar o barco da água e para isso teriam que deixá-lo mais leve, removendo a cobertura de lona, pois não tinham forças para puxar o barco no estado atual. Depois que o fizessem, o barco não seria mais capaz de enfrentar o mar alto.

Sentado nas pedras, esperando que a manhã rompesse, Shackleton chegou à conclusão de que em vez de seguirem de barco até Leith Harbor ficariam na parte sul da ilha, enquanto três do grupo seguiriam por terra para buscar socorro.

Por mar seria uma viagem de mais de 200 quilômetros em torno da extremidade oeste da ilha e depois ao longo da costa norte. Por terra, apenas 45 quilômetros em linha reta. A única diferença é que nos três quartos de século desde que o primeiro homem havia desembarcado na Geórgia do Sul ninguém jamais atravessara a ilha a pé – pela simples razão de que era impossível fazê-lo.

Alguns dos picos da Geórgia do Sul chegavam a pouco menos de 3 mil metros, o que certamente não é muito alto para os padrões dos montanhistas. Mas o interior da ilha foi descrito por um conhecedor como "um serrote enfiado por entre a tortuosa turbulência das montanhas e geleiras que, num caos, caem no mar ao norte". Em resumo, era impossível passar.

Shackleton sabia disso – mas não tinha escolha. Anunciou sua decisão depois do desjejum, e todos a aceitaram, como sempre, sem discussão. Shackleton disse que faria a viagem com Worsley e Crean, assim que julgassem que chegara o momento certo.

Mas primeiro tinham trabalho a fazer. McNeish e McCarthy foram encarregados de remover a cobertura de lona e as tábuas extras do *Caird*, enquanto Shackleton, Crean e Worsley se dedicaram a tornar o piso da caverna mais plano, usando pedras e molhos de ervas. Vincent ficou deitado em seu saco de dormir, gravemente atingido pelo reumatismo.

Ao meio-dia, McNeish já desmontara uma parte considerável da superestrutura do *Caird*, o que o deixara bem mais leve, e decidiram tentar levá-lo para a parte alta da praia. E dessa vez conseguiram – aos poucos. Levaram o barco até o alto da praia literalmente centímetro a centímetro, parando para descansar a pequenos intervalos. À uma da tarde, o barco estava acima da marca da maré alta.

Mais tarde, Shackleton e Crean subiram num platô diante da angra e viram montes de plumas brancas em meio às pedras. Eram filhotes de albatroz no ninho. Shackleton foi buscar a espingarda e mataram um adulto e um filhote. Comeram-nos no jantar, e Worsley escreveu a respeito da ave adulta: "Saborosa, mas bastante dura." McNeish anotou simplesmente: "Uma delícia."

Depois recolheram-se e dormiram gloriosamente 12 horas seguidas, sem qualquer interrupção. De manhã sentiam-se infinitamente melhor. Mais tarde, McNeish escreveu, embevecido:

Faz pelo menos cinco semanas que não passamos por tanto conforto. Comemos três filhotes & um albatroz adulto no almoço, com meio litro de molho melhor que qualquer canja que eu já tomei na vida. Fiquei pensando no que diriam os nossos companheiros [da ilha Elephant] se comessem coisa parecida.

Shackleton e Worsley, enquanto isso, haviam feito um levantamento em torno da área e viram que era uma região quase impenetrável. Além da angra onde estavam acampados, os penhascos e as geleiras se erguiam quase perpendicularmente.

Por isso, Shackleton decidiu que velejariam no *Caird* até a ponta da baía Rei Haakon, percorrendo uma distância de quase dez quilômetros. O mapa indicava que o terreno ali era um pouco menos inóspito, e também ficariam dez quilômetros mais perto da baía Stromness, do outro lado da ilha, onde ficavam as estações de pesca e processamento de baleias.

Por mais que fosse um trecho curto, Shackleton achava que os homens ainda não estavam prontos para a viagem, e assim passaram dois dias recuperando-se e comendo muito bem. Pouco a pouco, à medida que iam ganhando forças e a tensão deixava seus nervos, uma sensação maravilhosa de segurança tomou conta deles, perturbada apenas pela consciência da responsabilidade que tinham em relação aos náufragos que deixaram na ilha Elephant.

O dia 14 de maio era o dia marcado para a viagem até a entrada da baía, mas de manhã o tempo estava muito chuvoso e decidiram adiar a viagem para o dia seguinte. À tarde havia sinais de que o tempo ia abrir. McNeish escreveu: "Fui até o alto do morro & me deitei na relva & me lembrei dos velhos tempos em *Casa*, sentado na encosta do morro, olhando para o mar."

No dia seguinte acordaram ao amanhecer. O *Caird* já estava carregado e o empurraram com facilidade praia abaixo até a água. Saíram da angra e entraram na baía às oito. Soprava um vento frio de noroeste e logo o sol surgiu em meio às nuvens.

Era uma viagem despreocupada, e o *Caird* singrava com desenvoltura a água cintilante. Depois de algum tempo, até começaram a cantar. Ocorreu a Shackleton que eles poderiam até ser tomados por um grupo de excursionistas saindo para um piquenique – exceto talvez por sua aparência lamentável.

Pouco depois do meio-dia contornaram um rochedo alto e à frente deles se encontrava uma praia abrigada, pouco inclinada, de areia e seixos. Estava povoada por centenas de elefantes-marinhos, o suficiente para mantê-los indefinidamente abastecidos de carne e combustível. Chegaram à praia ao meio-dia e meia.

O *Caird* foi levado até acima da linha da maré alta e virado de borco. McCarthy calçou-o com uma fundação de pedras e quando ficou pronto arrumaram seus sacos de dormir no interior. Decidiram chamar o lugar de Acampamento Peggotty, do nome da família pobre mas honesta do livro *David Copperfield*, de Charles Dickens.

Shackleton estava extremamente ansioso para começar a viagem, principalmente porque a estação avançava e o tempo tendia a ficar muito ruim pouco depois. Além disso, a lua estava cheia, e certamente iriam precisar de sua luz para viajar à noite. No entanto, o dia seguinte, 16 de maio, amanheceu encoberto e chuvoso, e ficaram confinados debaixo do *Caird* quase o dia todo. Passaram o tempo discutindo o roteiro da viagem, e McNeish preparou as botas dos três caminhantes para as escaladas que precisariam fazer. Retirou quatro dúzias de parafusos de duas polegadas cada um do *Caird* e prendeu oito deles em cada sapato que seria usado pelos participantes da expedição.

Novamente, no dia 17, o tempo não estava bom para viajar, com ventos fortes e muita neve. Worsley foi com Shackleton para leste, até a ponta extrema da baía, para fazer o reconhecimento mais completo possível do terreno. Não tiveram muito sucesso, porque a visibilidade era escassa, embora Shackleton ficasse satisfeito porque havia aparentemente uma encosta de neve que levava para o interior, saindo da ponta da baía.

Primeiro, pensaram em transportar os suprimentos num pequeno trenó, e McNeish fabricou um aparelho grosseiro com pedaços de madeira que encontrou na praia. Mas, quando experimentaram o trenó, viram que era desajeitado e difícil de puxar e abandonaram a ideia.

No dia 18 de maio, o tempo também amanheceu muito ruim, e Shackleton já estava quase morto de ansiedade para começar logo a viagem. Passaram o dia todo em meio a grande tensão, refazendo o levantamento do que levariam e esperando que o tempo melhorasse.

Haviam decidido viajar levando apenas o mínimo indispensável e não carregariam sequer os sacos de dormir. Cada membro do grupo de terra carregaria sua própria provisão de ração e biscoitos para três dias. Levariam ainda um fogareiro totalmente abastecido, com combustível suficiente para preparar seis refeições, mais uma panela pequena e uma caixa de fósforos pela metade. Tinham duas bússolas, um par de binóculos e cerca de 15 metros de corda amarrada com nós, e mais a enxó do carpinteiro para usarem como machadinha de alpinista.

O único artigo supérfluo com que Shackleton concordou foi o diário de Worsley.

Ao anoitecer, o tempo melhorou. O céu mostrava sinais de estar clareando. Shackleton reuniu-se com McNeish, que estava deixando no comando do grupo de três homens que ficavam para trás. Shackleton lhe transmitiu as instruções finais e escreveu a seguinte carta no diário de McNeish:

Geórgia do Sul, 18 de maio de 1916

Senhor:

Estou partindo para tentar chegar a Husvik, na costa leste desta ilha, a fim de buscar socorro para o nosso grupo. Deixo-o no comando do grupo formado por Vincent, McCarthy & o senhor. Devem permanecer aqui até a chegada do resgate. Deixo-lhes uma ampla reserva de carne de foca, que podem complementar com aves e peixes que venham a capturar à medida que sua habilidade o permita. Deixo-lhes uma arma de dois canos, 50 cartuchos [e outros suprimentos]... Fica também o equipamento necessário para assegurar sua sobrevivência por tempo indefinido na eventualidade de não conseguirmos voltar. Neste caso, depois do fim do inverno, o melhor seria tentarem contornar a ilha de barco até a costa leste. Estou seguindo para Husvik no rumo *leste* magnético.

Tenho certeza de que o socorro chegará em poucos dias.

Cordialmente,
E. H. SHACKLETON

2

Os demais se recolheram, mas Shackleton não conseguia dormir, e saiu várias vezes para ver como estava o tempo. Estava melhorando, mas devagar. Worsley também se levantou por volta da meia-noite para ver como estavam as condições.

De qualquer modo, às duas da manhã, a lua brilhava e a noite estava muito clara. Shackleton disse que chegara a hora.

Prepararam uma última refeição e comeram o mais depressa que podiam. Shackleton queria partir da maneira mais discreta possível, para não enfatizar o significado de sua partida para os que ficavam acampados. Em poucos minutos, reuniram seu escasso equipamento. Então todos apertaram-se as mãos, e Shackleton, Worsley e Crean saíram de sob o *Caird*. McNeish os acompanhou por cerca de 200 metros, tornou a apertar as mãos dos três e desejou-lhes boa sorte, depois voltou lentamente para o Acampamento Peggotty.

Eram três e dez da madrugada. A viagem final começava. Os três avançaram pela costa até a ponta da baía e depois tomaram o rumo das terras altas, subindo uma encosta bastante íngreme, coberta de neve.

Shackleton seguia na frente e imprimia um ritmo forte à caminhada. Subiram toda a primeira hora, sem parar. Mas a neve em que pisavam estava macia e afundavam até os tornozelos. Logo começaram a sentir o efeito daquele esforço sobre suas pernas. Felizmente, quando chegaram a uma altura de uns 800 metros, o terreno ficou menos inclinado.

No mapa que tinham só aparecia a costa da Geórgia do Sul – e mesmo assim muito incompleta. O interior estava em branco. Por isso, só podiam guiar-se pelo que conseguissem enxergar, e Shackleton estava muito ansioso para determinar o que havia pela frente. No entanto, em torno das cinco da manhã, instalou-se um denso nevoeiro, cobrindo todas as coisas com um brilho difuso de luminosidade em que até mesmo a neve em que pisavam só era real no momento em que pousavam nela os pés. Shackleton achou que seria melhor se caminhassem amarrados, por medida de segurança.

Ao amanhecer, Worsley calculou que haviam percorrido cerca de oito quilômetros, e quando o sol subiu o nevoeiro começou a ficar mais ralo.

Adiante viram um imenso lago coberto de neve, um pouco à esquerda de seu curso para leste. O lago era uma sorte rara, porque prometia a oportunidade de um caminho plano através de toda a sua extensão, e seguiram até ele.

Durante uma hora percorreram um caminho fácil, em declive, embora encontrassem um número cada vez maior de fendas. Inicialmente eram estreitas e rasas, mas aos poucos foram ficando cada vez mais largas e mais profundas, e logo ficou claro que o que estavam descendo era a vertente de uma geleira. Era incomum, porque as geleiras raramente desembocam em lagos – no entanto, lá estava ele, estendendo-se convidativo a seus pés.

Às sete da manhã, porém, o sol subira o suficiente para dissipar os últimos vestígios do nevoeiro, e subitamente viram que o lago se estendia até o horizonte.

Estavam marchando rumo à baía Possession – o mar aberto, na costa norte da Geórgia do Sul.

Na verdade haviam percorrido pouco mais de 11 quilômetros e quase cruzaram a ilha num ponto em que ela era mais estreita. Mas não adiantava nada para eles. Mesmo que conseguissem descer as encostas perpendiculares abaixo do ponto onde se encontravam, não havia um litoral pelo qual pudessem seguir. A geleira em que estavam caía diretamente no mar. A única coisa a fazer era voltar e começar a subir de volta.

O pior era que isso lhes custava tempo. Se tivessem tempo, poderiam ter experimentado várias alternativas, à procura do melhor caminho, descansando sempre que fosse necessário e viajando apenas quando estivessem prontos e o tempo estivesse bom. Mas estavam arriscando tudo para poder andar mais depressa. Não tinham levado nem sacos de dormir nem barracas. E se uma mudança de tempo os surpreendesse naquelas montanhas, não teriam condições de salvar-se. As nevascas da Geórgia do Sul estão entre as piores registradas na face da Terra.

Levaram duas horas de penosa caminhada para refazer o trajeto que haviam percorrido e tornaram a seguir no rumo leste. Às oito e meia viram à frente uma pequena cadeia de montanhas, uma série de cristas e cumes – quatro no total, lembrando os nós dos dedos de um punho cerrado. Worsley calculou que o rumo que precisavam tomar passava entre o primeiro e o segundo, e seguiram naquela direção.

Às nove horas fizeram uma pausa para a primeira refeição. Cavaram um buraco na neve e colocaram nele o fogareiro. Aqueceram uma mistura de ração e biscoitos e comeram-na quentíssima. Estavam novamente a caminho às nove e meia.

A subida ficou cada vez mais íngreme, e seu avanço para cima foi penoso, um pé de cada vez, com Shackleton na dianteira. Escalaram o que parecia ser uma encosta quase vertical, abrindo degraus no gelo com a enxó.

Finalmente, em torno das onze e quinze, chegaram ao topo. Shackleton foi o primeiro a descortinar a visão do outro lado. Abaixo dele havia um precipício que terminava numa ravina, 500 metros abaixo, coalhada de fragmentos partidos de gelo caído do ponto onde se encontrava. Fez sinal para que os outros se aproximassem e olhassem para baixo. Não havia nenhum caminho para descer. Além disso, à direita havia uma massa caótica de cristas de gelo e fendas – um território que não conseguiriam ultrapassar. À esquerda, uma linha de geleiras que desciam em forte declive até cair diretamente no mar. Mas bem em frente – na direção em que ficava o rumo que precisavam seguir – havia uma encosta de neve de inclinação relativamente suave, estendendo-se por cerca de 12 quilômetros. Precisavam chegar até aquele ponto – se conseguissem descer.

Levaram mais de três horas de esforço tenaz para chegar ao topo, mas a única coisa a fazer agora era recuar, voltar atrás e tentar encontrar um caminho diferente, talvez em torno do segundo pico.

Concederam-se cinco minutos de descanso e depois começaram a descer, percorrendo o mesmo caminho por onde tinham subido. Fisicamente, a descida foi relativamente fácil e levou apenas uma hora, mas deixou-os desanimados. Quando chegaram de volta ao pé da montanha, contornaram a base, caminhando, tendo de um lado as escarpas geladas e, do outro, um gigantesco *bergschrund* – um abismo em forma de crescente, com 300 metros de profundidade e 2,5 quilômetros de comprimento, aberto pelo vento.

Pararam ao meio-dia para uma nova refeição e recomeçaram a subida. Era uma escalada tortuosa, muito mais íngreme do que a primeira, e precisavam abrir degraus no gelo com a enxó a partir da metade da altura da encosta. A altitude e o exercício os deixavam muito cansados e era impossível caminhar com firmeza. Mais ou menos a cada 20 minutos deitavam-se de costas na neve, com os braços e pernas estendidos, sorvendo o ar rarefeito com sofreguidão.

Finalmente, porém, em torno das três da tarde, chegaram ao cume – uma calota de gelo azulado.

A vista do alto revelava que a descida era praticamente tão impossível e assustadora quanto a primeira, só que dessa vez havia uma ameaça adicional. A tarde avançava, e um espesso nevoeiro começava a se formar no vale que descortinavam abaixo deles. Olhando para trás, viram que o nevoeiro também se aproximava do oeste.

A situação era simplesmente terrível: a menos que descessem, morreriam de frio. Shackleton calculou que estavam a uns 1.500 metros de altitude. A essa altura, a temperatura à noite seria inferior a 20 graus negativos. Não tinham como se abrigar, e suas roupas estavam batidas e adelgaçadas pelo uso.

Rapidamente, Shackleton fez meia-volta e recomeçou a descer, seguido pelos outros. Desta vez, fez o que pôde para manter-se sempre no ponto mais alto possível, cortando degraus no gelo da encosta com a enxó e seguindo lateralmente para contornar o terceiro pico – e em seguida tornando a subir.

Andavam o mais rápido que podiam, mas não eram mais capazes de desenvolver muita velocidade. As pernas estavam moles e estranhamente desobedientes.

Finalmente, bem depois das quatro horas, chegaram ao topo. A crista do cume era tão fina que Shackleton conseguiu sentar-se a cavaleiro por cima dela, com uma perna de cada lado. A luz diminuía depressa, mas olhando atentamente viu que a descida era íngreme, porém não tanto quanto as anteriores. Perto do fundo parecia assumir uma inclinação mais suave, até chegar ao terreno plano. Mas não era possível ter muita certeza, porque o vale já estava coberto de nevoeiro e havia muito pouca luz.

Além disso, o nevoeiro também se aproximava rapidamente às suas costas, ameaçando cobrir tudo, deixando-os cegos e presos no alto daquela montanha.

Não havia mais tempo para hesitação, e Shackleton passou para o outro lado. Trabalhando furiosamente, começou a cavar degraus no gelo da encosta, descendo devagar, pé ante pé. O tempo esfriava, e o sol já estava quase se pondo. Pouco a pouco, estavam descendo, mas avançavam muito devagar.

Ao final de meia hora, a superfície congelada da neve ficou mais macia, indicando que o declive passara a ser menos íngreme. Shackleton parou. Pareceu perceber, de um momento para o outro, a futilidade dos esforços que vinha fazendo. No ritmo em que estavam progredindo, levariam horas para chegar até o fundo. Além do mais, era tarde demais para voltar atrás.

Cavou uma pequena plataforma com a enxó e chamou os outros para se juntarem a ele.

Não precisava explicar muito a situação. Falando depressa, Shackleton disse simplesmente que estavam diante de uma escolha inescapável: se ficassem onde estavam, morreriam de frio – dentro de uma hora, talvez duas, talvez mais. Precisavam descer – e a toda velocidade possível.

E sugeriu que descessem deslizando.

Worsley e Crean ficaram perplexos – especialmente pelo inesperado de aquela solução doida estar sendo sugerida por Shackleton. Mas ele não estava brincando... sequer estava sorrindo. Estava falando sério – e eles perceberam.

Mas e se batessem numa pedra?, perguntou Crean.

E podiam continuar onde estavam?, respondeu Shackleton, aumentando seu tom de voz.

A encosta, argumentou Worsley. E se não ficasse plana? E se houvesse outro precipício?

A paciência de Shackleton estava quase esgotada. Novamente, perguntou – podiam ficar onde estavam?

Era óbvio que não, e Worsley e Crean foram forçados, embora a contragosto, a admiti-lo. Nem havia qualquer outro modo de descerem. E assim tomaram a decisão. Shackleton disse que deslizariam juntos, agarrados uns aos outros. Sentaram-se depressa na neve e desamarraram a corda que os unia. Cada um transformou sua parte num rolo, para usar como assento. Worsley passou as pernas pela cintura de Shackleton e os braços por seu pescoço. Crean fez o mesmo com Worsley. Pareciam três passageiros de tobogã, só que sem o tobogã.

No total, levaram pouco mais de um minuto para ficar em posição, e Shackleton não lhes deu nenhum tempo para reflexão. Quando estavam prontos, deu impulso com os pés. No momento seguinte, seus corações pararam de bater. Tiveram a sensação de ficar parados por uma fração de segundo e depois o vento começou a sibilar em seus ouvidos, enquanto corriam ao longo de uma extensão de neve de contornos indistintos. Descendo... descendo... Gritaram – não necessariamente de medo, mas simplesmente porque não conseguiam evitar. O grito era arrancado deles pela pressão que crescia em seus ouvidos e apertava seu peito. Cada vez mais depressa – descendo... descendo... descendo!

Então chegaram a terreno plano, e sua velocidade começou a diminuir. Pouco depois frearam de encontro a um monte de neve.

Os três homens se levantaram. Mal conseguiam respirar, e os corações batiam disparados. Mas começaram a rir incontrolavelmente. O que cerca de um minuto e meio antes parecia ser uma perspectiva aterrorizante transformara-se num triunfo extraordinário.

Olharam para cima – e contra o céu que escurecia rapidamente viram o nevoeiro cobrindo a crista das montanhas, uns 600 metros acima deles – e sentiram o tipo especial de orgulho de quem, num momento de insensatez, aceita um desafio que não tem como vencer e depois se sai à perfeição.

Depois de uma refeição de biscoitos e ração, começaram a subir a encosta de neve no rumo leste. Era uma caminhada difícil no escuro e precisavam tomar o máximo de cuidado com as fendas. Mas a sudoeste surgiu um brilho nevoento, destacando a silhueta dos picos das montanhas. E ao cabo de uma hora de caminhada nervosa o brilho se ergueu acima das montanhas – a lua cheia, iluminando o caminho na direção que precisavam seguir.

O panorama era fantástico. À luz da lua, as fendas agora estavam perfeitamente visíveis, e cada pequena crista de neve produzia uma sombra. Seguiram em frente, guiados pela lua propícia, até depois da meia-noite, parando a intervalos para descansar, porque seu cansaço agora estava ficando excessivo e só era aliviado pela consciência de que na certa estavam bem perto de seu objetivo.

Em torno de meia-noite e meia chegaram a uma altura de talvez 1.200 metros e o caminho ficou plano; começaram a descer aos poucos, inclinando-se ligeiramente para nordeste – na direção exata da baía Stromness. Com grande expectativa, viraram e continuaram a descer. O frio, porém, estava aumentando – ou talvez estivessem começando a ficar mais sensíveis a ele. Assim, à uma da manhã, Shackleton permitiu que parassem rapidamente para comer. Estavam de pé, andando outra vez, à uma e meia.

Desceram por mais uma hora e depois tornaram a avistar o mar. Com a silhueta destacada pelo luar, via-se a ilha Mutton, no meio da baía Stromness. Enquanto avançavam, outros pontos familiares se tornavam visíveis, e mostravam-nos, excitados, uns aos outros. Dentro de uma hora, chegariam.

Mas Crean avistou uma fenda à direita, e olhando em frente viram mais fendas em seu caminho. Pararam, totalmente confusos. Estavam descendo a vertente de uma geleira. Só que não havia geleiras em torno da baía Stromness.

Perceberam então que sua própria ansiedade os traíra cruelmente. A ilha à sua frente não era a ilha Mutton, e os pontos que reconheceram eram apenas criações de sua imaginação.

Worsley pegou o mapa e os outros se reuniram ao seu redor à luz do luar. Haviam descido provavelmente até a baía Fortune, uma das muitas reentrâncias da costa da Geórgia do Sul a oeste da baía Stromness. Mais uma vez teriam de voltar atrás. Com amargura e decepcionados, fizeram meia-volta e recomeçaram a subir.

Subiram por duas horas profundamente infelizes, contornando a ponta da baía Fortune e lutando para recuperar o terreno perdido. Às cinco da manhã já estavam quase de volta ao ponto onde haviam tomado o caminho errado e chegaram a outra fileira de cumes semelhantes aos que haviam bloqueado seu caminho na tarde anterior. Só que dessa vez havia aparentemente uma pequena passagem.

Agora, porém, estavam cansados ao ponto da exaustão. Encontraram um pequeno ponto abrigado sob uma pedra e se sentaram abraçados para aproveitar o calor. Worsley e Crean adormeceram quase imediatamente, e Shackleton também se surpreendeu cochilando. De repente, levantou a cabeça num repelão. Seus anos de experiência na Antártida lhe diziam que esse era o maior sinal de perigo – o sono fatal que acaba desembocando na morte pelo frio. Lutou cinco longos minutos para permanecer acordado e depois acordou os outros, dizendo-lhes que haviam dormido meia hora.

Mesmo depois de um descanso tão rápido, suas pernas ficaram tão endurecidas que sentiram muitas dores para esticá-las e tiveram dificuldades para voltar a andar. A abertura entre os picos ficava cerca de 300 metros acima de onde se encontravam; se arrastaram até lá, silenciosos, cheios de preocupação em relação ao que encontrariam do outro lado.

Passava pouco das seis horas quando atravessaram a passagem, e a primeira luz da manhã mostrava que não havia nenhum penhasco, nenhum precipício em seu caminho – só um declive confortável, até onde a vista alcançava. Além do vale, os morros a oeste da baía Stromness erguiam-se na distância.

– Parece bom demais para ser verdade – disse Worsley.

Começaram a descer. Quando chegaram a uma altura de cerca de 750 metros, pararam a fim de preparar o desjejum. Worsley e Crean abriram um buraco para o fogareiro enquanto Shackleton adiantou-se para ver se conseguia descobrir o que havia adiante. Subiu numa pequena elevação abrindo degraus no gelo. Do alto, o panorama não era muito animador. A encosta parecia terminar num outro precipício, embora não pudesse ter certeza.

Começou a descer – e nesse momento ouviu um som. Estava distante e meio indistinto, mas poderia ter sido um apito. Shackleton sabia que eram mais ou menos 6h30... a hora em que os homens da estação baleeira geralmente eram despertados.

Correu para dar a notícia a Worsley e Crean. Engoliram o desjejum às pressas, depois Worsley tirou o cronômetro que trazia em volta do pescoço e os três ficaram muito juntos, olhando fixamente para seus ponteiros. Se Shackleton ouvira o apito da baía Stromness, ele tornaria a soar para convocar os homens para o trabalho às sete.

Eram 6h50... depois 6h55. Mal respiravam, com medo de fazer algum som... 6h58... 6h59... No segundo exato, o assobio do apito ressoou no ar fino da manhã.

Uma coisa peculiar para comover um homem – o som de um apito de fábrica ouvido no alto da encosta de uma montanha. Mas para eles era o primeiro som do mundo exterior que ouviam desde dezembro de 1914 – 17 incríveis meses antes. Naquele instante sentiram um orgulho extraordinário, além de um sentido de conquista. Embora tivessem fracassado miseravelmente em chegar perto da meta original da expedição transantártica, sabiam que de alguma forma haviam realizado muito, muito mais do que jamais haviam pretendido.

Shackleton parecia agora possuído por uma urgência incontrolável de descer, e, embora houvesse um caminho obviamente mais seguro, apesar de mais longo, à esquerda, preferiu avançar depressa e arriscar encontrar um declive mais inclinado. Reuniram o equipamento, menos o fogareiro, que ficara vazio e não tinha mais utilidade. Cada um deles levava a última ração originalmente reservada à expedição que atravessaria a Antártida e mais um único biscoito. E assim seguiram depressa, afundando na neve fofa a cada passo.

Uns 150 metros adiante, porém, descobriram que o que Shackleton vira no final das contas era efetivamente um precipício. E assustadoramente íngreme, quase uma chaminé. Mas não estavam mais dispostos a voltar atrás. Shackleton foi baixado em cordas e cortou degraus no gelo que cobria a face do penhasco. Quando chegou ao limite dos 15 metros da corda, os outros dois desceram até onde ele estava e todo o ciclo foi repetido. Estavam avançando, mas devagar e com grande risco.

Levaram três horas para descer, mas finalmente, por volta das dez horas, chegaram ao fundo. Depois desse ponto, só havia uma descida fácil até o vale e depois uma subida suave do outro lado.

No entanto, era uma longa escalada, com quase mil metros no total, e estavam muito, muito cansados. Só tinham porém mais uma crista de montanhas pela frente e conseguiram fazer seus corpos retomar a caminhada. Ao meio-dia haviam chegado à metade do caminho e meia hora depois alcançaram um pequeno platô. Então, finalmente, pouco depois de uma e meia, chegaram à crista final de picos e olharam para o panorama que se abria a seus pés.

Cerca de 800 metros abaixo, a Estação Baleeira de Stromness. Um veleiro estava amarrado a um dos cais, e uma pequena baleeira entrava na baía. Viram os pequenos vultos de homens movendo-se pelas docas e armazéns.

Ficaram contemplando aquela cena por vários minutos, em silêncio. Não parecia haver muito a dizer, ou pelo menos nada que precisasse ser dito.

– Vamos descer – disse Shackleton baixinho.

Tendo chegado tão perto, recuperara a sua cautela habitual, e estava decidido a não deixar que nada saísse errado justo agora. O terreno exigia cuidado. Era uma encosta íngreme, coberta de gelo, como os lados de uma xícara, descendo de todas as direções até a enseada. Se alguém escorregasse, podia percorrer toda a distância deslizando sem ter como interromper sua queda, pois não havia nada em que pudesse se segurar.

Andaram pela crista do morro até acharem uma pequena ravina que parecia oferecer apoio seguro e começaram a descer. Depois de mais ou menos uma hora, as encostas da ravina ficaram mais íngremes e surgiu um riacho que corria bem pelo meio. Continuaram avançando e o riacho ia ficando cada vez mais profundo. Finalmente, andavam com água até o joelho, uma água que descia das alturas nevadas.

Perto de três da tarde olharam em frente e viram que o riacho acabava abruptamente – numa queda-d'água.

Chegaram até a beira e olharam para baixo. Havia uma queda de uns sete metros. Mas era o único caminho. A ravina se transformara numa garganta e seus lados eram perpendiculares, não oferecendo qualquer outra possibilidade de descida.

A única coisa a fazer era descer por ali mesmo. Conseguiram achar uma pedra suficientemente grande para aguentar seu peso e prenderam uma das pontas da corda a ela. Os três tiraram os casacos, em que embrulharam a enxó, a panela e o diário de Worsley, e depois os jogaram para baixo. Crean foi o primeiro a descer. Shackleton e Worsley o baixaram lentamente, e ele chegou ao fundo tossindo, sufocado. Depois Shackleton desceu em meio à água. Worsley foi o último.

Foi um desagradável banho gelado, mas estavam no fundo, e a partir daquele ponto o caminho era praticamente plano. A corda não podia mais ser recuperada, mas pegaram os três artigos que lhes restavam e seguiram para a estação, que agora se encontrava apenas a mais ou menos um quilômetro de distância.

Quase ao mesmo tempo, os três lembraram de sua aparência. O cabelo caía quase até os ombros e as barbas estavam emaranhadas, cobertas de sal e gordura. As roupas estavam imundas, gastas e rasgadas.

Worsley enfiou a mão por baixo do suéter e cuidadosamente pegou quatro alfinetes de fralda enferrujados que havia entesourado por quase dois anos. Com eles, fez o possível para fechar os principais rasgões de suas calças.

3

Mathias Andersen era o capataz da estação de Stromness. Nunca se encontrara com Shackleton, mas, como todos na Geórgia do Sul, sabia que o *Endurance* zarpara de lá em 1914... e certamente naufragara com todos os seus ocupantes no mar de Weddell.

Naquele momento, porém, seus pensamentos estavam longe de Shackleton e da desafortunada Expedição Imperial Transantártica. Estava cansado: começara a trabalhar há mais de nove horas. Estava de pé no cais, supervisionando um grupo de seus homens que descarregavam suprimentos de um navio.

Nesse instante ouviu um barulho e levantou os olhos. Dois meninos de uns 11 anos vinham correndo, não de brincadeira, mas aterrorizados. Atrás deles, Andersen viu as figuras de três homens andando lentamente, e com ar exausto, em sua direção.

Ficou intrigado. Eram estranhos, é claro. Mas isso não chamava tanto atenção quanto a direção de que vinham – não do cais, onde podia haver um navio, mas do interior da ilha.

Quando se aproximaram, viu que tinham barbas compridas e que seus rostos estavam quase inteiramente pretos, menos os olhos. Os cabelos caíam quase até os ombros. Por alguma razão, pareciam emaranhados e endurecidos. As roupas também eram estranhas. Não eram os casacos e botas que os marinheiros costumavam usar. Parecia que aqueles homens estavam usando *parkas*, embora fosse difícil dizer ao certo, porque os trajes estavam em frangalhos.

Os trabalhadores interromperam o que estavam fazendo para examinar os três estranhos. O capataz adiantou-se para recebê-los. O homem do meio falou em inglês.

– Poderia, por favor, nos levar até Anton Andersen? – disse baixinho.

O capataz balançou a cabeça. Anton Andersen não estava mais em Stromness, explicou. Fora substituído pelo gerente da fábrica, Thoralf Sørlle.

O inglês pareceu ter ficado contente.

– Ótimo – disse. – Conheço bem Sørlle.

O capataz indicou o caminho da casa de Sørlle, cerca de 100 metros à direita. Quase todos os trabalhadores do cais haviam largado suas tarefas para ver os três estranhos que apareceram no porto. Agora formavam uma fila ao longo do caminho, observando curiosamente o capataz e seus três companheiros.

Andersen bateu na porta da casa do gerente e pouco depois o próprio Sørlle veio abrir. Estava em mangas de camisa e ainda usava seu imenso bigode em forma de guidom de bicicleta.

Quando viu os três homens, deu um passo atrás e uma expressão de incredulidade tomou seu rosto. Passou um longo momento chocado e calado, antes de conseguir falar.

– Mas quem diabo são vocês? – disse afinal.

O homem do centro deu um passo à frente.

– Meu nome é Shackleton – respondeu em voz baixa.

Novamente fez-se silêncio. Há quem diga que Sørlle virou o rosto e chorou.

Epílogo

A travessia da Geórgia do Sul só foi realizada por mais uma expedição. Ocorreu quase 40 anos depois, em 1955, e foi feita por uma equipe britânica de exploração chefiada por Duncan Carse. O grupo era composto de alpinistas experientes e estava bem equipado com tudo de que precisavam para a viagem. Ainda assim, acharam a caminhada extremamente traiçoeira.

Escrevendo do local, em outubro de 1955, Carse explicou que, para fazer a travessia, havia dois caminhos possíveis – o "caminho alto" e o "caminho baixo".

> Em distância [escreveu Carse], nunca estão a mais de 15 quilômetros um do outro; em dificuldade, mal podem ser comparados.
>
> Hoje, viajamos com calma, sem pressa. Estamos em boa forma física e temos nossos trenós, nossas barracas e bastante comida. Só nos arriscamos em terreno desconhecido com todo o vagar e tendo a oportunidade de sondar o que vamos encontrar pela frente. Escolhemos os riscos que vamos correr, aceitando apenas os que podemos calcular. A vida de ninguém depende de nosso sucesso – exceto as nossas próprias. Seguimos o caminho alto.
>
> Eles – Shackleton, Worsley e Crean – seguiram o caminho baixo.
>
> Não sabemos por quê, só que era o que tinham de fazer – três homens da era heroica da exploração antártica, com 15 metros de corda no total e uma enxó de carpinteiro.

Todos os confortos que a estação baleeira podia oferecer foram postos à disposição de Shackleton, Worsley e Crean. Primeiro se deram ao luxo de um banho prolongado e depois se barbearam. Finalmente, ganharam roupas novas tiradas do depósito da estação.

À noite, depois de um farto jantar, Worsley subiu a bordo da baleeira *Samson* para dar a volta à Geórgia do Sul até o Acampamento Peggotty, onde McNeish, McCarthy e Vincent o esperavam. O *Samson* chegou na manhã seguinte à baía Rei Haakon. Pouco se sabe do encontro, além do fato de que num primeiro momento os três expedicionários acampados não conseguiram reconhecer Worsley, cuja aparência fora drasticamente alterada depois que se barbeara e mudara de roupa. McNeish, McCarthy e Vincent subiram a bordo da baleeira, e o *Caird* também foi embarcado. O *Samson* chegou de volta a Stromness no dia seguinte – 22 de maio.

Enquanto isso, Shackleton conseguira o empréstimo de um grande navio baleeiro, o *Southern Sky*, para voltar à ilha Elephant e resgatar o grupo que lá ficara.

À noite realizou-se uma espécie de recepção tosca no que Worsley descreveu como uma "grande sala, lotada de capitães e oficiais e marinheiros, cheia de fumaça de tabaco". Quatro veteranos comandantes noruegueses, de cabelos brancos, se adiantaram. Seu porta-voz, falando norueguês, traduzido por Sørlle, disse que navegavam pelo Atlântico havia 40 anos e que queriam apertar as mãos dos homens que conseguiram trazer um barco aberto de 22 pés da ilha Elephant até a Geórgia do Sul, através da passagem de Drake.

Depois, todos os homens que se encontravam na sala se levantaram, e os quatro velhos comandantes apertaram as mãos de Shackleton, Worsley e Crean, cumprimentando-os pelo que haviam feito.

Muitos dos marinheiros estavam barbados e vestidos com suéteres grossas e botas de marinheiro. Não houve nenhuma formalidade nem discursos. Não tinham medalhas ou condecorações a entregar – só sua sincera admiração por um feito que talvez só eles fossem capazes de apreciar plenamente. E sua sinceridade deu à cena uma solenidade simples, mas profundamente comovente. Das honrarias que se seguiram – e foram muitas –, possivelmente nenhuma excedeu aquela noite de 22 de maio de 1916, quando, num armazém da Geórgia do Sul, com o cheiro de carcaças podres de baleia no ar, os navegadores dos oceanos do Sul avançaram um a um, apertando em silêncio as mãos de Shackleton, Worsley e Crean.

Na manhã seguinte, menos de 72 horas depois de chegarem a Stromness cruzando as montanhas, Shackleton e seus dois companheiros partiram para a ilha Elephant.

Foi o início de uma série terrivelmente frustrante de tentativas de resgate, que duraria mais de três meses, ao longo dos quais o banco de gelo que cercava a ilha Elephant parecia determinado a não permitir que nenhum navio se aproximasse para recolher os náufragos.

Apenas três dias depois de zarpar da Geórgia do Sul, o *Southern Sky* encontrou gelo e menos de uma semana depois foi obrigado a retornar ao porto. Dez dias mais tarde, porém, Shackleton obteve do governo uruguaio o empréstimo de um pequeno navio de pesquisa, o *Instituto de Pesca nº 1*, para uma segunda tentativa de resgatar seus homens. O barco voltou seis dias depois, seriamente avariado pelo gelo que Shackleton tentara atravessar com ele.

Uma terceira tentativa foi feita numa pequena escuna de madeira, o *Emma*, que Shackleton fretou. Passou quase três semanas no mar, durante as quais era extremamente difícil mantê-la à tona – quanto mais chegar à ilha para resgatar seus companheiros desgarrados. O *Emma* nunca chegou a uma distância de menos de 150 quilômetros da ilha Elephant.

Já era dia 3 de agosto, e quase três meses e meio haviam passado desde que o *Caird* zarpara para a Geórgia do Sul. Depois do fracasso de suas tentativas de resgate, a ansiedade de Shackleton chegara a um ponto tal que Worsley disse que jamais o vira tão nervoso. Shackleton dirigiu uma série de apelos ao governo inglês para que lhes mandasse um navio apropriado para atravessar o gelo. Agora, receberam a notícia de que o *Discovery*, que originalmente carregara Scott até a Antártida em 1901, estava finalmente a caminho. Mas levaria semanas para chegar, e Shackleton não estava disposto a ficar esperando sentado, sem fazer nada.

Em vez disso, apelou para o governo chileno, pedindo para usar um velho rebocador oceânico, o *Yelcho*. Prometeu que não faria o barco atravessar o gelo, já que seu casco era de aço e sua capacidade de enfrentar mar agitado – quanto mais bancos de gelo – era duvidosa. Atenderam a seu pedido, e o *Yelcho* zarpou dia 25 de agosto. Desta vez, o destino foi favorável.

Cinco dias mais tarde, em 30 de agosto, Worsley anotou no diário de bordo:

5h25. Toda velocidade... 11h10... terra ligeiramente visível. Abrindo caminho entre blocos de gelo, recifes & icebergs encalhados. 13h10. Vimos o Acampamento a SW...

Para os 22 náufragos da ilha Elephant, 30 de agosto começou como qualquer outro dia. Ao nascer do sol, o céu estava claro e o tempo frio, prometendo um dia bonito. Mas logo nuvens pesadas chegaram, e a cena voltou a ser, como anotou Orde-Lees, "a tristeza dominante à qual nos acostumamos".

Como sempre, quase todos subiram individualmente ao mirante para convencer-se mais uma vez de que não havia nenhum navio à vista. A essa altura, já subiam mais por hábito do que por esperança. Era simplesmente um ritual ao qual se haviam acostumado: subiam sem expectativa e voltavam à cabana sem decepção. Fazia quatro meses e seis dias que o *Caird* partira, e não havia ninguém que ainda acreditasse seriamente que o barco resistira à viagem até a Geórgia do Sul. Agora era só questão de tempo até que um grupo empreendesse, a bordo do *Wills*, a perigosa viagem para a ilha Deception.

Depois do desjejum, todos se dedicaram a cavar a neve que se acumulara em torno da cabana. Mas perto do final da manhã a maré estava baixa e decidiram deixar a retirada da neve para mais tarde a fim de pegar lapas, pequenos crustáceos que vinham sendo encontrados em quantidade razoável no mar, fora do pontal de pedra. Wally How estava servindo de cozinheiro e preparava um almoço de espinha de foca cozida, prato que todos apreciavam muito.

A comida ficou pronta às doze e quarenta e cinco, e todos se reuniram na cabana, menos Marston, que subira ao mirante para desenhar uns esboços.

Poucos minutos depois, ouviram seus passos correndo pelo caminho, mas ninguém deu muita atenção. Estava simplesmente atrasado para o almoço. Então ele enfiou a cabeça pela porta e falou com Wild tão sem fôlego que muitos achavam que estava falando com descaso.

– Acho melhor nós mandarmos uns sinais de fumaça – disse.

Houve silêncio por alguns instantes, e depois, ao mesmo tempo, todos compreenderam o que Marston estava dizendo.

Antes que houvesse tempo de dizer alguma coisa [escreveu Orde-Lees], todos saíram correndo ao mesmo tempo, uns tropeçando nos outros, derrubando as canecas com a comida, tentando chegar ao mesmo tempo à porta, que foi imediatamente reduzida a frangalhos, de modo que os que não conseguiram passar por ela, por causa do atropelo, acabaram saindo pela "parede", ou o que restava dela.

Alguns calçaram as botas – outros nem isso. James, por exemplo, calçou as botas nos pés trocados.

Era verdade, havia um pequeno navio a uns dois quilômetros da costa.

Macklin correu para o mirante, arrancando o casaco enquanto corria. Amarrou-o na adriça do remo que lhes servia de mastro. Mas só conseguiu hastear o casaco até a metade do caminho, porque a adriça ficou presa. (Shackleton viu a bandeira a meio pau e seu coração quase parou de bater, contaria mais tarde, porque achou que era sinal de que algum dos membros do grupo se perdera.)

Hurley reuniu todo o forro de botas que encontrou, depois jogou por cima óleo de gordura de foca e dois galões de querosene que ainda tinham. Teve dificuldade para acender, e, quando finalmente conseguiu atear fogo – quase uma explosão – àquela pilha, produziu mais chamas do que fumaça.

Mas não tinha importância. O navio rumava para o pontal onde se encontravam.

Wild, enquanto isso, fora até a beira do mar e sinalizava qual era o melhor lugar para mandarem um barco. E How abriu uma lata de preciosos biscoitos e os oferecia a todos. No entanto, poucos pararam para comer. Até mesmo uma iguaria rara como aquela pouco apelo tinha na emoção daquele instante.

Macklin voltou para a cabana e pôs Blackboro nos ombros, carregando-o para uma posição nas pedras perto de Wild, onde pudesse ver melhor o que estava acontecendo.

O navio chegou até 100 metros da praia e depois parou. Os homens viram que um escaler estava sendo baixado. Quatro homens entraram nele, seguidos pela silhueta robusta, quadrada, que conheciam tão bem – Shackleton. Hurras espontâneos se ergueram. Na verdade, a emoção em terra era tão intensa que muitos homens não conseguiram parar de rir.

Poucos minutos depois, o barco estava perto o suficiente para que pudessem ouvir Shackleton.

– Vocês estão bem? – gritou ele.

– Todos bem – responderam.

Wild conduziu o barco para um lugar seguro entre as pedras, mas devido ao gelo que se formara em volta do pontal era impossível chegar até a praia, e o barco ficou a poucos metros da beira.

Wild chamou Shackleton para descer em terra, mesmo que por pouco tempo, a fim de ver como haviam cuidado da instalação da cabana em que passaram quatro longos meses à espera. Mas Shackleton, embora estivesse muito sorridente e visivelmente aliviado, estava ainda bastante ansioso e queria apenas ir embora. Declinou o convite de Wild e pediu aos homens que subissem a bordo o mais rápido que pudessem.

Certamente, não era preciso apressar aquele grupo, e subiram, um de cada vez, das pedras para o barco, deixando para trás, sem pensar duas vezes, dúzias de pequenas propriedades pessoais que uma hora antes lhes pareciam quase indispensáveis.

O primeiro grupo foi levado, à força de remos, para o *Yelcho*, e depois um segundo.

O tempo todo, Worsley observava ansioso da ponte de comando do navio.

Finalmente, anotou no livro de bordo: "14h10: Todos bem! 14h15: À frente, a toda a velocidade."

Macklin escreveu:

Fiquei no convés para ver a ilha Elephant desaparecendo na distância... Eu ainda podia ver o meu casaco sendo batido pelo vento no alto das pedras – e ele vai ficar batendo por lá, para espanto das gaivotas e dos pinguins, até que um dos nossos [vendavais] familiares o reduza a frangalhos.

Sir Ernest Henry Shackleton partiu de Londres em setembro de 1921 para mais uma expedição à Antártida, a bordo do *Quest*. No dia 5 de janeiro de 1922, ao largo da ilha da Geórgia do Sul, morreu, segundo a *Encyclopaedia Britannica*, de um ataque de *angina pectoris*, devido a uma forte gripe. Tinha menos de 48 anos. Foi sepultado na Geórgia do Sul. (N. do T.)

Agradecimentos

Nunca serei capaz de exprimir devidamente meus agradecimentos a todas as pessoas que contribuíram com esta tarefa. Mas aqui estão algumas das pessoas a quem estou especialmente grato:

William Bakewell, de Dukes, Michigan.
Charles W. Ferguson, de Chappaqua, Nova York.
Margery e James Fisher, de Northhampton, Inglaterra, coautores de *Shackleton and the Antarctic* (Shackleton e a Antártida), que generosamente puseram à minha disposição uma grande parte do material que reuniram para preparar sua excelente e exaustivamente pesquisada biografia de Shackleton.
Charles J. Green, de Hull, Inglaterra.
O comandante Lionel Greenstreet, de Brixham, na Inglaterra, primeiro por me conceder horas de seu tempo, e depois por me permitir gentilmente usar seus dois diários extremamente detalhados, e ainda por responder a muitas perguntas que lhe dirigi por carta.
Srta. Evelyn Harvey, de Nova York, por suas críticas e conselhos pacientes.
Walter How, de Londres.
Dr. Leonard D. A. Hussey, de Chorley Wood, Hertfordshire, que forneceu muitas informações úteis, tanto pessoalmente quanto por carta.
Srta. Joan Ogle Isaacs, de Londres, que passou muitas semanas pesquisando comigo.
Dr. Reginald W. James, da Cidade do Cabo, África do Sul.
A. J. Kerr, de Ilford, Essex, Inglaterra.
James Marr, de Surrey, Inglaterra, que generosamente pôs à minha disposição o diário de Frank Worsley da viagem do *Caird*, pelo que lhe sou especialmente grato.

Os editores da McGraw-Hill Book Company, especialmente Edward Kuhn Jr.

Dr. J. A. McIlroy, de Aberystwyth, do País de Gales.

Srta. Edna O'Brien, de Scarborough, Nova York.

Maurice T. Ragsdale, de Chappaqua, Nova York, que leu os originais e deu excelentes sugestões.

Falecida Srta. Cecily Shackleton, que, antes de sua morte, me permitiu gentilmente o uso do diário de seu pai e de muitos de seus papéis pessoais.

Scott Polar Research Institute, de Cambridge, Inglaterra, que pôs à minha disposição os seguintes manuscritos:

1. O diário de bordo do *Endurance*, de Frank Worsley, 1914-1916 (S.P.R.I. ms. 296).
2. O diário (de navegação) do *James Caird*, por Frank Worsley, abril- -maio de 1916 (S.P.R.I. ms. 297).
3. Os diários de R. W. James (S.P.R.I. ms. 370).
4. O esboço da narrativa da expedição do *Endurance*, por T. H. Orde- -Lees (S.P.R.I. ms. 293). Datilografado.

Agradeço particularmente a Harry G. R. King e à Srta. Ann M. Savours, do Scott Polar Research Institute, por sua ajuda de muitas horas e pelo interesse que demonstraram pelo projeto.

Arnt Wegger, dos estaleiros Framnaes em Sandefjord, na Noruega, e também Lars Christensen, Aanderud Larsen, Mathias Andersen e muitos outros em Sandefjord, que me forneceram plantas, fotos e toda a informação disponível sobre o navio *Endurance*, além de muitas informações sobre a Geórgia do Sul.

Sir James Wordie, de Cambridge, Inglaterra.

Finalmente, quero destacar três indivíduos em relação aos quais me sinto especialmente devedor.

O primeiro é Paul Palmer, de Ridgefield, Connecticut, sem cujo entusiasmo, estímulo e ajuda este livro possivelmente jamais teria sido escrito.

O segundo é o dr. Alexander H. Macklin, de Cults, Aberdeenshire, Escócia, para com quem minha dívida é difícil de avaliar. Não só me forneceu seus próprios diários, e outros, como ainda me fez uma narração detalhada da travessia de barco até a ilha Elephant. Sua generosidade, sua objetividade e acima de tudo a paciência que demonstrou ao longo de um período de muitos meses, durante o qual respondeu minuciosamente a minhas inúmeras perguntas, nunca falharam. Pedi-lhe uma ajuda muito maior do que tinha o direito de esperar.

Finalmente, de minha mulher, só posso dizer que sua contribuição foi muito além do chamado do dever.

Para saber mais sobre os títulos e autores da Editora Sextante,
visite o nosso site e siga as nossas redes sociais.
Além de informações sobre os próximos lançamentos,
você terá acesso a conteúdos exclusivos
e poderá participar de promoções e sorteios.

sextante.com.br